国家出版基金项目
NATIONAL PUBLICATION FOUNDATION

"十四五"国家重点出版物出版规划项目

长江大保护与高质量发展研究系列丛书

长江保护与绿色发展研究院
江苏长江保护与高质量发展研究基地 ◎ 组织编写

经济卷
ECONOMIC VOLUME

河海大学出版社
HOHAI UNIVERSITY PRESS
·南京·

图书在版编目(CIP)数据

长江大保护与高质量发展研究系列丛书. 经济卷 / 长江保护与绿色发展研究院，江苏长江保护与高质量发展研究基地组织编写. -- 南京 ：河海大学出版社，2024. 11. -- ISBN 978-7-5630-9555-1

Ⅰ. X321.25;F127.5

中国国家版本馆 CIP 数据核字第 2024RJ5170 号

书　　名	长江大保护与高质量发展研究系列丛书. 经济卷 CHANGJIANG DABAOHU YU GAOZHILIANG FAZHAN YANJIU XILIE CONGSHU. JINGJI JUAN
书　　号	ISBN 978-7-5630-9555-1
策划编辑	朱婵玲
责任编辑	卢蓓蓓　倪美杰
特约校对	李　阳
装帧设计	林云松风
出版发行	河海大学出版社
地　　址	南京市西康路 1 号(邮编:210098)
电　　话	(025)83737852(总编室) (025)83722833(营销部)
经　　销	江苏省新华发行集团有限公司
排　　版	南京布克文化发展有限公司
印　　刷	南京工大印务有限公司
开　　本	787 毫米×1092 毫米　1/16
印　　张	18.75
字　　数	337 千字
版　　次	2024 年 11 月第 1 版
印　　次	2024 年 11 月第 1 次印刷
定　　价	88.00 元

《长江大保护与高质量发展研究系列丛书》编委会

总序

进入21世纪以来，中国经济已由高速增长阶段转向高质量发展阶段，正处于转变发展方式、优化经济结构、转换增长动力的攻关期，由粗放型增长向高质量、绿色增长转变成为实现可持续发展的必然选择。长江是中华民族的母亲河之一，横跨东、中、西部，联通南北，成为中华民族发展的重要支撑。推动长江经济带高质量发展是以习近平同志为核心的党中央作出的重大决策，是关系国家发展全局的重大战略。共抓长江大保护，构建长江新发展格局，推动长江经济带高质量发展，是国家经济社会发展的重要组成部分，是功在当代、惠泽长远的重大决策部署，对实现"两个一百年"奋斗目标、实现中华民族伟大复兴的中国梦具有重要意义。

2014年9月，国务院印发了《关于依托黄金水道推动长江经济带发展的指导意见》，将长江经济带发展上升为国家战略。2016年9月，《长江经济带发展规划纲要》正式印发，确立了"一轴、两翼、三极、多点"的发展新格局。2016年1月，在重庆召开的推动长江经济带发展座谈会上，习近平总书记提出"共抓大保护、不搞大开发"的新理念。2017年10月，党的十九大报告又将"以共抓大保护、不搞大开发为导向推动长江经济带发展”纳入新时代实施区域协调发展战略的重要内容。2018 年 4 月，习近平总书记在武汉召开的深入推动长江经济带发展座谈会上强调，加强改革创新、战略统筹、规划引导，以长江经济带发展推动经济高质量发展。2020 年 11 月，习近平总书记在南京召开的全面推动长江经济带发展座谈会上进一步强调，要谱写生态优先绿色发展新篇章，打造区域协调发展新样板，构筑高水平对外开放新高地，塑造创新驱动发展新优势，绘就山水人城和谐相融新画卷，使长江经济带成为我国生态优先绿色发展主战场、畅通国内国际双循环主动脉、引领经济高质量发展主力军。2020 年 12 月，十三届全国人大常委会第二十四次会议表决通过《中华人民共和国长江保护法》，明确提出建立长江流域协调机制和区域协作机制，增强长江保护和发展的系统性、整体性、协同性，“共抓大保护、不搞大开发”正式写入我国法律。2021 年 11 月，《中共中央 国务院关于深入打好污染防治攻坚战的意见》印发实施，明确要求持续打好长江保护修复攻坚战，为新时期长江保护修复工作指明了方向。

围绕贯彻落实习近平总书记系列重要讲话精神和党中央、国务院关于推动长江经济带发展战略部署，2019 年 6 月，在教育部、水利部、江苏省、三峡集团的关心支持下，河海大学与南京水利科学研究院主动服务国家重大战略，发挥政产学研各方面优势，共同组建“长江保护与绿色发展研究院”。研究院聚焦国家重大战略需求，深度对接院所企业科技创新资源，整合优势创新力量，以保障长江水安全和补齐长江大保护领域重大问题短板为导向，以重大科技项目为引领，以高水平创新平台为支撑，通过建立共担科技项目、共建研发平台、共促成果转化、共用科技人才、共享科技资源，形成多元开放、优势互补、集成高效的融合发展新机制，建设一个从宏观战略到微观治理、从规划布局到技术实施、从商业模式到科技金融等全面综合的新型研究机构，为长江大保护和长江经济带发展提供有力的科技支撑和智力保障，为中国乃至全球大江大河治理保护提供智慧和方案。此外，河海大学充分发挥水利学科优势、经管文法多学科发展特色，主动融入和服务长江经济带发展，成立了江苏长江保护与高质量发展研究基地。该基地于2019年入选江苏省决策咨询研究基地，作为长江保护与绿色发展研究院的智库载体和平台，积极成为助力长江大保护和江苏长江经济带高质量发展的新型智库。

《长江大保护与高质量发展研究系列丛书》是由长江保护与绿色发展研究院、江苏长江保护与高质量发展研究基地推出的智库产品。丛书分为综合卷、经济卷、社会卷、生态卷、法治卷、政策卷和文化卷七部分，其中：综合卷系统梳理了长江经济带社会经济、科技创新和绿色低碳高质量发展总况、存在问题及对策建议；经济卷主要分析了长江经济带经济高质量发展的政策环境及面临的挑战，在对长江经济带经济发展质量进行测度评价的基础上，对典型地区的产业高质量发展实践进行了考察；社会卷立足于长江经济带生态文明建设过程中的社会形势，从社区生态文明建设、民间环保组织实践及环境政务建设三方面展开调查研究；生态卷基于长江流域生态健康评价，重点阐述了长江生态环境的现状与存在问题、长江流域生态环境保护的实践与成效以及长江流域生态环境的修复与治理对策；法治卷讨论了《中华人民共和国长江保护法》的制定背景与制度创新、法治困境及推动长江经济带高质量发展的法治建议，分析了长江大保护与高质量发展中的典型法治案例；政策卷重点介绍了长江保护政策的变迁历程、实施现状及地方探索，对长江水资源开发利用政策、水生态保护修复政策、产业绿色发展政策的实施效果进行了评价；文化卷阐述长江水利、移民、灌溉、抗洪、航运、桥梁文化的发展历程，以及长江文化的弘扬和传承之路。

呈现在读者眼前的这套丛书，是我们长江保护与高质量发展研究系列成果的一部分。我们期望这一系列的探索，能够为政府、企业、科研院所、高校的相关研究提供深入而系统的基础支持；能够成为观察长江经济社会发展新成就、新理论、新走向的重要理论高地；能够推动学界、市场与政策制定者们更加关注长江保护与绿色发展；能够为落实“长江大保护”国家战略提供智慧支持。

长江保护与绿色发展研究院（生态文明建设与流域保护研究院）
江苏长江保护与高质量发展研究基地

目录 CONTENTS

01

第一章

长江经济带高质量发展政策环境

营造适宜的政策环境对推动长江经济带经济高质量发展具有重要的理论和现实意义。在新发展格局下，推动长江经济带高质量发展，需要多方合力打造良好的政策环境，构筑起支撑长江经济带高质量发展的政策体系。中共中央、国务院等充分发挥引领带头作用，强化政策扶持的力度；各部门、各省市也积极贯彻落实党中央和国务院的决策部署，出台具体的实施细则和方案，以最大限度地发挥政策的激励和导向效应。近几年来，国家层面和地方层面在长江经济带高质量发展若干方面出台了一系列政策文件，为长江经济带高质量发展创造了有利的环境，推动长江经济带高质量发展已经成为各方共识。

1.1 国家战略部署与政策取向

1.1.1 经济高质量发展国家战略部署与政策取向

为了推进长江经济带高质量发展，自 2017 年以来，中共中央、国务院在经济高质量发展总体、创新发展、协调发展、绿色发展、开放发展和共享发展等方面出台了一系列政策文件，对创新创业、乡村振兴、环境保护、对外贸易和脱贫攻坚等内容做出了规定。这有利于贯彻落实创新、协调、绿色、开放、共享的新发展理念，提高了构建新发展格局的能力和水平，为实现经济高质量发展提供了根本保证。

在经济高质量发展总体方面，2017 年 9 月，中共中央、国务院出台了《关于开展质量提升行动的指导意见》，该意见提出要以提高发展质量和效益为中心，将质量强国战略放在更加突出的位置，开展质量提升行动，全面提升质量水平。该意见有利于深入开展质量提升行动，切实提升质量总体水平，更好地提高全要素生产率并促进经济发展。2018 年 8 月，国家发展和改革委员会（以下简称国家发展改革委）办公厅印发《关于建立特色小镇和特色小城镇高质量发展机制的通知》，该通知明确提出以引导特色产业发展为核心，加快建立特色小镇和特色小城镇高质量发展机制，释放城乡融合发展和内需增长新空间。该政策在引导特色小镇和特色小城镇发展方面取得积极成效。2018 年 9 月，中共中央全面深化改革委员会第四次会议审议通过《关于推动高质量发展的意见》，该意见指出推动高质量发展是当前和今后一个时期确定发展思路、制

注：本书相关数据因四舍五入，计算结果有偏差。

定经济政策、实施宏观调控的根本要求，要加快创建和完善制度环境，协调建立高质量发展的指标体系、政策体系、标准体系、统计体系、绩效评价和政绩考核办法。该意见为确定发展思路、制定经济政策、实施宏观调控指明了方向，为引领整体高质量发展提供了契机。2021 年 4 月，中共中央、国务院出台了《关于新时代推动中部地区高质量发展的意见》，该意见强调要充分发挥中部地区的区位优势和比较优势，着力构建以先进制造业为支撑的现代产业体系，着力增强城乡区域发展协调性，着力建设绿色发展的美丽中部，着力推动内陆高水平开放，着力提升基本公共服务保障水平，推动中部地区高质量发展。该意见为促进中部地区经济社会发展、推动中部地区加快崛起提供了契机。2023 年 11 月，中共中央政治局审议了《关于进一步推动长江经济带高质量发展若干政策措施的意见》，强调要在高水平保护上下更大功夫，把科技创新作为主动力，加强区域创新链融合，大力推动产业链供应链现代化。该意见为进一步推动长江经济带高质量发展提供了政策保障。

在创新发展方面，2018 年 9 月，国务院出台了《关于推动创新创业高质量发展 打造“双创”升级版的意见》，该意见提出通过打造“双创”升级版，进一步优化创新创业环境，大幅降低创新创业成本，提升创业带动就业能力，增强科技创新引领作用，推动创新创业高质量发展。该意见有助于提升科技创新和产业发展活力，有利于创造优质供给和扩大有效需求，对增强经济发展内生动力具有重要意义。2019 年和 2020 年，国务院及国务院办公厅先后出台了《关于推进国家级经济技术开发区创新提升 打造改革开放新高地的意见》《关于支持国家级新区深化改革创新 加快推动高质量发展的指导意见》《关于促进国家高新技术产业开发区高质量发展的若干意见》，这些意见提出要着力推进国家级经济技术开发区、国家级新区以及国家高新技术产业开发区（以下简称国家高新区）进一步实现开放创新、科技创新、制度创新，推进产业迈向中高端，提升经济发展质量，打造改革开放新高地。这些意见为将国家级经济技术开发区、国家级新区和国家高新区建设成为创新驱动发展示范区和高质量发展先行区提供了指引。2020 年国务院办公厅就发挥双创示范基地示范引领作用出台的相关政策，进一步推动了大众创业万众创新向纵深发展。2021 年 10 月，国务院办公厅发布《关于进一步支持大学生创新创业的指导意见》，提出提升大学生创新创业能力、优化大学生创新创业环境、加强大学生创新创业服务平台建设、推动落实大学生创新创业财税扶持政策等指导意见。该意见对深入推进创新驱动发展战略具有重要意义。

在协调发展方面，2018 年 11 月，中共中央、国务院出台了《关于建立更加有效的区域协调发展新机制的意见》，意见强调要立足发挥各地区比较优势和缩小区域发展差距，加快形成统筹有力、竞争有序、绿色协调、共享共赢的区域协调发展新机制。该意见对全面落实区域协调发展战略各项任务，促进区域协调发展向更高水平和更高质量迈进具有重要意义。2019 年 4 月，中共中央、国务院印发了《关于建立健全城乡融合发展体制机制和政策体系的意见》，意见提出建立健全有利于城乡要素合理配置、城乡基本公共服务普惠共享、城乡基础设施一体化发展等方面的体制机制。该意见有利于重塑新型城乡关系，进一步促进城乡融合发展。2018—2021 年，中共中央、国务院相继出台了《关于实施乡村振兴战略的意见》《乡村振兴战略规划（2018—2022 年）》《关于坚持农业农村优先发展做好"三农"工作的若干意见》，中共中央办公厅、国务院办公厅相继出台了《数字乡村发展战略纲要》《关于加强和改进乡村治理的指导意见》《关于调整完善土地出让收入使用范围优先支持乡村振兴的意见》《关于加快推进乡村人才振兴的意见》，国务院出台了《关于促进乡村产业振兴的指导意见》。这些政策都对乡村振兴提出了相关要求，对推动农业全面升级、农村全面进步、农民全面发展，谱写新时代乡村全面振兴新篇章具有重要意义。2023 年 8 月，中央财经委员会办公室（以下简称中央财办）等九部门联合印发《中央财办等部门关于推动农村流通高质量发展的指导意见》，提出要把农村现代流通体系建设作为五级书记抓乡村振兴的重要内容，纳入各地经济社会发展规划。2023 年 10 月，国务院发布《关于推进普惠金融高质量发展的实施意见》，提出银行业应持续巩固乡乡有机构、村村有服务，健全农村金融服务体系。该意见有助于构建高水平普惠金融体系，助力乡村振兴国家战略。

在绿色发展方面，2018 年 6 月，中共中央、国务院印发了《关于全面加强生态环境保护 坚决打好污染防治攻坚战的意见》，意见明确提出要推动形成绿色发展方式和生活方式、坚决打赢蓝天保卫战、着力打好碧水保卫战、扎实推进净土保卫战、加快生态保护与修复、改革完善生态环境治理体系。该意见为保护生态环境、提升生态文明、建设美丽中国指引了方向。2021 年 2 月，国务院印发了《关于加快建立健全绿色低碳循环发展经济体系的指导意见》，意见指明要统筹推进高质量发展和高水平保护进程，建立健全绿色低碳循环发展的经济体系，确保实现碳达峰、碳中和目标。该意见有利于推动低碳循环发展，促进我国绿色发展迈上新台阶。2021 年 10 月，中共中央办公厅、国务院办公厅印发了《关于推动城乡建设绿色发展的意见》，提出要建立城乡建设绿色发展体制机制和政策体系，扎实推进碳减排，增强城市整体性、系统性、生长性，改善城乡生态环境质量。该意见是推动绿色发展、建设美丽中国的重要载体。

在开放发展方面，2018 年 6 月，国务院出台《关于积极有效利用外资推动经济高质量发展若干措施的通知》。该通知提出要大幅度放宽市场准入标准，提升投资自由化水平；深化“放管服”改革，提升投资便利化水平；提升投资保护水平，打造高标准投资环境；加强、促进投资，提升引资质量和水平；优化区域开放布局，引导外资投向中西部等地区。该政策有利于进一步促进外商投资稳定增长，实现以高水平开放推动经济高质量发展。2018—2020 年，国务院办公厅转发商务部等部门《关于扩大进口 促进对外贸易平衡发展的意见》，国务院印发《关于促进综合保税区高水平开放高质量发展的若干意见》，中共中央、国务院出台《关于推进贸易高质量发展的指导意见》，国务院办公厅印发《关于推进对外贸易创新发展的实施意见》，这些意见提出要统筹国内国际两个市场、两种资源，深化外贸领域改革，大力优化贸易结构，促进对外贸易平衡发展。这些意见对实现贸易高质量发展，开创开放合作、包容普惠、共享共赢的国际贸易新局面具有重要意义。2022 年 3 月，中共中央办公厅、国务院办公厅印发《关于推进社会信用体系建设高质量发展促进形成新发展格局的意见》，提出优化进出口信用管理，加强国际双向投资及对外合作信用建设，积极参与信用领域国际治理。该意见对促进国内国际双循环具有重要的指导意义。

在共享发展方面，2018—2021 年，中共中央、国务院出台了《关于打赢脱贫攻坚战三年行动的指导意见》《关于实现巩固拓展脱贫攻坚成果同乡村振兴有效衔接的意见》，国务院办公厅印发《关于深入开展消费扶贫助力打赢脱贫攻坚战的指导意见》《关于进一步做好困难群众基本生活保障有关工作的通知》，中共中央办公厅、国务院办公厅印发《关于改革完善社会救助制度的意见》。这些政策提出要坚持精准扶贫、精准脱贫基本方略，聚焦深度贫困地区和特殊贫困群体，着力激发贫困人口内生动力，着力夯实贫困人口稳定脱贫基础。这些政策有利于脱贫攻坚的有效推进以及贫困群众获得感的稳步提升。2019 年 12 月，国务院出台了《关于进一步做好稳就业工作的意见》，意见提出要坚持把稳就业摆在更加突出位置，健全有利于更充分、更高质量就业的促进机制，全力防范化解规模性失业风险。该意见有利于实现我国就业形势保持总体稳定。2019 年和 2020 年，国务院办公厅相继出台了《关于推进养老服务发展的意见》《关于建立健全养老服务综合监管制度 促进养老服务高质量发展的意见》《关于促进养老托育服务健康发展的意见》。这些意见提出要健全老有所养、幼有所育的政策体系，健全养老服务综合监管制度，不断优化养老服务供给结构，显著扩大社会有效投资，以更好适应养老服务高质量发展要求。这些意见对于加快发展养老服务业、满足人民群众日益增长的养老服务需求具有积极意义。2020—2021年，中共中央、国务院出台了《关于深化医疗保障制度改革的意见》，国务院办公厅出台了《关于推动公立医院高质量发展的意见》，提出要加快建成覆盖全民的多层次医疗保障体系，加强公立医院主体地位，加快优质医疗资源扩容和区域均衡布局。这两项意见为改善基本医疗卫生服务公平性、可及性，保障人民群众生命安全和身体健康发挥了重要作用。2023年12月，国务院办公厅印发《关于推动疾病预防控制事业高质量发展的指导意见》，提出到2030年，建成以疾控机构和各类专科疾病防治机构为骨干、医疗机构为依托、基层医疗卫生机构为网底，军民融合、防治结合、全社会协同的疾控体系。该意见有利于推动疾控事业高质量发展和健康中国战略目标实现。

1.1.2 长江经济带发展国家战略部署与政策取向

为了推进长江经济带发展，自2014年至今，国务院、国家发展改革委、中华人民共和国生态环境部(以下简称生态环境部)、中华人民共和国交通运输部(以下简称交通运输部)及中华人民共和国农业农村部(以下简称农业农村部)等部门出台了一系列政策文件，在长江经济带的发展规划、空间布局、绿色发展、水电治理和生物保护等方面做出了具体规定，为推动长江经济带高质量发展提供了一系列思想指引和根本遵循。

(1) 国务院及国务院办公厅所出台政策。2014年9月，国务院出台了《关于依托黄金水道推动长江经济带发展的指导意见》，意见指出要提升长江黄金水道功能，建设综合立体交通走廊，创新驱动促进产业转型升级，全面推进新型城镇化，培育全方位对外开放新优势，建设绿色生态廊道。该意见有助于依托黄金水道推动长江经济带发展，打造中国经济新支撑带。随后，国务院办公厅在2018年和2020年分别出台了《关于加强长江水生生物保护工作的意见》《关于切实做好长江流域禁捕有关工作的通知》，对长江流域水生生物保护工作做出了相关规定，文件共同指出要开展生态修复，拯救濒危物种，加强生境保护，严厉打击非法捕捞行为。这两项政策有利于塑造更好的长江流域生物生态环境，为长江经济带发展提供良好环境。2021年2月，国务院出台了《关于加快建立健全绿色低碳循环发展经济体系的指导意见》，文件指出要健全绿色低碳循环发展的生产、流通和消费体系。该政策有助于建立健全绿色低碳循环发展经济体系，促进经济社会发展全面绿色转型，推动长江经济带高质量发展。

(2) 国家发展改革委所出台政策。为贯彻落实党中央、国务院决策部署，在2016年国家发展改革委编制了《长江经济带发展规划纲要》(以下简称《纲要》)。《纲要》指出空间布局是落实长江经济带功能定位及各项任务的载体，也是长江经济带规划的重点，推进新型城镇化是长江经济带发展的重要任务之一，应着力构建长江经济带东西双向、海陆统筹的对外开放新格局。随后国家发展改革委等部门出台的《关于加快推进长江经济带农业面源污染治理的指导意见》和《长江干线过江通道布局规划（2020—2035年）》也分别在污染治理、绿色发展等方面做出了相关规定。2018—2021年，国家发展改革委相继出台并修订了《长江经济带绿色发展专项中央预算内投资管理暂行办法》以及《重大区域发展战略建设（长江经济带绿色发展方向）中央预算内投资专项管理办法》，文件提出了生态环境突出问题整改、长江生态环境污染治理、湿地保护和修复、协同推进生态优先绿色发展工程等项目的建设任务。相关办法对探索走出一条生态优先、绿色发展的新路子，保护和修复长江生态环境，推动生态产品价值实现具有重要意义。

(3) 生态环境部所出台政策。2017年7月，生态环境部等部门出台了《关于加强长江经济带工业绿色发展的指导意见》，意见指出要不断优化工业布局，调整产业结构，推进传统制造业绿色化改造，加强工业节水和污染防治工作。该意见对贯彻落实长江经济带发展重大战略部署，保护长江流域生态环境，进一步提高工业资源能源利用效率，全面推进绿色制造，减少工业发展对生态环境的影响，实现绿色增长具有重要意义。2018—2020年，生态环境部等部门出台的《关于开展长江经济带小水电清理整改工作的意见》、《关于加强长江经济带小水电站生态流量监管的通知》以及《关于完善长江经济带污水处理收费机制有关政策的指导意见》，对长江经济带小水电站清理、生态保护监管、提升污水处理能力以及建立生态保障机制方面提出了意见和要求。这有利于促进长江经济带科学有序发展。生态环境部等部门在2021年5月联合发布了《支持长江全流域建立横向生态保护补偿机制的实施方案》，方案指出要健全流域横向生态保护补偿机制，不断实现流域高水平生态保护和高质量发展，稳步改善生态环境的质量。该方案有助于推动建立长江全流域横向生态保护补偿机制，实现流域高水平生态保护和高质量发展。2022年9月，生态环境部等部门联合印发《深入打好长江保护修复攻坚战行动方案》，提出保持长江流域总体水质的优良现状，持续提升饮用水安全保障水平，保障重要河湖生态用水。该方案有助于推进长江保护修复攻坚战，以及人与自然和谐共生的绿色发展示范带建设。

(4) 交通运输部所出台政策。2017年8月，交通运输部出台了《关于推进长江经济带绿色航运发展的指导意见》，意见指出要完善长江经济带绿色航运发展规划，建设生态友好的绿色航道基础设施，推广清洁低碳的绿色航运技术装备，创新节能高效的绿色航运组织体系，提升绿色航运治理能力，推进长江经济带绿色航运发展。该意见为推进航运绿色循环低碳发展，更好发挥长江黄金水道综合效益以及促进长江经济带经济社会发展提供了有力支撑。随后交通运输部办公厅出台的《深入推进长江经济带多式联运发展三年行动计划》和交通运输部等部门出台的《水利部 公安部 交通运输部长江河道采砂管理合作机制2021年度工作要点》也对长江经济带绿色航运的具体方面做出了相关的要求。交通运输部办公厅在2017年12月出台的《长江经济带船舶污染防治专项行动方案（2018—2020年）》和交通运输部等部门于2020年1月出台的《长江经济带船舶和港口污染突出问题整治方案》指出要降低长江经济带船舶污染风险，减少船舶污染物排放，并重点落实船舶污染源头管理，因地制宜、重点突破，整体推进长江经济带船舶和港口污染治理工作。两项方案对推进长江经济带绿色交通建设和航运可持续发展具有重要意义。交通运输部、国家发展改革委、国家能源局和国家电网有限公司在2021年7月联合印发了《关于进一步推进长江经济带船舶靠港使用岸电的通知》，文件指出应协同推进船舶和港口岸电设施建设，进一步降低岸电建设和使用成本，加强岸电建设和使用监管，优化提升岸电服务水平，切实落实各方责任。该通知为实现长江经济带船舶靠港使用岸电常态化，谱写长江航运绿色发展新篇章，积极推进交通运输碳达峰、碳中和工作提供了依据。2023年12月，交通运输部办公厅发布《关于加快推进长江航运信用体系建设的意见》，意见指出要建立健全长江航运信用评价标准体系、建设长江航运信用管理与服务系统以及推进长江航运信用分级分类监管。该意见对推进长江航运信用体系建设，服务长江航运高质量发展有重要指导意义。

（5）农业农村部所出台政策。2018年9月农业农村部出台了《关于支持长江经济带农业农村绿色发展的实施意见》，该意见指出应切实推动长江经济带农业农村绿色发展，强化水生生物多样性保护，深入推进化肥农药减量增效，促进农业废弃物资源化利用，优化农业农村发展布局，推进乡村产业振兴。该意见为推动长江经济带农业农村绿色发展指明了道路。2019年3月，农业农村部办公厅出台了《推进长江经济带农业农村绿色发展2019年工作要点》，文件指出要推进农业面源污染治理，实施长江水生生物保护专项行动，开展农村人居环境整治，推进农业绿色发展先行区建设。该工作要点对加快补齐农业农村生态环境保护“短板”以及整区域整建制推进农业农村绿色发展具有重要的指导意义。2021年1月，农业农村部等部门提出《关于完善长江流域禁捕执法长效管理机制的意见》，意见指出要在长江流域禁捕水域实行网格化管理，提升渔政监管能力，该意见对巩固和维护长江流域禁捕管理秩序具有重要意义。2021 年 12 月，农业农村部印发《长江生物多样性保护实施方案（2021—2025 年）》，提出要加强长江珍稀濒危物种资源保护、修复重要水生生物关键栖息地等。该方案为推进长江生态系统治理能力现代化、维护国家生态安全奠定了坚实基础。

1.1.3　产业高质量发展国家战略部署与政策取向

为了推进国家经济的高质量发展，自 2017 年 10 月 18 日中国共产党第十九次全国代表大会首次提出高质量发展战略以来，国务院、国家发展改革委、中华人民共和国工业和信息化部（以下简称工业和信息化部）和中华人民共和国科学技术部（以下简称科技部）等部门就电子信息、装备制造、材料、机械、医药等长江经济带主导产业出台了高质量发展的相关政策，对相关产业高质量发展的规划、目标等做出了具体规定，为国家相关产业高质量发展提供了依据。

在电子信息业方面，国务院出台《关于深化“互联网＋先进制造业”发展工业互联网的指导意见》和《新时期促进集成电路产业和软件产业高质量发展的若干政策》，国务院办公厅发布《关于推进电子商务与快递物流协同发展的意见》。工业和信息化部等部门印发《算力基础设施高质量发展行动计划》、《关于加快推进视听电子产业高质量发展的指导意见》和《促进数字技术适老化高质量发展工作方案》，这些文件提出要加快信息通信、数据集成分析等领域技术研发和产业化，优化算力设施建设布局，加强大数据、云计算、机器人等现代信息技术和装备在电子商务与快递物流领域应用，要求国家制定财税政策、投融资政策和研究开发政策，以进一步优化集成电路产业、视听电子产业和软件产业发展环境，推动新一代信息技术和适老化产业融合发展。这些政策有力支撑了国家电子信息化建设。

在装备制造业方面，2018 年 2 月，国家发展改革委、国家能源局出台了《关于提升电力系统调节能力的指导意见》，该意见明确提出在电力装备领域，要形成一批具有自主知识产权和较强竞争力的装备制造企业集团，实现引领能源装备制造业的转型升级。随后国家在首台（套）重大技术装备示范应用、推进农业机械化和农机装备产业转型升级、扩大战略性新兴产业投资、培育壮大新增长点增长极等方面均出台了相关政策，促进相关产业补短板。2021 年 3 月，国家发展改革委等 13 部门联合出台了《关于加快推动制造服务业高质量发展的意见》，意见提出加快重大技术装备创新进程。这些政策有助于推动装备制造企业向系统集成和整体解决方案提供商转型，提升装备制造业和服务业融合水平。2023 年 9 月，市场监督管理总局出台《关于计量促进仪器仪表产业高质量发展的指导意见》，提出研发一批具有国际先进测量能力的高质量、高可靠性仪器仪表，攻克一批关键计量测试技术。以上政策有力支撑了国家装备制造业的发展。

在新材料产业方面，2017 年 12 月，工业和信息化部、财政部出台了《国家新材料生产应用示范平台建设方案》《国家新材料测试评价平台建设方案》，文件明确提出要整合优势资源，促进新材料供需对接，研发一批、储备一批、应用一批。随后相关部门出台《原材料工业质量提升三年行动方案（2018—2020年）》《关于扩大战略性新兴产业投资 培育壮大新增长点增长极的指导意见》，为我国新材料产业快速健康发展提供了支撑和保障。2023 年 12 月，工业和信息化部等十部门联合印发《绿色建材产业高质量发展实施方案》，提出了加强组织协调、完善政策支撑、加大宣传推广三方面保障措施。以上政策有力支撑了国家材料产业发展。

在机械行业方面，2018 年 7 月，国务院发布了《批转农业机械部关于全国农机工作会议的报告》，报告指出要发展农、林、牧、副、渔各业所需要的机械，同时要将农业机械化同农业现代化的其他工作内容相互联系、密切配合，为农业现代化服务。该报告为做好农业机械化工作、实现农业现代化提供了保障。2020 年，国家发展改革委联合相关部门出台的《关于促进砂石行业健康有序发展的指导意见》《关于支持民营企业加快改革发展与转型升级的实施意见》，共同推动了传统产业的技术改造，使其逐步向智能、安全、绿色、服务、高端方向发展。2023 年 10 月，国家发展改革委联合相关部门印发了《关于促进炼油行业绿色创新高质量发展的指导意见》，围绕产业升级、能源利用、低碳发展、科技创新等 4 方面部署了 17 项任务。

在医药行业方面，2018 年 4 月，国务院办公厅出台《关于促进“互联网＋医疗健康”发展的意见》，意见指出要健全“互联网＋医疗健康”服务体系，完善“互联网＋医疗健康”支撑体系。该意见有助于提升医疗卫生现代化管理水平，满足人民群众日益增长的医疗卫生健康需求。2021 年，国务院办公厅出台《关于全面加强药品监管能力建设的实施意见》《关于推动公立医院高质量发展的意见》《关于印发深化医药卫生体制改革 2021 年重点工作任务的通知》，上述文件对药品、公立医院建设与发展予以规定，并明确了医药卫生体制改革工作重点。2021 年 6 月，国家发展改革委、国家卫生健康委等印发《“十四五”优质高效医疗卫生服务体系建设实施方案》，方案指出应加快构建强大公共卫生体系，推动优质医疗资源扩容和区域均衡布局。2023 年 8 月，国务院常务会议审议通过了《医药工业高质量发展行动计划(2023—2025年)》《医疗装备产业高质量发展行动计划(2023—2025年)》,强调医药工业和医疗装备产业是卫生健康事业的重要基础,要给予全链条支持。2024年1月,国家卫生健康委等出台《关于推进儿童医疗卫生服务高质量发展的意见》,提出到2035年,基本形成城乡均衡、协同高效的儿童医疗卫生服务体系。相关政策为提高卫生健康供给质量和服务水平,全面推进健康中国建设提供强有力的支撑。

1.2 长江经济带省市政策概览

1.2.1 经济高质量发展省市政策概览

为了推进高质量发展,贯彻党中央、国务院作出的关于经济高质量发展的重大战略决策,自2017年起长江经济带沿线各省市出台了一系列政策文件(如表1-1所示),在创新创业、乡村振兴、生态保护、对外贸易和脱贫攻坚等方面制定了具体的实施意见,旨在深入贯彻落实国家对经济高质量发展的各项政策,牢固树立并自觉践行新发展理念,为推动当地经济高质量发展走在全国前列提供有力支撑。

表1-1 地方层面经济高质量发展相关政策

维度	发布主体	政策名称①	颁发机构	时间
创新	沿线各省市	《关于全面加快科技创新 推动高质量发展的若干意见》《促进科技成果转移转化行动方案》	江苏省人民政府办公厅	2018.8.24
			浙江省人民政府办公厅	2018.12.3
			安徽省人民政府办公厅	2018.9.11
			江西省人民政府办公厅	2018.6.6
			湖北省人民政府办公厅	2020.5.29
			湖南省科学技术厅	2020.11.12
			四川省人民政府	2021.6.22
			贵州省人民政府办公厅	2017.9.13
			上海市人民政府办公厅	2021.6.11
			云南省人民政府办公厅	2019.10.21
			重庆市人民政府办公厅	2020.1.3

注①:沿线各省市的政策名称略有差异,不另一一标注,下同。

续表

维度	发布主体	政策名称	颁发机构	时间
创新	沿线各省市	贯彻落实《国务院关于促进国家高新技术产业开发区高质量发展的若干意见》、《国务院关于推进国家级经济技术开发区创新提升打造改革开放新高地的意见》、《国务院办公厅关于支持国家级新区深化改革创新加快推动高质量发展的指导意见》	江苏省人民政府	2020.12.18
			浙江省人民政府办公厅	2021.6.10
			安徽省人民政府办公厅	2021.4.15
			江西省人民政府	2020.3.6
			湖北省人民政府	2020.12.31
			湖南省人民政府办公厅	2020.10.15
			四川省人民政府办公厅	2020.6.23
			云南省人民政府办公厅	2021.1.5
			贵州省人民政府办公厅	2021.11.19
			上海市人民政府	2021.8.4
			重庆市人民政府办公厅	2019.8.24
	沿线部分省市	贯彻落实《国务院办公厅关于积极推进供应链创新与应用的指导意见》	江苏省人民政府办公厅	2018.4.6
			浙江省人民政府办公厅	2019.8.1
			安徽省人民政府办公厅	2023.12.4
			江西省人民政府办公厅	2018.12.11
			湖北省人民政府办公厅	2019.1.25
			四川省人民政府办公厅	2018.3.23
			贵州省人民政府办公厅	2018.4.20
			云南省人民政府办公厅	2018.8.28
			上海市人民政府办公厅	2018.8.9
			重庆市人民政府办公厅	2018.3.1
	沿线部分省市	《关于推动创新创业高质量发展打造“双创”升级版的意见》	江苏省人民政府办公厅	2018.8.24
			浙江省人民政府办公厅	2019.3.27
			安徽省人民政府	2019.1.4
			湖北省人民政府	2019.11.1
			湖南省人民政府	2019.8.13
			四川省人民政府	2019.8.21
			贵州省人民政府	2019.3.1
			云南省人民政府办公厅	2020.2.20

续表

维度	发布主体	政策名称	颁发机构	时间
协调	沿线部分省市	《关于实施乡村振兴战略的意见》、贯彻落实《中共中央、国务院关于全面推进乡村振兴加快农业农村现代化的意见》	中共江苏省委 江苏省人民政府	2018. 5. 14
			浙江省财政厅	2021. 8. 31
			中共安徽省委	2018. 5. 18
			中共江西省委 江西省人民政府	2021. 7. 7
			湖北省人民政府	2017. 11. 13
			中共湖南省委 湖南省人民政府	2018. 9. 7
			四川省人民政府	2021. 7. 24
			贵州省人民政府办公厅	2019. 10. 30
			中共云南省委 云南省人民政府	2021. 4. 30
	沿线部分省市	《关于建立健全城乡融合发展体制机制和政策体系的意见》	上海市财政局	2019. 1. 22
			中共重庆市委 重庆市人民政府	2020. 1. 3
			中共江苏省委 江苏省人民政府	2020. 3. 8
			浙江省发改委	2021. 2. 21
			安徽省人民政府	2017. 10. 26
			中共江西省委 江西省人民政府	2019. 9. 30
			中共湖南省委 湖南省人民政府	2020. 4. 18
			四川省人民政府办公厅	2020. 11. 2
			中共云南省委 云南省人民政府	2020. 4. 8
	沿线部分省市	贯彻落实《中共中央、国务院关于建立更加有效的区域协调发展新机制的意见》	湖北省人民政府办公厅	2020. 12. 31
			湖南省人民政府办公厅	2019. 6. 28
			江西省人民政府	2019. 7. 1
			贵州省人民政府	2020. 7. 30
			四川省人民政府	2019. 10. 9
			云南省人民政府	2020. 7. 8
绿色	沿线各省市	《关于发布生态保护红线的通知》	江苏省人民政府	2018. 6. 9
			浙江省人民政府办公厅	2018. 7. 20
			安徽省人民政府	2018. 6. 29
			江西省人民政府	2018. 6. 30
			湖北省人民政府	2018. 7. 25
			湖南省人民政府	2018. 8. 23
			四川省人民政府	2018. 7. 20
			贵州省人民政府	2018. 6. 27

续表

维度	发布主体	政策名称	颁发机构	时间
绿色	沿线各省市	《关于发布生态保护红线的通知》	云南省人民政府办公厅	2018.6.29
			上海市人民政府	2018.8.10
			重庆市人民政府	2018.7.5
	沿线部分省市	《关于加快实施“三线一单”生态环境分区管控的意见》	江苏省人民政府	2020.6.21
			浙江省人民政府	2020.5.14
			安徽省人民政府	2020.7.10
			江西省人民政府	2020.8.19
			湖北省人民政府	2020.12.18
			湖南省人民政府	2020.6.30
			贵州省人民政府	2020.8.31
			重庆市人民政府	2023.9.21
			上海市人民政府	2020.5.20
	沿线部分省市	《关于加快建立健全绿色低碳循环发展经济体系的指导意见》	浙江省发改委	2021.5.25
			上海市人民政府	2021.9.29
			江苏省人民政府	2022.1.24
			江西省人民政府	2021.7.8
			湖北省人民政府	2021.11.18
			湖南省人民政府	2020.7.30
			云南省人民政府	2022.1.6
			贵州省人民政府	2022.11.19
开放	沿线各省市	《关于扩大进口促进对外贸易平衡发展意见的通知》	江苏省人民政府办公厅	2018.10.30
			浙江省人民政府办公厅	2019.12.30
			安徽省人民政府办公厅	2018.9.27
			江西省商务厅	2018.7.10
			湖北省人民政府办公厅	2019.1.25
			湖南省人民政府办公厅	2020.1.27
			四川省人民政府办公厅	2017.11.14
			贵州省人民政府办公厅	2018.12.20
			云南省人民政府办公厅	2018.12.5
			上海市人民政府	2020.11.5
			重庆市人民政府办公厅	2018.12.7

续表

维度	发布主体	政策名称	颁发机构	时间
开放	沿线各省市	贯彻落实《国务院关于积极有效利用外资推动经济高质量发展若干措施的通知》	江苏省人民政府	2018.5.23
			浙江省人民政府	2020.5.28
			安徽省人民政府	2018.9.14
			江西省人民政府	2020.6.22
			湖北省人民政府办公厅	2021.1.13
			湖南省人民政府办公厅	2020.1.17
			四川省人民政府	2020.12.31
			贵州省人民政府	2019.3.27
			云南省人民政府办公厅	2018.8.30
			上海市人民政府	2020.4.10
			重庆市人民政府	2020.6.16
	沿线各省市	《关于促进跨境电子商务高质量发展工作意见的通知》	江苏省人民政府	2021.1.30
			浙江省人民政府办公厅	2021.6.4
			安徽省人民政府办公厅	2018.11.4
			江西省人民政府	2020.8.20
			湖北省人民政府	2018.12.29
			湖南省人民政府	2020.8.13
			四川省人民政府	2020.8.5
			贵州省人民政府办公厅	2020.9.24
			云南省人民政府	2019.1.30
			上海市商务委员会　上海海关	2020.5.6
			重庆市人民政府办公厅	2018.12.7
	沿线部分省市	《关于促进综合保税区高水平开放高质量发展的实施意见》	江苏省人民政府	2019.6.7
			上海市人民政府	2021.1.6
			湖北省人民政府	2021.10.21
			温州市人民政府办公室	2021.7.26
			四川省人民政府办公厅	2019.9.30
			上海市人民政府	2021.1.6
			重庆市人民政府	2019.5.8
共享	沿线各省市	《关于深入开展消费扶贫助力打赢脱贫攻坚战的实施意见》	江苏省人民政府办公厅	2019.3.18
			浙江省人民政府办公厅	2019.6.11
			安徽省人民政府办公厅	2019.5.10

续表

维度	发布主体	政策名称	颁发机构	时间
共享	沿线各省市	《关于深入开展消费扶贫助力打赢脱贫攻坚战的实施意见》	江西省人民政府办公厅	2019.7.17
			湖北省人民政府办公厅	2020.1.10
			湖南省人民政府办公厅	2019.10.14
			四川省人民政府办公厅	2018.7.31
			贵州省人民政府办公厅	2019.4.30
			云南省人民政府办公厅	2019.6.19
			上海市人民政府办公厅	2019.6.13
			重庆市人民政府办公厅	2019.6.15
	沿线各省市	贯彻落实《关于推进养老服务发展的意见》、《关于建立健全养老服务综合监管制度促进养老服务高质量发展的意见》	江苏省人民政府	2019.12.23
			浙江省人民政府办公厅	2018.8.10
			安徽省人民政府办公厅	2018.1.23
			江西省人民政府办公厅	2021.8.27
			湖北省人民政府办公厅	2017.11.13
			湖南省人民政府办公厅	2020.12.30
			四川省人民政府办公厅	2018.1.12
			贵州省人民政府办公厅	2018.2.11
			云南省人民政府办公厅	2021.6.9
			上海市人民政府	2019.5.31
			重庆市人民政府办公厅	2021.6.28
	沿线各省市	《关于进一步做好稳就业工作的实施意见》	江苏省人民政府	2020.6.22
			浙江省人民政府办公厅	2020.4.30
			安徽省人民政府办公厅	2018.12.25
			江西省人民政府办公厅	2019.12.18
			湖北省人民政府办公厅	2020.3.27
			湖南省人民政府	2020.7.30
			四川省人民政府办公厅	2018.12.25
			贵州省人民政府	2020.7.20
			云南省人民政府办公厅	2020.6.8
			上海市人民政府	2020.6.11
			重庆市人民政府办公厅	2020.5.11

续表

维度	发布主体	政策名称	颁发机构	时间
共享	沿线各省市	《关于深化医疗保障制度改革的意见》	江苏省人民政府办公厅	2018.7.11
			浙江省人民政府办公厅	2019.11.26
			安徽省人民政府办公厅	2019.5.28
			江西省人民政府	2019.12.3
			湖北省人民政府办公厅	2021.4.14
			湖南省人民政府	2020.7.30
			四川省人民政府办公厅	2018.9.30
			贵州省人民政府办公厅	2019.12.13
			中共云南省委　云南省人民政府	2020.11.11
			上海市人民政府	2020.7.1
			重庆市人民政府办公厅	2018.12.12

资料来源：人民政府官网、发展改革委官网等。

1.2.2　长江经济带发展省市政策概览

为贯彻国家政策，长江经济带沿线各省市均出台相应响应政策。在2014年到2018年期间，各省市为贯彻《国务院关于依托黄金水道推动长江经济带发展的指导意见》，都出台了各自相应的政策和方案。这些政策指出要积极落实党中央、国务院关于推动长江经济带发展的指导意见，并对具体工作提出了要求。此外，各省市响应国家号召并结合自身特点，出台相关政策推动当地经济发展。自2014年起，长江沿线各省市出台了一系列政策文件（如表1-2所示），积极落实国家对长江经济带发展的各项政策和意见，不断加强对长江经济带的科学管理和规划，很好地承担了保护、发展长江经济带的责任，为保持长江经济带健康发展提供了重要保障。

表1-2　地方出台的有关长江经济带发展的政策

发布主体	政策名称	部门	时间	主要内容
沿线各省市	关于贯彻落实《国务院关于依托黄金水道推动长江经济带发展的指导意见》的实施意见	江苏省人民政府	2015.5.20	坚持交通先行，完善综合交通运输体系，依托长江南京以下12.5米深水航道，加快沿江港口功能提升，打造长江下游国际江海联运港区和南京长江航运物流中心；突出创新驱动，加快产业转型升级步伐；注重优化布局，统筹推进新型城镇化和城乡发展一体化；加强平台建设，全面扩大内外双向开放；优化生态环境，精心打造沿江绿色廊道

续表

发布主体	政策名称	部门	时间	主要内容
沿线各省市	关于贯彻落实《国务院关于依托黄金水道推动长江经济带发展的指导意见》的实施意见	上海市人民政府	2015.7.28	大力发展水上运输，完善综合交通体系，促进产业转型升级，推进新型城镇化，扩大对外开放，强化生态建设和环境治理
		安徽省人民政府	2015.4.13	打造畅通高效的黄金水道，建设快捷大运量综合立体交通走廊，培育具有核心竞争力的产业集群，合力建设长三角城市群，搭建高水平对外开放平台，构建皖江绿色生态廊道，创新区域协调体制机制
		江西省人民政府	2015.5.12	加快打通战略通道，构建联江通海综合交通格局；大力培育重点产业集群，构建集聚集约产业转型升级格局；携手共建长江中游城市群，构建联动发展新型城镇化格局；积极参与沿江跨区域合作，构建全方位多层次开放合作格局；加强长江中下游生态屏障建设，构建江湖和谐生态安全格局
		湖北省人民政府	2015.6.19	提升长江中游黄金水道功能，完善长江中游综合立体交通体系，建设产业转型升级支撑带，建设新型城镇连绵带，建设长江中游生态文明示范带，建设跨区域合作示范带，构建沿江对外开放新高地
		浙江省人民政府	2015.6.9	承接国际产业转移，促进开放型经济发展；产城互动，引导产业和城市同步融合发展；低碳减排，建设绿色发展示范开发区；创新驱动，建设科技引领示范开发区；制度创新，建设投资环境示范开发区
		贵州省人民政府	2017.3.16	加快乌江经济走廊建设，探索内河经济社会生态协调发展；打造区域协调发展和开放合作示范带；对于谋划贵州经济发展新格局、拓展经济发展新空间、培育经济发展新支撑具有重大战略意义
		湖南省人民政府	2015.5.8	构建高效便捷的综合交通运输体系，培育具有国际竞争力的产业集群，以新型城镇化带动区域发展，全面提升开放的层次与水平，推进流域生态环境保护和治理，创新区域协调发展的体制机制
		四川省人民政府	2014.11.11	大力推进航道项目实施，加快实施长江干线航道等级提升工程，统筹推进支线航道建设，促进港口合理布局，加强长江过江通道建设，推进综合交通运输体系重大项目建设，重点推进五大高端成长型产业和五大新兴先导型服务业发展
		重庆市人民政府	2018.7.26	着力生态优先绿色发展，建设美丽荣昌；着力实施基础设施建设，加快完善综合交通网络；着力实施以大数据智能化为引领的创新驱动发展战略，提升绿色发展质量和效益；着力实施以人为核心的新型城镇化建设，促进城乡融合发展；着力加大对内对外开放，全面提升开放发展的质量和水平
		云南省人民政府	2016.7.14	建设流域生态廊道，构建基础设施网络，发展特色优势产业，推进新型城镇化，打赢脱贫攻坚战，推进全方位开放合作

续表

发布主体	政策名称	部门	时间	主要内容
沿线各省市	贯彻落实《关于切实做好长江流域禁捕有关工作的通知》的实施意见	上海市人民政府	2020.7.27	完善提升，切实做好退捕渔船渔民后续工作；铁腕整治，重拳打击非法捕捞等违法犯罪行为；加强协调配合，发挥集聚效应；加强督促检查，压实工作责任
		江苏省人民政府	2020.8.6	设置禁渔期和禁渔区，即长江干流江苏段水生生物保护区的禁渔期、禁渔区；因教学、科研等特殊需要捕捞渔业资源的，应当严格按照相关规定要求申报专项(特许)捕捞许可证
		浙江省人民政府	2020.10.15	全面精准实施禁捕退捕，全面保障退捕渔民生计，全面强化联合执法监管，抓好水产品稳产保供，强化分工协作，加强监督检查
		江西省人民政府	2020.8.17	切实压紧压实各方责任，强化退捕渔民转产安置，保障禁捕退捕资金需求，严厉打击非法捕捞行为，加大市场清查力度，维护社会安全稳定
		湖南省人民政府	2020.8.25	提高政治站位，压实各方责任；强化转产安置，保障渔民生计；加大投入力度，落实补助资金；开展专项行动，严打非法捕捞；加强市场监管，斩断黑色产业链
		安徽省人民政府	2021.3.29	落实属地管理责任，健全长效监管机制，依法打击非法捕捞等行为，建立渔政协助巡护队伍，做好禁捕以及相关保障工作；加强本行政区域内的乡镇自用船舶登记和管理，督促船舶所有人、使用人遵守禁捕有关规定
		湖北省人民政府	2020.7.14	提高政治站位，做细转产安置，加大财政投入，扎实开展专项整治，切实加强市场清查，强化考核检查
		重庆市人民政府	2021.7.29	全面禁止生产性捕捞，生产性捕捞是对水生生物资源破坏比较严重的行为，禁捕期限内所有禁捕区域都禁止生产性捕捞；禁止以“长江野生鱼”等名义对经营渔获物及其制品进行虚假宣传；禁止无船名船号、无船舶证书、无船籍船港的“三无”船舶在禁捕区域航行或者停泊
		四川省人民政府	2020.7.29	制定详细实施方案，统筹推进各地长江流域禁捕和退捕渔民安置保障工作，切实把长江禁捕退捕这件大事办实、好事办好，为共抓长江大保护、推动长江经济带绿色发展作出应有贡献
		贵州省人民政府	2020.12.28	禁捕范围为贵州省长江流域水生生物保护区、重点水域乌江干流贵州段以及长江流域20个国家级水产种质资源保护区所在河流的支流
		云南省人民政府	2020.7.30	进一步提高政治站位，切实扛起长江禁捕的政治责任；做实转产安置，保障退捕渔民生计；加大投入力度，落实有关补助资金；开展专项整治行动，严厉打击非法捕捞行为；加大市场清查力度，斩断非法地下产业链

续表

发布主体	政策名称	部门	时间	主要内容
沿线部分省市	《贯彻落实长江经济带沿江取水口排污口和应急水源布局规划实施方案》	江苏省人民政府	2017.3.23	实施最严格的水资源管理，严格水资源论证、取水许可、入河排污口设置，重点加强长江干流、太湖水资源保护和水污染防治，健全完善相关法规制度体系，全面提高监督管理水平，着力构建水质优良与生境良好、水资源合理配置与高效利用、江湖关系互利顺畅与和谐稳定的绿色生态廊道
		江西省人民政府	2017.8.28	持续开展入河排污口整治完成情况考核，将其纳入对市县最严格水资源管理考核和河长制工作考核指标体系，以考核促整改。与此同时，还大力推进饮用水水源保护区内入河排污口专项整治工作
		湖北省人民政府	2017.7	加强规划引领，开展专项整治；严格限制排污、强化治理保护；加强队伍建设，强化监督管理；党政主导，实行分级负责制；推动化工产业转型，建设绿色生态廊道
		湖南省人民政府	2017.12.26	切实加强取水口、入河排污口、应急水源管理，重点推进湘、资、沅、澧干流和洞庭湖水资源保护、水生态修复和水污染防治，为长江经济带城市的供水安全和生态安全提供基础保障
		重庆市人民政府	2018.3.27	取水口、排污口和集中式饮用水水源地管理规范有序，健全供水及应急水源安全保障体系；形成完善的水资源开发利用与保护综合管控体系；完善涉水法律法规体系，完备跨部门联合执法机制
		贵州省人民政府	2017.8.4	以提高供水保障程度、强化水资源保护、提升水安全保障能力为目标，切实加强取水口和排污口管理，以水资源可持续利用促进经济社会可持续发展，为长江经济带城市的供水安全和生态安全提供基础保障
		四川省广安市人民政府	2018.6.1	开展入河排污口整治，城市应急备用水源建设管理，进一步加强入河排污口和应急水源建设管理，初步形成完善的水资源开发利用与保护监管体系
		云南省水利厅	2018.11.26	取水口布局，入河排污口布局，应急水源布局，严格用水总量控制，严格入河排污口管理与监督，保障饮用水水源及应急水源安全，提升管理能力建设
沿线各省市	《长江经济带生态环境保护规划》	江苏省人民政府	2016.7.22	加快沿江产业布局调整优化，强化工业污染防治，确保饮用水安全，打好农业农村污染防治攻坚战，强化突发环境事件风险防控，实施生态保护与修复，构建长江流域生态环境保护工作保障体系
		江苏省生态环境厅	2017.12	保护和科学利用水资源，实施生态保护与修复，推进水环境治理，建设美丽宜居城乡环境，严格管控环境风险，创新生态环境协同保护机制政策

续表

发布主体	政策名称	部门	时间	主要内容
沿线各省市	《长江经济带生态环境保护规划》	上海市人民政府	2021.8.6	高水平建设长三角生态绿色一体化发展示范区。重点推进清洁生产、绿色产品和绿色消费，加强饮用水水源地安全保障，提升水域生态服务功能
		浙江省生态环境厅	2019.9.24	强化生态环境空间管控，严守生态保护红线；排查整治排污口，推进水陆统一监管；加强工业污染治理，有效防范生态环境风险；深化推进“千万工程”，持续改善农村人居环境；强化生态系统管护，严厉打击生态破坏行为
		安徽省人民政府	2019.4.19	开展“三大一强”专项攻坚行动，使安徽省长江流域突出生态环境问题得到全面整改，1 公里、5 公里、15 公里“三道防线”稳固筑牢，生态环境持续改善
		重庆市人民政府	2021.4.27	加强与长江流域国土空间规划的衔接，实施国土空间分区、分类用途管制；坚持“保护—修复—管控”并行推进，筑起坚固的立体绿色屏障；坚持水污染防治、水生态修复、水资源保护、水安全保障“四水共治”；实施“数量—质量—生态”三位一体保护，确保粮食安全
		四川省人民政府	2019.11.7	提高认识，以切实改善生态环境为落脚点，逐一消除渣场周边废弃化工企业环境风险，针对渣场地下水、周边土壤和地表水，视情况加密监测频次，随时掌握周边环境质量
		湖北十堰市人民政府	2018.7.12	确立水资源利用上线，妥善处理江河湖库关系；划定生态保护红线，实施生态保护与修复；坚守环境质量底线，推进流域水污染统防统治；全面推进环境污染治理，建设宜居城乡环境
		湖北省人民政府	2020.9.11	医疗废物、危险废物收集处理补短板；沿江化工企业关改搬转补短板；农村人居环境补短板；长江经济带生态环境突出问题整改；重点流域水环境基础设施建设
		长沙市人民政府	2018.6.6	打造生态文明建设高地专项行动，打造绿色发展高地专项行动，打造新旧动能转换高地专项行动，打造科技创新高地专项行动，打造内陆开放高地专项行动
		贵阳市人民政府	2019.2.15	全力做好长江经济带生态环境警示片披露的 4 个问题整改；举一反三，全力全面抓好工业企业、畜禽养殖污染防治，开展工业企业污染问题大排查行动
		江西省人民政府	2022.6.9	推进农村生态系统恢复，将农村生态系统保护纳入山水林田湖草沙系统治理；积极开展农村水系连通和综合整治
		昆明市人民政府	2019.12.24	实施生态环境污染治理工程，实施长江生态环境保护修复工程，推动绿色发展，促进工业产业转型升级，建立齐抓共管体制机制，充分发挥规划引领作用

续表

发布主体	政策名称	部门	时间	主要内容
沿线部分省市	《长江经济带化工污染整治专项行动工作方案》	江苏省人民政府	2017.7.24	开展长江经济带整治工程，涉及企业选址、废水达标排放、环境监管等方面，目前正在开展化工企业和化工园区摸底调查，下一步将出台整治方案，全面开展专项治理
		浙江省人民政府	2020.9.23	优化产业布局，提升化工园区发展水平，加强行业清洁生产改造，严格化工行业监管，提升危险化学品应急监控能力
		安徽省人民政府办公厅	2017.2.14	严格控制新增污染排放量，加大对既有化工污染治理力度，努力减少污染存量；依法依规对化工污染进行治理，对致污化工企业进行惩处，采取有效措施促进化工产业调整结构、优化布局；全面开展摸底排查，发现问题立即进行整改
		江西省人民政府	2017.8.10	优化工业布局，调整产业结构，推进传统制造业绿色化改造，开展绿色制造体系建设，加强工业节水和污染防治
		湖南省人民政府	2020.3.23	沿江岸线1公里范围内，严禁新建或扩建化工园区、化工生产项目；严禁现有合规化工园区在沿江岸线1公里范围内靠江扩建；安全环保达标的化工生产企业因生产需要可向背江一面逐步搬迁
		云南省人民政府	2017.4.19	严控化工环境污染，加强化工企业和化工园区环境管理，进一步摸清沿江化工企业数量、类型和排污口数量，排放污染物种类、排放量，自动监控设施安装情况等底数
		湖北省人民政府	2018.12.17	稳步推进沿江化工企业关改搬转，加大财税政策支持力度，加大金融政策支持力度，加强土地政策支持，妥善化解各类风险，强化安全环保监管
		四川省人民政府	2016.5.26	打造绿色之路，建立预防预控预警体系，加快安全生产事故预警信息平台建设，建立健全长江流域危险化学品运输事故应急救援体系，加快建立安全生产预防控制体系，加强事故应急救援队伍建设
	《长江经济带综合立体交通运输走廊规划》	江苏省人民政府	2018.9.7	补齐短板，全面推进基础设施建设(高铁、航空和过江通道是省交通运输三大突出短板)；突出水运，提升服务国家战略能力；综合枢纽，实现多种交通无缝对接
		浙江省人民政府	2021.6.17	重点将宁波舟山港建成支撑新发展格局的战略枢纽、服务国家战略的硬核力量、长三角世界级港口群的核心港口，将温州港、台州港打造成集装箱支线港、区域性中转港、产业配套港，将嘉兴港打造成长三角海河联运枢纽港、浙北和钱塘江中上游地区重要出海口，加快形成全省港口一体化、协同化发展格局

续表

发布主体	政策名称	部门	时间	主要内容
沿线部分省市	《长江经济带综合立体交通运输走廊规划》	湖南省人民政府	2015.3.17	全面推进长江干线航道系统化治理，统筹推进支线航道建设，建设综合立体交通走廊，加快城市群交通网络建设，改善乡村交通条件
		湖北省人民政府	2017.12.18	加快构建沿江综合立体绿色交通走廊，支撑湖北经济社会加快发展，着力打造全国综合交通运输枢纽、长江经济带战略交通支点、全省绿色交通发展示范区
		四川省人民政府	2014.11.11	全面提升长江黄金水道川境段功能，建设综合立体交通走廊和城市群交通网络，强化主体责任，协同推进项目建设，创新发展方式，多渠道筹集建设资金
		上海市人民政府	2016.5.13	加强口岸通关流程和作业时限信息公开；推进长江经济带综合立体交通走廊和水运重大项目建设信息公开
		贵州省人民政府	2021.10.21	建设干支协同、通江达海的绿色水运体系，提升“两主三辅”通航能力，加大船舶运力投入，因地制宜发展旅游航运
		重庆市人民政府	2021.10.11	构建以长江黄金水道和铁路、高速公路为主的沿江综合主体交通走廊，形成陆海内外联动、东西双向互济的开放格局
		江西省人民政府	2017.10.10	建设以长江和赣江为主轴、九江港为核心的综合交通运输中心；建设以铁水联运、江海直达为核心的多式联运中心；建设以航运交易、信息服务为核心的现代航运服务中心；建设以开放口岸、综合保税区为核心的对外开放平台；建设以沿江产业、港口物流为核心的产业集聚平台
	《贯彻落实长江经济带船舶污染防治专项行动实施方案》	浙江省人民政府	2018.2.13	强化船舶污染源头管理，加强船舶防污染作业现场监管，推进船舶污染物接收与处置船岸衔接，提升船舶污染应急处置能力，推进绿色航运发展，加强协调联动
		江西省人民政府	2018.3.1	强化船舶污染源头管理，加强船舶防污染作业现场监管，推进船舶污染物接收与处置船岸衔接，提升船舶污染应急处置能力，创新监管方式推进航运清洁生产
		上海市人民政府	2020.6.9	提升并优化全港设施布局，严格落实企业主体责任，严格履行行业监管责任，开展突出问题整改，增加保障措施
		四川省人民政府	2020.2.28	坚决扛起突出问题整治工作的政治责任，采取强有力措施抓好整治；务必明确和紧紧抓住整治工作重点，聚焦各类船舶污染问题整治、港口码头污染问题整治、到港污染物问题整治，着力提升船、港、城全环节污染防治能力；务必齐心协力按时完成整治任务
		云南省人民政府	2021.5.8	进一步提高政治站位，促进航运全面绿色转型；巩固专项整治结果；着力提升运行和管理水平；加强船舶污染物接收转运处置有效衔接；加快岸电及清洁能源推广使用；切实提升治理能力，强化保障措施

续表

发布主体	政策名称	部门	时间	主要内容
沿线部分省市	《贯彻落实长江经济带船舶污染防治专项行动实施方案》	重庆市巴南区生态环境局	2021.2.20	加强应急体系建设，提升应急处置能力；健全完善预案体系，强化预案管理工作；建立船舶污染应急补偿机制，建立污染应急协作机制，建设现代化船舶污染监视监测系统；加强应急队伍体系建设，提升应急救援能力
		江苏省交通运输厅	2018.4.23	加强船舶排放大气污染物的监督管理，提前实施船舶第二阶段国家排放标准，加强船用低硫柴油市场供应和使用的监督，依法取缔水上非法加油站点，推广船用燃油快速检测设备，加快船舶尾气遥感监测系统建设等措施，以加强对船用燃油的质量监管
		安徽省财政厅	2020.11.5	中央基建投资预算应专项用于长江经济带绿色发展船舶污染治理，要加强资金使用的监督管理，严禁截留、挤占和挪用，切实提高资金使用效益
		安徽省交通运输厅	2020.3.18	严格落实政府责任，严格落实企业主体责任，严格履行部门监管责任，开展突出问题整改，建立健全长效机制
	《关于开展长江经济带固体废物点位排查工作的通知》	绍兴市人民政府	2018.3.29	各单位要切实增强“四个意识”，重点对长江干线外的水上转移危险废物、码头装卸危险废物以及道路运输危险废物情况进行全面排查、整治，填写情况排查表
		合肥市人民政府	2018.3.8	全面排查区域内固体废物的堆放、贮存、倾倒和填埋点，形成点位排查清单。各地要根据辖区内河流、湖泊重要性，进一步梳理本地区点位，排查重点河道、湖泊，如实填报“固体废物点位排查河湖一览表”、“固体废物点位排查清单表”及大排查工作报告
		重庆市人民政府	2018.4.17	排查濑溪河、清流河干流、主要支流及各水库100米以内区域，包括沿岸码头等临时堆放点和沿岸的废弃宕口，形成点位排查清单；还要进行源头排查、运输排查以及处置能力排查
		四川省人民政府	2022.9.23	深入推进固体废物申报登记制度，建立并动态更新固体废物监管点位清单，持续推动生活垃圾分类管控
		贵州省水利厅	2018.3.3	对省内河流开展固体废物存量排查（固体废物包括危险废物、医疗废物、一般工业固体废物、生活垃圾等）；形成点位排查清单
		上海市经济和信息化委员会	2018.6.6	摸清本市固体废弃物利用企业的数量，排查企业利用废弃物的种类、数量、贮存、物流、环境保护等情况，要组织、督促、检查，全面落实排查任务
		湖南省株洲市人民政府	2018.3.26	全面摸清固体废物（危险废物、医疗废物、一般工业固体废物、生活垃圾）的存量和污染现状；查清固体废物产生、贮存、运输、处置等基本情况，厘清渌江流域固体废物非法转移产业链条

续表

发布主体	政策名称	部门	时间	主要内容
沿线部分省市	《关于开展长江经济带固体废物点位排查工作的通知》	湖北省人民政府	2018.6.8	全面清查，认真查漏补缺；全面落实生态环境部“清废行动 2018”问题整改；排查整治情况“回头看”；构建固体废物污染防治长效机制
		江苏省人民政府	2018年	深入实施长江经济带固体废物大排查，组织开展固体废物环境违法行为专项行动，大力推进固体废物处置能力建设，建立健全固体废物污染防治联防联控机制，积极推进固体废物进口管理制度改革
	《长江经济带水电清理整改工作实施方案》	重庆市潼南区人民政府	2018.7.4	开展小水电生态环境影响评估，并报环保部门审核；进行规范整改，无生态流量措施的，要增加生态流量措施；无过鱼措施的，要完善过鱼措施；对整治情况进行汇总
		贵州省水利厅	2018.8.8	改建小水电项目(不增加装机容量的项目)应不在暂停受理项目环评文件限制范畴，认真梳理辖区内小水电项目环境影响评价手续办理情况，督促未履行环境影响评价手续的项目业主抓紧时间完善项目环评报告
		江西省水利厅	2020.6.19	开展小水电问题核查评估，全面开展小水电问题整改，严格控制新建项目
		云南省水利厅	2019.5.22	全面核查小水电审批手续等情况，以河流或县级区域为单位组织开展综合评估，提出退出、整治、保留的评估意见
		湖南省水利厅	2019.3.29	全面开展小水电项目的综合评估，逐站制定小水电项目整改方案，稳妥推进清理整改工作，严格验收销号，严控新建小水电项目准入情况
		安徽省水利厅	2020.3.3	对所辖县(市、区)“一站一策”实施方案进行复核，并按分类建立台账，抓紧启动清理整改工作，指导小水电业主按整改方案严格落实整改；要安排专项资金，同步建立市、县生态流量监管平台，整改完成后按规定程序验收
		浙江省水利厅	2019.3.28	完善监管制度和监管体系，有效解决省内小水电生态环境影响问题
	《关于加强长江水生生物保护工作的实施意见》	安徽省人民政府	2018.12.29	实施生态修复工程，优化完善生态调度，科学开展增殖放流，推进水产养殖绿色发展，全面加强水生生物多样性保护，加强保护地建设，完善生态补偿机制，提升监测能力
		云南省人民政府	2019.3.27	加强水生生物资源保护，开展水生生态修复，加强生境保护，完善生态补偿，推进水产健康养殖，加大科技支撑力度
		湖南省人民政府	2019.9.25	强化源头防控，加强保护地建设，加强水生生物资源监测，推进重点水域禁捕，完善生态补偿机制，实施生态修复工程，优化完善生态调度，科学开展增殖放流，加强濒危物种保护，提升执法监管能力

续表

发布主体	政策名称	部门	时间	主要内容
沿线部分省市	《关于加强长江水生生物保护工作的实施意见》	江苏省人民政府	2019.1.17	开展资源保护与增殖，拯救珍稀物种，加快生境保护与修复，加强执法监管
		重庆市人民政府	2019.4.19	开展生态修复，优化完善生态调度，科学开展增殖放流，实施珍稀濒危物种拯救行动，加强生境保护，提升保护地功能，完善生态补偿机制
	《关于加快推进长江经济带农业面源污染治理的指导意见》	上海市农业农村委员会	2018.12.17	开展四个"清"行动，整治脏乱差问题；建立"三个有"机制；推动工作常态化，优化功能布局，发展绿色产业；保护生态资源，守住美丽田园；提升农产品质量，满足市场需求；强化创新驱动，支撑绿色发展
		宁波市鄞州区农业农村局	2021.6.10	通过长江经济带农业面源污染治理项目实施，项目县种养业布局将进一步优化，农业废弃物资源化利用水平、水产生态健康养殖水平进一步提高，推进农业面源污染治理
		安徽省农业农村厅	2021.6.3	扎实开展全区农业农村涉农生态环境问题"举一反三"大排查、大整改工作，着力削减涉农突出生态环境问题，全力消除涉农生态环境风险隐患，加快补齐涉农生态环境治理短板，有效避免同类型问题发生
		云南省农业农村厅	2018.12.27	优化发展空间布局，综合防控农田面源污染，大力整治畜禽养殖污染，积极治理水产养殖污染，深入开展农村人居环境整治
		湖南省农业农村厅	2021.5.24	要严格按照批复的项目名称、建设内容、建设规模进行建设，不得擅自变更项目建设地点和建设内容；严禁将中央预算内投资截留、挤占或挪作他用，并确保项目建设所需其他来源资金足额及时到位；要切实采取措施落实地方投资，防范加重地方政府债务风险，防止地方政府以项目建设名义盲目举债，坚决遏制地方政府隐性债务增加
		江苏省水利厅	2018.11.5	优化发展空间布局，加大重点地区治理力度；综合防控农田面源污染，推动农业绿色发展；严格控制畜禽养殖污染，推进粪污资源化利用；推进水产健康养殖，改善水域生态环境，加快农村人居环境整治进度，使村庄环境更加干净整洁
		四川省人民政府	2023.7.5	以岷江、沱江、嘉陵江流域丘陵地区为重点，充分利用现有沟、塘等设施，建设生态沟渠和农田退水集蓄与再利用设施，强化农田退水、径流拦截、生态净化及循环利用
		江西省人民政府	2018.8.7	深入推进化肥农药减量增效，促进农业废弃物资源化利用，强化水生生物多样性保护，开展江豚和水域生态环境监测

续表

发布主体	政策名称	部门	时间	主要内容
沿线部分省市	《河长制湖长制工作方案》	四川省水利厅	2020.3.17	深入开展河湖“清四乱”，加强农村水环境治理，持续开展河湖管理保护示范县建设，建立健全跨流域跨区域河湖联防联控机制，落实最严格水资源管理制度，持续推进城乡生活垃圾处理设施建设和运行管理
		上海市水务局	2021.6.15	对水环境治理和水污染防治工作开展情况，河湖面积管控工作开展情况，河湖水域岸线管理保护工作开展情况，执法监管工作开展情况，深化完善河长制工作开展情况进行监督检查
	《关于落实长江经济带发展2021年工作要点的实施方案》	上海市绿化和市容管理局	2021.6.30	推进警示片披露问题整改、生活垃圾全程分类、垃圾末端设施建设、船舶污染物接收、湿地保护修复、大都市圈绿道规划编制等工作；深入推进湿地保护修复工作；深入推进大都市圈协同工作
	《上海市关于建立动态整治销号制度 强化长江入河排污口长效管理的实施意见》	上海市生态环境局	2023.8.7	依托入河排污口管理信息系统，对生态环境部排查交办并复核确认的1 467个排污口的整治工作实行全过程质量监控
	《关于印发江苏省“十四五”现代服务业发展规划的通知》	江苏省人民政府办公厅	2021.7.19	主动服务“一带一路”建设、长江经济带发展战略，深度融入长三角区域一体化发展战略，结合江苏经济空间格局和城市群空间形态，鼓励各地区因地制宜、错位发展、良性互动，加快构建面上辐射、线上联通、点上集聚的“三核、四带、多极”的现代服务业高质量发展空间格局
	《关于进一步推进长江经济带绿色航运发展的通知》	安徽省交通运输厅	2020.3.31	进一步推进绿色航道发展，进一步推进绿色港口创建，进一步推进绿色船舶发展，进一步推进绿色运输组织方式，积极推广江海直达运输和先进运输组织方式
	《关于做好长江经济带饮用水水源地环境保护专项整治工作的通知》	四川省环境保护厅	2017.7.7	进一步统一思想，提高认识；充分认识整治工作的紧迫性和艰巨性；攻坚克难，综合施策，确保按期完成各项任务；对已完成整改的环境问题，要不定期组织开展“回头看”，确保依法整改到位，严防环境违法问题反弹；做好有关信息公开工作

续表

发布主体	政策名称	部门	时间	主要内容
沿线部分省市	《浙江省长江经济带发展实施规划》	浙江省人民政府	2017.9.5	坚持生态优先、绿色发展的总体指导思想，并立足浙江自身优势，提出了要在长江经济带建设中发挥生态文明建设示范区、创新驱动发展先行区、陆海联动发展枢纽区和转型发展的重要增长极等“四大战略定位”的作用
	《关于印发舟山市参与长江经济带建设工作方案的通知》	浙江省舟山市人民政府	2017.12.28	打造陆海联动生态屏障，共建长江沿线绿色生态廊道；建设舟山江海联运服务中心，提升长江黄金水道纽带功能；推进义甬舟开放大通道建设，构建全方位开放新格局；实施创新引领发展战略，协同推进产业转型升级；积极推进新型城镇化，共建长三角世界级城市群
	《加快推进浙江省长江经济带化工产业污染防治与绿色发展工作方案》	浙江省发展和改革委员会等	2020.9.23	严格落实《长江经济带发展负面清单指南（试行）》和浙江省实施细则。禁止新增化工园区，禁止在化工园区（化工集聚区）外新建、扩建化工高污染项目，严格项目审批，落实地方政府责任，限制高污染过剩行业新增产能，限制高挥发性有机物排放化工类建设项目，禁止新建淘汰限制类项目
	《江西省2017年推动长江经济带发展工作要点》	江西省发展和改革委员会	2017.5.25	切实推进生态环境保护，完善综合交通网络，创新驱动产业转型升级，积极推进新型城镇化，推进区域互动合作
	《江西省2018年推动长江经济带发展工作要点》	江西省发展和改革委员会	2018.6.15	推进水污染治理，推进水生态修复，推进水资源保护；以九江江海直达区域性航运中心建设为重点，全面对接长江黄金水道；加快改革创新，推动经济高质量发展；推进生态环保体制机制建设，增强环保制度支撑力度
	《关于国家长江经济带发展战略的实施意见》	湖北省人民政府	2015.5.29	增强长江干支流通航能力，建设武汉长江中游航运中心，加快干支流港口建设，扩大三峡枢纽通过能力，完善长江中游综合立体交通体系，建设产业转型升级支撑带，建设新型城镇连绵带，建设长江中游生态文明示范带
	《长江经济带住建领域环境问题整改排查方案》	湖南省住房和城乡建设厅	2019.2.22	对长江经济带生态环境警示片披露的涉及住建领域的突出问题要立行立改并持续推进共性问题整改，建立健全长效治理机制

续表

发布主体	政策名称	部门	时间	主要内容
沿线部分省市	《关于印发长江经济带战略环境评价"三线一单"工作实施方案的通知》	重庆市江津区人民政府	2018.6.16	以改善生态环境质量为核心，分析区域、流域生态环境安全面临的形势和压力，评估经济社会发展对生态环境保护带来的挑战，按镇街和平台为单元划定"三线一单"，分区划定环境管控单元，提出基于"三线一单"管控单元的环境管控方案，在一张图上落实管控要求，构建全区环境管控体系
	《重庆市潼南区 2018 年推动长江经济带发展工作要点》	重庆市潼南区人民政府	2018.6.15	大力保护和修复生态环境，加快推进互联互通枢纽建设，大力推动产业转型升级，促进城乡融合发展，深化区域协同发展，强化工作保障
	《关于加快长江上游航运中心建设的实施意见》	重庆市人民政府	2016.3.21	发展先进高效、节能环保的船舶运力，打造结构合理、功能齐全的港口集群，构建干支联动、畅通高效的航道体系，推进内畅外联、互联互通的交通网络，完善低碳节能、绿色环保的航运体系
	《云南省长江经济带发展负面清单指南实施细则（试行）》	云南省推动长江经济带发展领导小组办公室	2019.11.1	禁止在《长江岸线保护和开发利用总体规划》划定的岸线保护区内投资建设除保障防洪安全、河势稳定供水安全以及保护生态环境、已建重要枢纽工程以外的项目

资料来源：人民政府官网、长江经济带大数据平台、推动长江经济带发展网等。

1.2.3 产业高质量发展省市政策概览

为了推进国家经济高质量发展，贯彻党中央、国务院作出的关于国家经济高质量发展的重大战略决策，自 2017 年底长江沿线各省市针对电子信息、装备制造、新材料、机械、医药等不同产业的高质量发展出台了一系列政策文件（如表 1-3 所示）。系列文件积极落实国家对经济高质量发展的各项政策和意见，针对不同产业的高质量发展作出了科学管理和规划，不断加快国家经济高质量发展的建设进程。

表 1-3　地方层面出台的相关产业高质量发展的政策

行业	发布主体	时间	地方政策文件名称	主要内容	对应国家政策文件名称
电子信息业	江苏省人民政府办公厅	2021.8.10	《江苏省政府办公厅关于印发江苏省“十四五”数字经济发展规划的通知》	重点突破集成电路、新型显示、高端软件、通信网络、智慧终端等基础产业核心关键共性技术，聚焦人工智能、大数据、物联网等新兴产业及区块链、柔性电子等前沿领域，形成一批重大创新成果，开发一批战略性新产品	《国务院关于印发“十四五”数字经济发展规划的通知》
	浙江省人民政府办公厅	2021.6.16	《浙江省人民政府办公厅关于印发浙江省数字经济发展“十四五”规划的通知》		
	安徽省人民政府	2018.10.30	《安徽省人民政府关于印发支持数字经济发展若干政策的通知》		
	江西省发展改革委	2021.1.6	《江西省数字经济创新发展领导小组办公室关于印发〈关于加快推进数字经济创新发展的若干措施〉的通知》		
	湖北省人民政府办公厅	2021.2.22	《湖北省人民政府办公厅关于印发光谷科技创新大走廊发展战略规划(2021—2035年)的通知》		
	湖南省人民政府办公厅	2020.11.24	《湖南省人民政府办公厅关于持续推动移动互联网产业高质量发展加快做强做大数字产业的若干意见》		
	四川省人民政府办公厅	2019.8.1	《四川省人民政府关于加快推进数字经济发展的指导意见》		
	贵州省人民政府	2018.2.7	《贵州省实施“万企融合”大行动，打好“数字经济”攻坚战方案》		
	云南省人民政府办公厅	2019.11.21	《云南省人民政府办公厅关于印发“数字云南”信息通信基础设施建设三年行动计划(2019—2021年)的通知》		
	上海市人民政府	2021.8.12	《上海市人民政府关于印发〈中国(上海)自由贸易试验区临港新片区发展“十四五”规划〉的通知》		
	重庆市人民政府办公厅	2020.6.24	《重庆市人民政府办公厅关于成立重庆市数字经济创新发展领导小组的通知》		

续表

行业	发布主体	时间	地方政策文件名称	主要内容	对应国家政策文件名称
电子信息业	江苏省人民政府办公厅	2020.4.30	《江苏省政府办公厅印发关于加快新型信息基础设施建设扩大信息消费若干政策措施的通知》	抓住电子信息产业新一轮发展机遇，以供给侧结构性改革为主线，推动各省电子信息产业迈向中高端，做大软件和信息服务业，做大集成电路制造业及封装测试和配套业，为产业转型升级、经济社会加速发展提供有力支撑	《新时期促进集成电路产业和软件产业高质量发展的若干政策》
	浙江省人民政府办公厅	2017.12.16	《浙江省人民政府办公厅关于加快集成电路产业发展的实施意见》		
	安徽省人民政府办公厅	2018.3.22	《安徽省人民政府办公厅关于修改加快集成电路产业发展意见部分内容的通知》		
	江西省人民政府办公厅	2019.1.30	《江西省人民政府办公厅关于印发京九(江西)电子信息产业带发展规划的通知》		
	湖北省人民政府办公厅	2018.12.26	《湖北省人民政府办公厅关于印发湖北省进一步扩大和升级信息消费持续释放内需潜力实施方案的通知》		
	湖南省工业和信息化厅	2021.3.12	《湖南省工业和信息化厅关于印发〈湖南省软件产业振兴计划(2021—2025年)〉的通知》		
	四川省人民政府	2019.3.18	《集成电路与新型显示产业培育方案》		
	贵州省人民政府	2018.12.24	《贵州省人民政府关于印发贵州省十大千亿级工业产业振兴行动方案的通知》		
	云南省人民政府办公厅	2021.2.8	《云南省人民政府办公厅关于印发云南省贯彻落实新时期促进集成电路产业和软件产业高质量发展若干政策任务清单的通知》		
	上海市经济信息化委员会	2017.10.27	《上海市经济信息化委关于开展2018年度上海市软件和集成电路产业发展专项资金(集成电路和电子信息制造领域)项目申报工作的通知》		
	重庆市人民政府办公厅	2020.4.28	《重庆市人民政府办公厅关于印发重庆市促进软件和信息服务业高质量发展行动计划(2020—2022年)的通知》		

续表

行业	发布主体	时间	地方政策文件名称	主要内容	对应国家政策文件名称
电子信息业	重庆市人民政府办公厅	2022.7.15	《重庆市软件和信息服务业"满天星"行动计划(2022—2025 年)》	提升软件服务与电子信息产业支撑能力,聚焦新型显示、集成电路、智能终端全产业链联动发展,夯实电子信息基础领域,拓展延长产业链,加快发展智能硬件、智能传感等智能化产品	《国务院关于深化"互联网＋先进制造业"发展工业互联网的指导意见》
	江苏省人民政府	2021.12.30	《江苏省制造业智能化改造和数字化转型三年行动计划(2022—2024 年)》		
	浙江省人民政府	2018.8.21	《浙江省人民政府关于加快发展工业互联网促进制造业高质量发展的实施意见》		
	安徽省人民政府	2018.4.2	《安徽省人民政府关于深化"互联网＋先进制造业"发展工业互联网的实施意见》		
	湖北省人民政府	2021.12.31	《湖北省 5G＋工业互联网融合发展行动计划(2021—2023 年)》		
	湖南省人民政府	2014.2.20	《湖南省人民政府关于鼓励移动互联网产业发展的意见》		
	四川省人民政府办公厅	2019.8.1	《四川省人民政府关于深化"互联网＋先进制造业"发展工业互联网的实施意见》		
	贵州省人民政府	2018.8.13	《省人民政府关于印发〈贵州省推动大数据与工业深度融合发展工业互联网实施方案〉的通知》		
	云南省人民政府	2018.11.30	《云南省人民政府关于印发〈云南省工业互联网发展三年行动计划(2018—2020 年)〉的通知》		
	上海市人民政府办公厅	2020.6.19	《上海市人民政府办公厅关于印发〈推动工业互联网创新升级实施"工赋上海"三年行动计划(2020—2022 年)〉的通知》		
	重庆市人民政府	2018.5.22	《重庆市人民政府关于印发〈重庆市深化"互联网＋先进制造业"发展工业互联网实施方案〉的通知》		

续表

行业	发布主体	时间	地方政策文件名称	主要内容	对应国家政策文件名称
装备制造业	江苏省人民政府	2019.7.21	《江苏省政府关于加快推进农业机械化和农机装备产业转型升级的实施意见》	完善农机装备创新体系、推进农机装备全产业链协同发展、优化农机装备产业结构布局、加强农机装备质量可靠性建设，加快推动农机装备产业高质量发展，为实现农业农村现代化提供有力支撑	《国务院关于加快推进农业机械化和农机装备产业转型升级的指导意见》
	浙江省人民政府	2019.8.6	《浙江省人民政府关于推进农业机械化和农机装备产业高质量发展的实施意见》		
	安徽省人民政府	2019.4.12	《安徽省人民政府关于加快推进农业机械化和农机装备产业转型升级的实施意见》		
	江西省人民政府	2019.7.8	《江西省人民政府关于加快推进农业机械化升级和农机装备产业振兴的实施意见》		
	湖北省人民政府办公厅	2019.6.10	《湖北省人民政府办公厅关于加快推进农业机械化和农机装备产业转型升级的实施意见》		
	湖南省人民政府	2019.12.7	《湖南省人民政府关于加快推进农业机械化和农机装备产业转型升级的实施意见》		
	四川省人民政府	2019.9.2	《四川省人民政府关于加快推进农业机械化和农机装备产业转型升级的实施意见》		
	贵州省人民政府	2020.1.3	《贵州省人民政府关于加快推进农业机械化和农机装备产业发展的实施意见》		
	云南省人民政府	2019.6.14	《云南省人民政府关于加快推进农业机械化和农机装备产业转型升级的实施意见》		
	上海市农业农村委员会、上海市经济和信息化委员会等	2020.3.4	《上海市农业农村委员会等关于印发〈关于加快推进农业机械化和农机装备产业转型升级的实施意见〉的通知》		
	重庆市人民政府	2019.6.13	《重庆市人民政府关于加快推进农业机械化和农机装备产业转型升级的实施意见》		

续表

行业	发布主体	时间	地方政策文件名称	主要内容	对应国家政策文件名称
装备制造业	江苏省人民政府办公厅	2021.8.16	《江苏省政府办公厅关于印发江苏省“十四五”制造业高质量发展规划的通知》	巩固和发展汽车及零部件产业、高效节能环保装备、机器人与智能制造装备、关键基础部件等优势产业，培育和壮大新能源汽车、航空航天装备、人工智能、高性能检测等新兴产业，进一步打造集设计、研发、制造、服务于一体的高端装备制造业完整产业链	《国务院关于加快振兴构造业的若干意见》
	嘉兴市经经济和信息化局	2019.5.5	《嘉兴市经济和信息化局关于印发〈嘉兴市高质量发展高端装备制造业三年行动方案（2019—2021年）〉的通知》		
	安徽省人民政府办公厅	2020.4.16	《安徽省人民政府办公厅关于印发安徽省综合性消防救援装备发展规划（2020—2024年）的通知》		
	湖北省人民政府	2023.10.27	《湖北省汽车产业转型发展实施方案（2023—2025年）》		
	湖南省工业和信息化厅	2022.6.17	《落实〈支持先进制造业供应链配套发展的若干政策措施〉实施细则》		
	四川省人民政府	2023.11.30	《四川省加力补齐农村装备短板加快打造全程全面高质高效“天府良机”行动方案（2023—2025年）》		
	重庆市人民政府	2023.11.11	《重庆市先进制造业发展产业地图（2023年）》		
	云南省工业和信息化厅	2021.11.15	《云南省先进装备制造业发展规划（2021—2025年）》		
	江西省工业和信息化厅	2018.2.5	《十大产业振兴规划之装备制造业振兴规划》		
	上海市人民政府办公厅	2021.7.21	《上海市人民政府办公厅关于印发〈上海市战略性新兴产业和先导产业发展“十四五”规划〉的通知》		
	浙江省经济和信息化委员会	2018.9.18	《关于进一步促进首台（套）重大技术装备示范应用的意见》	以推进供给侧结构性改革为主线，着力加强协同创新，推动首台（套）示范应用取得实质性进展，为装备制造业迈向中高端提供坚实保障	《关于促进首台（套）重大技术装备示范应用的意见》
	安徽省人民政府	2020.3.24	《安徽省人民政府关于印发支持首台（套）重大技术装备首批次新材料首版次软件发展若干政策的通知》		
	江西省人民政府办公厅	2021.3.19	《江西省人民政府办公厅关于支持首台（套）重大技术装备创新发展的若干意见》		
	四川省人民政府	2021.7.19	《四川省重大技术装备首台套新材料首批次软件首版认定管理办法》		
	重庆市人民政府办公厅	2018.12.7	《重庆市人民政府办公厅关于促进首台（套）重大技术装备示范应用的实施意见》		

续表

行业	发布主体	时间	地方政策文件名称	主要内容	对应国家政策文件名称
材料产业	江苏省人民政府办公厅	2021.8.16	《江苏省政府办公厅关于印发江苏省“十四五”制造业高质量发展规划的通知》	不断增强冶金、建材和化工等原材料产品支撑保障能力，重点发展先进金属材料、新型非金属材料、化工合成材料、精细化工等产品，加快培育前沿新材料，构建先进基础材料、关键战略材料和前沿新材料协同发展格局	《关于振作工业经济运行 推动工业高质量发展的实施方案的通知》
	重庆市人民政府	2019.5.10	《重庆市人民政府关于印发重庆市推动制造业高质量发展专项行动方案（2019—2022年）的通知》		
	重庆市人民政府	2021.4.20	《支持制造业高质量发展若干政策措施》		
	江西省人民政府	2021.9.7	《江西省“十四五”制造业高质量发展规划》	重点发展先进复合材料、储能材料、硬质材料、金属新材料、化工新材料、特种无机非金属材料等六大领域，聚焦先进基础材料、关键战略材料和前沿新材料三大重点，打造全球有重要影响力的新材料产业高地和国际一流的新材料科创高地	《关于加快新材料产业创新发展的指导意见》
	湖北省人民政府	2021.10.29	《湖北省制造业高质量发展“十四五”规划》		
	安徽省发展改革委	2022.1.12	《安徽省“十四五”制造业高质量发展（制造强省建设）规划》		
	云南省人民政府	2022.4.20	《云南省“十四五”制造业高质量发展规划》		
	上海市人民政府	2023.5.18	《上海市推动制造业高质量发展三年行动计划（2023—2025年）》		
	浙江省发展改革委等	2021.5.8	《省发展改革委、省经信厅关于印发〈浙江省新材料产业发展“十四五”规划〉的通知》		
	湖南省人民政府	2020.7.30	《湖南省人民政府关于加快新材料产业发展的意见》		
	安徽省人民政府办公厅	2020.3.18	《安徽省人民政府办公厅关于印发支持生物基新材料产业发展若干政策的通知》	充分发挥生物基可降解材料技术创新中心等创新平台作用，支撑生物基新材料产业加快发展，推动生物基新材料产业高质量发展	
	云南省发展改革委	2022.6.8	《云南省新材料产业发展三年行动（2022—2024年）》和《支持新材料产业发展的若干政策措施》		

续表

行业	发布主体	时间	地方政策文件名称	主要内容	对应国家政策文件名称
机械行业	江西省发展改革委	2020.12.3	《关于印发〈关于促进砂石行业健康有序发展的实施意见〉的通知》	加快构建优质高效的砂石产业体系，推动机制砂产业高质量发展，为全省基础设施投资建设和经济社会发展提供有力支撑	《关于促进砂石行业健康有序发展的指导意见》
	浙江省发展改革委	2020.12.23	《关于促进我省砂石行业健康有序发展的通知》		
	安徽省发展改革委	2020.7.23	《关于促进砂石行业健康有序发展的实施意见》		
	云南省发展改革委	2021.3.1	《关于促进砂石行业健康有序发展的实施方案》		
	湖南省发展改革委	2021.7.30	《关于促进砂石行业健康有序发展的实施意见》		
	江苏省人民政府办公厅	2021.8.16	《省政府办公厅关于印发江苏省“十四五”制造业高质量发展规划的通知》	重点发展大型施工机械、大型起重机械、高空作业机械和大马力动力机械、智慧农场装备等，推动新一代信息技术和工程机械、农业机械的高效融合，打造综合实力国际先进的工程机械和农业机械集群	
	浙江省人民政府办公厅	2017.11.28	《浙江省人民政府办公厅关于机械工业调结构促转型增效益的实施意见》	做大做强产业链，聚力开发标志性产品，全力提升技术影响力、品牌影响力、市场竞争力和规模实力，努力实现从机械工业大省向机械工业强省转变	

续表

行业	发布主体	时间	地方政策文件名称	主要内容	对应国家政策文件名称
	重庆市人民政府办公厅	2021.6.4	《促进农业机械化发展若干政策举措》	实施农业全程全面机械化技术创新推广项目，支持开展全程机械化生产，加快推动机械化拓展延伸，建设一批农业机械化生产示范基地	
医药行业	江苏省人民政府办公厅	2018.3.28	《江苏省深化医药卫生体制改革规划(2018—2020年)》	坚持推进医药卫生供给侧结构性改革，加快推进基本医疗卫生制度建设，实现发展方式由以治病为中心向以健康为中心转变，推进医药卫生治理体系和治理能力现代化，为促进经济社会发展增添新动力	《关于深化医药卫生体制改革重点工作任务的通知》
	浙江省发展改革委等	2021.5.17	《浙江省深化医药卫生体制改革“十四五”规划》		
	江西省人民政府办公厅	2021.8.19	《江西省深化医药卫生体制改革2021年重点工作任务》		
	湖北省人民政府办公厅	2020.10.14	《湖北省深化医药卫生体制改革2020年下半年重点工作任务》		
	四川省人民政府办公厅	2021.8.11	《推进医药卫生体制改革2021年重点工作》		
	贵州省人民政府办公厅	2018.1.9	《贵州省“十三五”深化医药卫生体制改革规划》		
	云南省人民政府办公厅	2020.5.29	《云南省深化医药卫生体制改革2020年重点工作任务》		
	重庆市人民政府办公厅	2020.9.14	《贯彻落实国务院办公厅深化医药卫生体制改革2020年下半年重点工作任务分工》		
	江苏省人民政府	2018.12.1	《省政府关于推动生物医药产业高质量发展的意见》		

续表

行业	发布主体	时间	地方政策文件名称	主要内容	对应国家政策文件名称
医药行业	杭州市人民政府办公厅	2021.7.26	《杭州市人民政府办公厅关于加快生物医药产业高质量发展的若干意见》	着力推动生物医药产业实现质的提升，把生物医药产业集群打造成为具有全球影响的创新集群，确保生物医药产业高质量发展	《关于加快生物医药产业高质量发展的若干意见》
	安徽省人民政府	2018.7.18	《安徽省人民政府关于印发支持现代医疗和医药产业发展若干政策的通知》		
	云南省人民政府	2019.11.14	《云南省人民政府关于加快生物医药产业高质量发展的若干意见》		
	上海市人民政府办公厅	2021.4.16	《上海市人民政府办公厅关于促进本市生物医药产业高质量发展的若干意见》		
	重庆市人民政府办公厅	2019.5.6	《重庆市人民政府办公厅关于加快生物医药产业发展的指导意见》		
	浙江省人民政府	2018.1.8	《关于建立现代医院管理制度的实施意见》	进一步激发医院生机活力，强化公立医院引领带动作用，实现医院治理体系和管理能力现代化，为全面建成小康社会提供有力健康保障	《国务院办公厅关于建立现代医院管理制度的指导意见》
	江苏省人民政府办公厅	2018.11.6	《省政府办公厅关于建立现代医院管理制度的实施意见》		
	安徽省人民政府办公厅	2018.3.30	《安徽省人民政府办公厅关于建立现代医院管理制度的实施意见》		
	湖北省人民政府办公厅	2017.12.20	《省人民政府办公厅关于建立现代医院管理制度的实施意见》		
	云南省人民政府	2018.1.24	《关于建立现代医院管理制度的实施意见》		
	湖南省人民政府办公厅	2018.5.8	《湖南省建立健全现代医院管理制度实施方案》		
	四川省人民政府办公厅	2018.6.8	《四川省人民政府办公厅关于建立健全现代医院管理制度的实施意见》		
	贵州省医改办	2021.4.8	《关于进一步加快建立健全现代医院管理制度的通知》		

续表

行业	发布主体	时间	地方政策文件名称	主要内容	对应国家政策文件名称
医药行业	江苏省人民政府办公厅	2018.7.11	《省政府办公厅关于支持社会力量提供多层次多样化医疗服务的实施意见》	在基本医疗卫生服务领域坚持政府主导并适当引入竞争机制；在非基本医疗卫生服务领域，市场要更有活力，推动社会办医高质量发展，不断满足人民群众日益增长的多层次多样化健康需求	《国务院办公厅关于支持社会力量提供多层次多样化医疗服务的意见》
	浙江省人民政府办公厅	2018.11.28	《浙江省人民政府办公厅关于支持社会力量提供多层次多样化医疗服务的实施意见》		
	江西省人民政府办公厅	2018.2.5	《江西省支持社会力量提供多层次多样化医疗服务实施方案》		
	湖北省人民政府办公厅	2018.5.8	《省人民政府办公厅关于支持社会力量提供多层次多样化医疗服务的实施意见》		
	湖南省人民政府办公厅	2018.6.8	《湖南省人民政府办公厅关于支持社会力量提供多层次多样化医疗服务的实施意见》		
	四川省人民政府	2017.9.30	《支持社会力量提供多层次多样化医疗服务实施方案》		
	云南省人民政府办公厅	2017.11.24	《云南省人民政府办公厅关于支持社会力量提供多层次多样化医疗服务的实施意见》		
	安徽省人民政府办公厅	2018.9.18	《安徽省人民政府办公厅关于促进“互联网＋医疗健康”发展的实施意见》	开展“互联网＋医疗健康”便民惠民活动，提升医疗健康服务质量和便捷性，增强人民群众的获得感、幸福感，为卫生健康事业发展提供坚实保障和支撑	《国务院办公厅关于促进“互联网＋医疗健康”发展的意见》
	江西省人民政府办公厅	2018.11.23	《江西省人民政府办公厅关于推进“互联网＋医疗健康”发展的实施意见》		
	湖北省人民政府办公厅	2018.12.30	《省人民政府办公厅关于促进“互联网＋医疗健康”发展的实施意见》		
	湖南省人民政府办公厅	2018.12.29	《湖南省人民政府办公厅关于促进“互联网＋医疗健康”发展的实施意见》		
	四川省人民政府办公厅	2018.11.15	《四川省人民政府办公厅关于促进“互联网＋医疗健康”发展的实施意见》		
	云南省人民政府办公厅	2019.4.28	《云南省人民政府办公厅关于促进“互联网＋医疗健康”发展的实施意见》		
	重庆市人民政府办公厅	2018.12.21	《重庆市加快“互联网＋医疗健康”发展行动计划(2018—2020年)》		

资料来源：人民政府官网、发展改革委官网等。

02

第二章

长江经济带经济高质量发展总体概况

推动长江经济带发展是党中央作出的重大决策，是关系国家发展全局的重大战略。长江经济带是我国践行新发展理念的主要阵地之一，也是我国实现经济高质量发展的不可或缺的主力。长江经济带始终以新发展理念——“创新、协调、绿色、开放、共享”为基本指导原则，凭借其优越的地理位置、高水平的现代化发展方式等，在推动经济发展方式转变、产业结构转型升级等方面起到了先行示范作用。长江经济带高质量发展成效显著，具体表现为创新驱动进一步增强、生态环境持续改善、区域协调合作成效显著、开放发展空间不断拓展、成果共享扎实推进。

2.1　长江经济带经济发展概述

2.1.1　经济规模稳步增长

长江经济带是我国的黄金经济带，其横贯东中西三地，覆盖范围广、影响面积大，是具有全球影响力的黄金水道，在我国的经济发展中具有重要的地位和作用。近年来，面对国内外复杂的形势和风险挑战，长江经济带在“共抓大保护、不搞大开发”理念的指引下，坚持稳中求进的策略，积极落实高质量发展总体要求，不断加强新型工业化、农业现代化与信息化融合发展，建设现代综合产业体系，培育形成具有国际水平的产业集群，为经济高质量发展注入新的活力。近些年来，长江经济带经济一直保持稳步增长的态势，占全国经济的比重持续上升，充分展现出经济发展的活力和潜力，成为引领全国经济高质量发展的有力支撑。

为了进一步了解长江经济带近几年经济的发展状况，本节选取了国内生产总值(GDP)增长率以及失业率两个指标，从这两个方面来衡量长江经济带经济的发展情况。

从图 2-1 可以看出，2010—2020 年，长江经济带地区生产总值呈上升趋势，经济规模稳步增长，但增速逐步放缓。长江经济带的 GDP 增长率呈逐年下降趋势，从 2010 年的最大增长率 13.65%逐步下降到 2020 年的最小增长率 2.88%，GDP 增长率下降了 10.77%，GDP 增速逐步放缓；全国 GDP 增长率的变化趋势与长江经济带的情况基本保持一致，从 2010 年的最大值 10.60%逐步下降到 2020 年的最小值 2.20%，GDP 的增速也逐步放缓。在统计期内，长江经济带的 GDP 变化幅度要大于同期全国的 GDP 变化幅度，长江经济带

GDP 增速放缓的程度更加明显。从图 2-1 可以看出，虽然两者的 GDP 增长率都呈现下降趋势，但是长江经济带每年的 GDP 增长率要始终高于全国水平，但高出的值从 2010 年长江经济带 GDP 增长率高出全国约 3 个百分点逐步缩小到 2020 年的 0.68 个百分点，GDP 的增速在逐步拉近；GDP 增速放缓的同时，两者经济总量都在逐步扩大，而且长江经济带经济规模总量占全国经济的比重也在上升，由 2010 年的 42.97%增加到 2020 年的 46.53%，这也进一步凸显了长江经济带对全国经济的支撑引领作用。

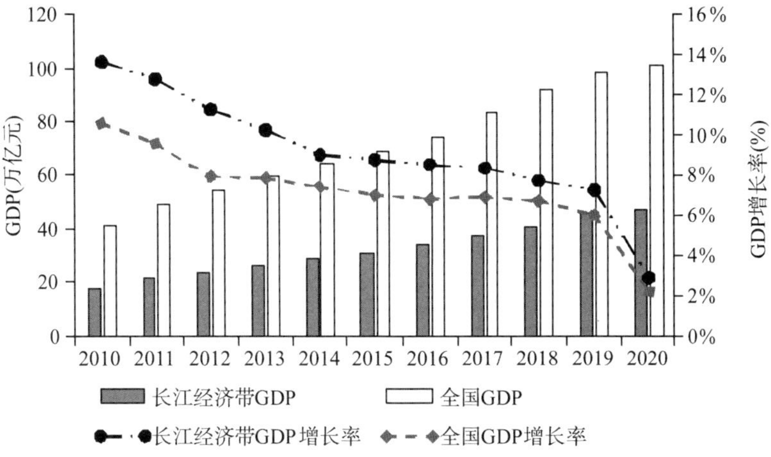

图 2-1　2010—2020 年长江经济带 GDP 总量及增长率与全国对比情况

失业率是反映一个国家或地区劳动力资源利用状况的最重要的指标，通过该指标可以判断一定时期内全部劳动人口的就业情况。一直以来，失业率被视为一个反映整体经济状况的指标。本节选取了 2010—2020 年长江经济带城镇登记失业率与全国城镇登记失业率(以下简称失业率)进行对比(如图 2-2 所示)。从图 2-2 可以看出，长江经济带 2010—2019 年的失业率总体上呈现下降的趋势，其中在 2012—2013 年失业率有轻微的上浮，其余年份相较于前一年均有所下降；2019—2020 年失业率大幅上升。整体上来看，长江经济带失业率从 2010 年的 3.8%下降到 2019 年的 2.9%，然后上升到 2020 年的 3.4%。全国失业率的整体变化趋势与长江经济带一致，从 2010 年的 4.1%逐步下降到 2019 年的最小值 3.6%，然后上涨到 2020 年的最大值 4.2%；但在 2010—2015 年，全国失业率基本保持在 4.1%左右。从图 2-2 可以看到，2010—2019 年长江经济带失业率的下降幅度要大于同期全国失业率的下降幅度，2019—2020 年长江经济带失业率的上升幅度要低于同期全国水平。在统计期内，长江经济带失业率一直低于全国平均水平，而且长江经济带失业率与全国失业率的差值有进一步拉大的趋势，从 2010 年相差 0.3 个百分点增长到 2020 年的 0.8 个百分点。

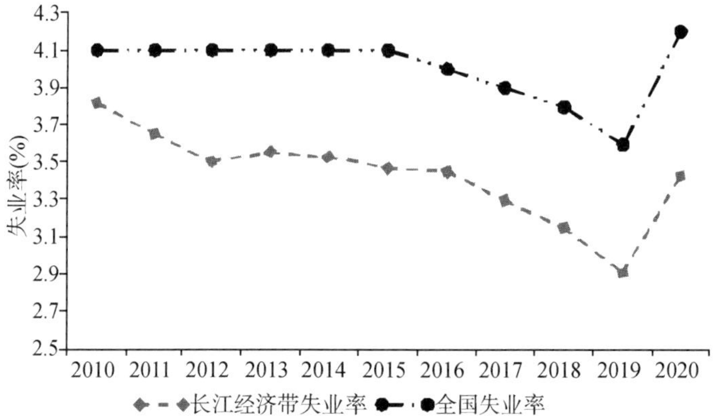

图 2-2　2010—2020 年长江经济带失业率与全国对比情况

2.1.2　产业转型进程加快

产业结构的持续优化是国家经济取得实质性发展的重要体现，也是保障我国经济高质量发展的必要条件。长江经济带充分发挥其地理位置、高水平现代化发展方式等方面优点，不断提升自主创新能力，加快新旧动能转换，持续优化经济结构，在推动经济发展方式转变、产业结构转型升级方面起到了先行示范作用。

一方面，长江经济带通过大力发展数字经济促进产业转型升级。数字技术促使传统行业在生产流程、组织形态以及业务推进等各个环节进行变革，通过将信息技术的研发创新与产业生产活动相结合，提高产出效率，不断加快资源要素优化配置进程，进而推动经济增长和产业结构升级。企业借助数字金融的优势，破除借贷关系中的信息壁垒，突破时空制约，吸引国外的资本、技术、新思维的流入，这些都对产业结构的整合迭代产生推动力。此外，长江经济带通过支持企业自主创新和技术改造，运用市场化手段淘汰和转移过剩产能，进而对传统的制造业进行转型升级，如经济带有色金属产业的转型以及建材产业的转型等；通过依托重大项目和专项工程，发展战略性新兴产业等高加工度和高技术密集度产业，对新型高端制造业进行培育和发展。

另一方面，长江经济带通过发展新能源产业、新材料产业以及新一代信息产业等相关产业，推动了战略性新兴产业融合化、集群化、生态化发展。与此同时，长江经济带通过继续做大、做强、做优高新技术产业，完善产业链配套，打造了电子信息、高端装备、汽车、家电、纺织服装等一批国内领先的产业集群，实现产业、城市的融合发展，推动了多行业的转型升级，助力经济高质量发展。

为了进一步了解长江经济带产业转型的情况，本节选取高新技术产业主营业务收入占规模以上工业企业主营业务收入的比重、第三产业增加值占地区生产总值的比重两个指标对长江经济带产业转型现状进行分析。

根据 2010—2019 年相关统计数据，本节绘制了长江经济带高新技术产业主营业务收入占规模以上工业企业主营业务收入比重变化趋势的折线图（如图 2-3 所示）。可以看到，近十年来长江经济带高新技术产业主营业务收入占规模以上工业企业主营业务收入的比重呈现逐年上升趋势，从 2010 年 11.59%的占比逐步上涨到 2019 年 15.21%的占比，增长幅度最大的时期分别是 2011—2012 年以及 2014—2015 年；2010—2019 年，高新技术产业主营业务收入占规模以上工业企业主营业务收入的比重增加了约 3.6 个百分点。

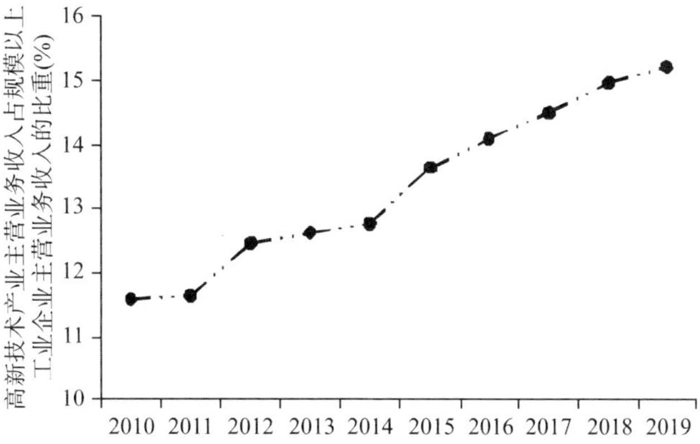

（注：2018 年的数据是采用均值法进行计算得出的估计值）

图 2-3　2010—2019 年长江经济带高新技术产业主营业务收入占规模以上工业企业主营业务收入比重的变化趋势

根据 2010—2020 年相关统计数据，本节绘制了长江经济带第三产业增加值占地区生产总值的比重与全国平均水平对比情况的折线图（如图 2-4 所示）。在统计期内，长江经济带第三产业增加值占地区生产总值的比重基本呈现逐年上升趋势，占比从 2011 年最低的 40.91%逐步上涨到 2020 年最高的 54.02%，上涨了 13.11%；增长幅度最大的时期是 2013—2014 年，增长了 2.68%。在统计期内，长江经济带第三产业增加值占地区生产总值的比重始终低于全国水平，它们之间的差距总体呈现出先扩大后缩小的趋势，从 2010 年 3.09 个百分点的差距扩大到 2013 年 4.45 个百分点，而后缩小至 2020 年 0.44 个百分点，长江经济带第三产业增加值占地区生产总值的比重逐步逼近于全国平均水平。

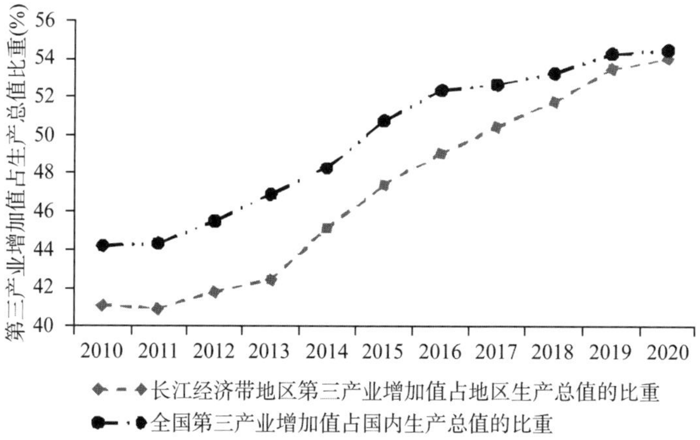

图 2-4　2010—2020 年长江经济带第三产业增加值占地区生产总值的比重与全国对比情况

2.2　长江经济带经济高质量发展成效

2.2.1　创新驱动进一步增强

推动长江经济带发展是当前我国新一轮改革开放转型、实施新区域开放发展的主要战略，而科技创新是驱动长江经济带经济转型升级的主要动力。在新发展阶段，创新驱动力将成为推动长江经济带产业升级与促进东中西部区域协调发展的关键支撑，也将成为推动长江经济带发展的最主要动力。诸多沿线城市将不仅是产业集聚的重要节点，更是承载知识创造与科技创新的主要平台。

长江经济带沿线各大城市中国有企业众多，高等学校及其专业较为齐全，科研院所林立。长江经济带要推动企业、高等学校、科研院所跨区域开展产学研合作，统筹协调各区域的技术创新主体共建创新平台基地，不断提高企业、高校的创新能力；大力发展新兴产业，如高端装备制造领域的航空航天、智能制造，信息技术领域的大数据、云计算，以及生物医药领域的生物制造、现代中药，新材料、新能源领域的相关产业等，不断通过创新发展打造区域工业新优势。长江经济带各地区还以科技园区为纽带开展协同创新，不断推动产业技术创新平台建设。近年来，长江经济带沿线城市以产业园区为代表的科技创新合作不断。2015 年在上海举行的长江流域园区与产业合作对接会汇集了全国 48 个城市、59 个开发园区，成立了长江流域园区合作联盟；其次上海、安徽、武汉、四川的全面创新改革试验工作不断发展，国家自主创新示范区建设逐步推进；上海与浙江、江苏、安徽等地在高新技术产业、主要支柱产业以及传统产业等方面发展形成了技术创新链上的分工合作；重庆两江新区聚焦新一轮科技革命与产业变革，加快布局“新基建”项目，培育新产业为高质量发展筑牢基础；2020 年云南省就关于推进国家级经济技术开发区创新、提升打造改革开放新高地发表实施意见，表明要赋予地方政府和企业更大的改革自主权，助力打造现代化产业体系。此外，长江经济带还通过不断汇聚创新人才，打造沿江创新的新高地。

本节选取技术市场成交额、规模以上工业企业研究与试验发展（R&D）人员全时当量两个指标分析长江经济带创新水平的发展现状。

技术市场成交额反映了作为商品的技术成果的交易规模，是衡量技术创新的重要指标。本节选取了 2010—2020 年长江经济带技术市场成交额及全国技术市场成交额的数据，绘制如图 2-5 所示的对比图，从图中可以看出，在统计期内，长江经济带技术市场的成交额呈现逐年上升的趋势，由 2010 年最小成交

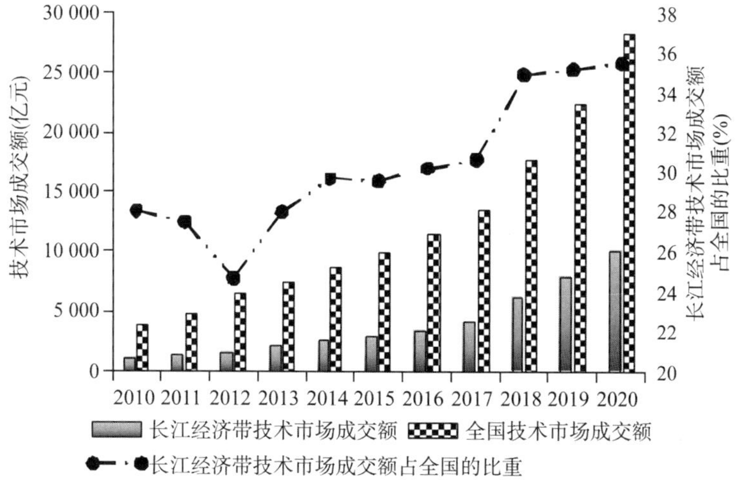

图 2-5　2010—2020 年长江经济带技术市场成交额与全国对比情况

额 1 093.92 亿元增长到 2020 年最大成交额 10 030.57 亿元，增长幅度基本呈逐年扩大的趋势，2020 年长江经济带技术市场成交额已达到 2010 年的 9.17 倍；全国技术市场成交额的变动趋势与长江经济带保持一致，从 2010 年的最小值 3 906.6 亿元增长到 2020 年的最大值 28 251.51 亿元，增长速度也在逐步加快，2020 年全国技术市场成交额已达到 2010 年的 7.23 倍。在统计期内，长江经济带技术市场的成交额占全国的比重呈先下降后上升的趋势，从 2010 年开始逐渐下降，2012 年达到最小值 24.64%，此后逐年上升，2020 年达到最大值 35.50%，可见长江经济带对全国技术创新的贡献越来越突出。

R&D 人员全时当量指全时人员数加非全时人员按工作量折算为全时人员数的总和，是反映科技人力投入的重要指标。根据 2011—2020 年相关统计数据，本节绘制了长江经济带规模以上工业企业 R&D 人员全时当量与全国的对比图，见图 2-6。由统计图可以看出，在统计期内，长江经济带规模以上工业企业 R&D 人员全时当量呈现逐年上升的趋势，增长速度由快变缓再变快，从 2011 年的最小值每年 863 890 人增加到 2020 年的最大值每年 1 809 354 人，2020 年长江经济带的规模以上工业企业 R&D 人员全时当量已达到 2011 年的 2.09 倍；全国规模以上工业企业 R&D 人员全时当量变化趋势总体上与长江经济带地区保持一致，但在 2015 年和 2017 年相较于各自的前一年都略有下降，从 2011 年的最小值每年 1 939 075 人增加到 2020 年的最大值每年 3 460 409 人，2020 年全国规模以上工业企业 R&D 人员全时当量已达到 2011 年的 1.78

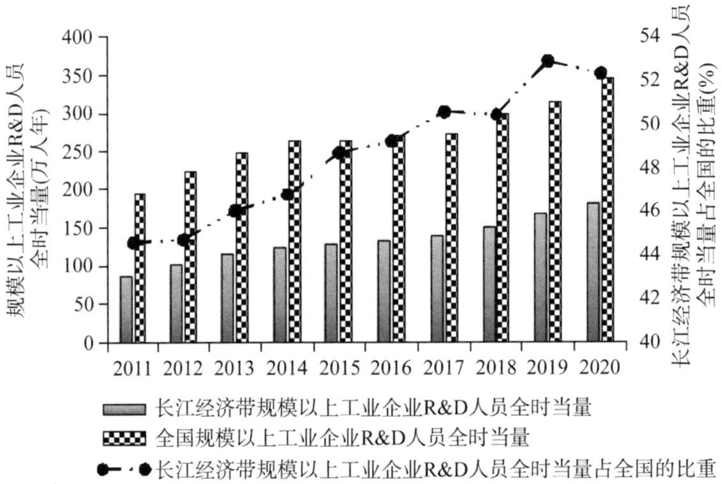

图 2-6　2011—2020 年长江经济带规模以上工业企业 R&D 人员全时当量与全国对比情况

倍。在统计期内,长江经济带规模以上工业企业R&D人员全时当量占全国的比重整体呈上升趋势,从2011年的最低占比44.55%上升到2020年的52.29%,说明长江经济带在科技人力上的投入逐渐增加,并且在全国具有举足轻重的地位。

2.2.2 生态环境持续改善

在政策支持和战略部署的背景下,在全社会的共同努力下,近年来长江经济带沿线生态环境保护取得有效进展;长江经济带的治理成效显著,污染排放量明显降低,水体质量大幅提升,生态资源恢复情况呈良好态势。

为了全面贯彻落实长江经济带发展"共抓大保护、不搞大开发"的重要指示和党中央、国务院决策部署,长江经济带各级政府和部门不断加大政策倾斜和资金支持力度,积极采取各种措施推动生态环境保护修复和污染治理工作。长江经济带通过推动城镇污水管网改造和处理设施建设,加强对污水、废水的防治和处理;实施奖励政策,鼓励地方统筹考虑水环境、水生态、水资源、水安全、水文化和岸线等多要素,推进长江上中下游、江河湖库、左右岸、干支流协同治理,统筹推进山水林田湖草沙一体化保护和修复工程,推动长江全流域横向生态保护补偿机制建设。长江经济带还不断加快钢铁、石化和化工等工业行业的绿色升级改造;在农业发展方面,鼓励发展生态种植、生态养殖业,加强绿色食品、有机农产品认证和管理工作;加快打造绿色物流和绿色贸易体系,不断用技术创新支持绿色生态的发展。在加强长江经济带生物多样性保护方面,有关部门采取了一系列措施,比如:实施长江经济带十年禁渔工作、山水林田湖草的保护修复工程以及扩大生物自然保护区范围,确保重要生态系统、生物物种和生物遗传资源得到全面保护。长江经济带还采取了生活污水治理、农业污染治理和小水电治理等措施加强区域污染治理以及生态环境保护工作。

本节选取工业污染治理完成投资额、城镇人均绿地面积两个指标分析长江经济带生态环境改善的情况。

工业污染治理完成投资额是反映工业污染投入以及生态环境改善情况的一个指标。根据2010—2020年相关统计数据,本节绘制了长江经济带工业污染治理完成投资额及其占全国比重的趋势图(如图2-7所示),从图中看出,统计期内长江经济带工业污染治理完成投资额有一定的波动,其中在2013—2015年呈下降趋势,在2016—2017年大幅下降,之后4年的投资额相对稳定,略有上升;其中在2016年达到最大值3 222 470万元,最小值是2010年的1 261 186万元,2016年是2010年的2.56倍;长江经济带统计期内的均值为

2 275 155.32 万元，2013—2016 年以及 2020 年的投资额均超过了统计期内的平均水平。在统计期内，长江经济带工业污染治理完成投资额占全国的比重整体上呈现“上升—下降—上升—下降—上升”的趋势，2014 年的占比最低为 27.93%，2020 年占比最高为 50.13%。

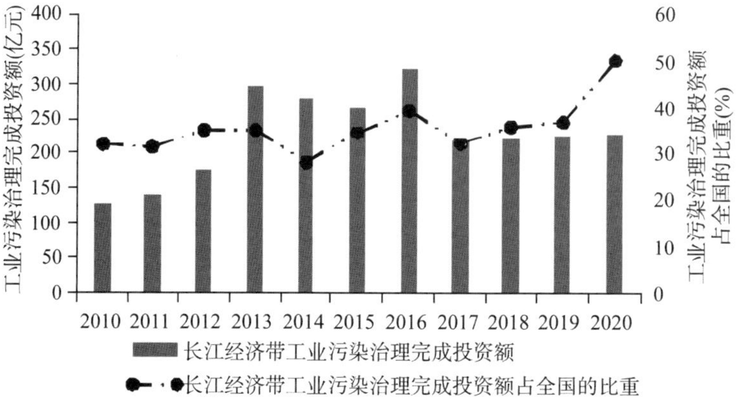

图 2-7　2010—2020 年长江经济带工业污染治理完成投资额变化趋势

城镇人均绿地面积是用来衡量城镇绿化和环保水平的经济技术指标。本节收集了 2010—2020 年长江经济带城镇人均绿地面积和全国城镇人均绿地面积数据，并制作了对比图(如图 2-8 所示)。从图中可以得出，统计期内长江经济带的人均绿地面积基本呈现逐年稳步上升的趋势，但 2019—2020 年略有降低，城镇人均绿地面积从 2010 年的最小值 29.06 平方米增加到 2019 年的最大值 35.11 平方米，2019 年长江经济带城镇人均绿地面积比 2010 年增加了 6.05

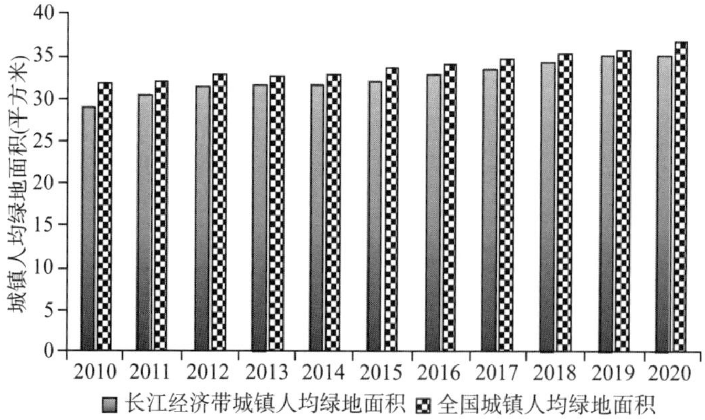

图 2-8　2010—2020 年长江经济带城镇人均绿地面积与全国对比情况

平方米，2020 年为 35.04 平方米，相比 2019 年略有下降；全国城镇人均绿地面积变化趋势与长江经济带基本一致，从 2010 年的最小值 31.87 平方米增加到 2020 年的最大值 36.71 平方米，2020 年全国城镇人均绿地面积比 2010 年增加了 4.84 平方米。在统计期内，长江经济带的城镇人均绿地面积始终低于全国的平均水平，两者之间的差距呈现"缩小—扩大—缩小—再扩大"的趋势，在 2010 年，长江经济带城镇人均绿地面积低于同期全国平均水平 2.81 平方米，是统计期内的最大差值；2019 年的差值最小，为 0.55 平方米，总体来看长江经济带的城镇绿化水平正逐步接近全国平均水平，生态环保事业不断取得进步。

2.2.3 区域协调合作成效显著

协调是经济持续健康发展的内在要求，是理顺发展中各种重要关系的根本遵循。在全流域共同发展的格局下，长江经济带在生态治理、产业发展等方面，都正确把握了自身发展和协调发展的关系。沿江 11 省市按照长江上、中、下游分别签订了省际区域合作协议。此外，重庆、四川、云南、贵州 4 省市在首届长江上游地区省际协商合作联席会议上审议通过了《长江上游地区省际协商合作机制实施细则》，在生态环境联防联控、基础设施互联互通、公共服务共建共享三方面加大区域合作。中下游地区 4 省省会武汉、长沙、南昌以及合肥共同推动中心城市间的科技共享、产业互补、基础设施共建等工作。长江下游上海、江苏、浙江、安徽 4 省市已建立"三级运作、统分结合、务实高效"的合作协调机制，共同打造长三角区域一体化。区域内各省市合作的热情高涨，共抓生态大保护、基础设施互联、加大市场开发、促进要素流通、产业分工协作已经成为各省市发展的共识。

本节选取人均国内生产总值、城镇居民人均可支配收入两个指标，并据此测算各自的标准差及变异系数，重点分析长江经济带在区域协调方面的发展现状。

人均国内生产总值反映了长江经济带整体的经济发展水平，根据 2010—2019 年相关统计数据，本节绘制了长江经济带的人均国内生产总值与全国对比图（见图 2-9）。在统计期内，长江经济带的人均国内生产总值逐年上升，从 2010 年的最小值 32 094.55 元增加到 2019 年的最大值 78 279.54 元，2019 年长江经济带的人均国内生产总值已达到 2010 年的 2.44 倍；全国的人均国内生产总值变动趋势与长江经济带一致，从 2010 年的最小值 30 808 元增加到 2019 年的最大值 70 892 元，2019 年全国的人均国内生产总值已达到 2010 年的 2.30 倍；统计期内，长江经济带的人均国内生产总值始终高于同期全国平均水平，二者的差距表现为“先扩大—后缩小—再扩大”的趋势，2016 年长江经济带的人均国内生产总值高出同期全国平均水平 4 335.27 元，2019 年二者的差值再创新高，达到 7 387.54 元。

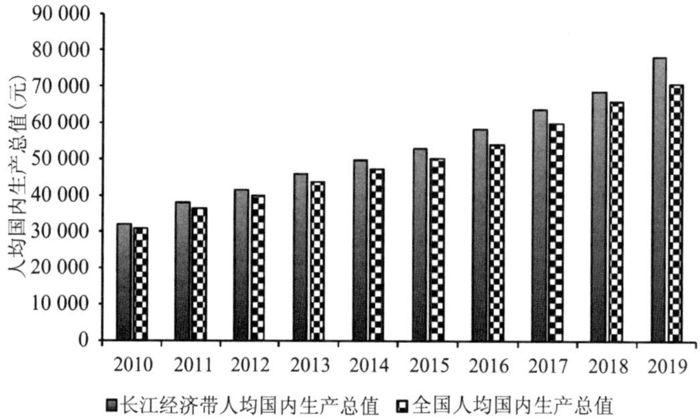

图 2-9　2010—2019 年长江经济带及全国人均国内生产总值对比情况

区域差异的测算方法有绝对差异和相对差异分析，其中，标准差能够反映各地区之间的绝对差异，变异系数能够反映各地区经济发展水平的相对差异程度。在 2010—2019 年长江经济带的人均国内生产总值基础上，通过计算得出长江经济带人均国内生产总值的标准差和变异系数，其变化趋势见图 2-10。由图 2-10 可知，用标准差所测得的长江经济带人均国内生产总值的绝对差

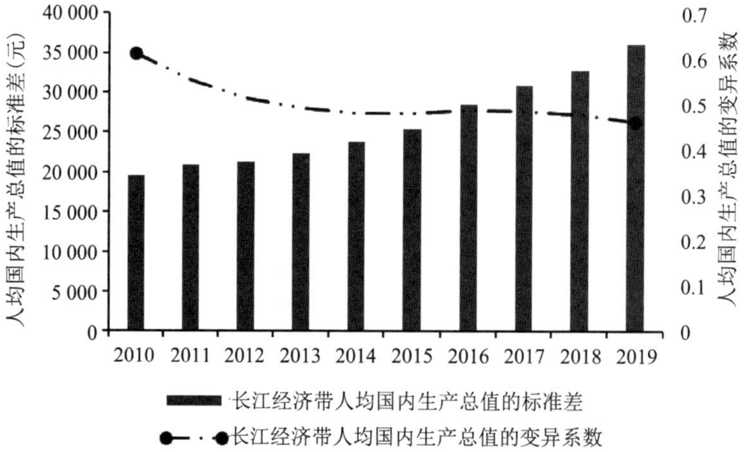

图 2-10　2010—2019 年长江经济带人均国内生产总值的标准差及变异系数变化趋势

异在2010—2019年间呈逐年扩大趋势，长江经济带人均国内生产总值的标准差从2010年的最小值19 572.71元扩大至2019年的最大值36 133.97元；用变异系数所测得的长江经济带人均国内生产总值的相对差异在2010—2019年间整体呈缩小趋势，长江经济带人均国内生产总值的变异系数从2010年的最大值0.61缩小至2019年的最小值0.46。由此可知，长江经济带的区域差异整体呈缩小趋势，区域的经济协调发展取得了一定的成效。

城镇居民人均可支配收入是指城镇居民的实际收入中能用于安排日常生活的收入，它是用以衡量城市居民收入水平及生活水平的最重要和最常用的指标。根据2010—2019年相关统计数据，本节绘制了长江经济带的城镇居民人均可支配收入与全国对比图(见图2-11)。统计期内，长江经济带的城镇居民人均可支配收入逐年上升，从2010年的最小值19 037.31元增加到2019年的最大值43 967.38元，2019年长江经济带的城镇居民人均可支配收入已达到2010年的2.31倍；全国的城镇居民人均可支配收入变动趋势与长江经济带一致，从2010年的最小值19 109.4元增加到2019年的最大值42 358.8元，2019年全国的城镇居民人均可支配收入已达到2010年的2.22倍；2010—2014年长江经济带的城镇居民人均可支配收入与同期全国平均水平基本持平，2015—2018年长江经济带的城镇居民人均可支配收入低于同期全国平均水平，二者的绝对差值逐步扩大，2018年绝对差值已达到1 054.5元，但是，2019年长江经济带城镇居民人均可支配收入实现反超，高出同期全国平均水平1 608.58元。

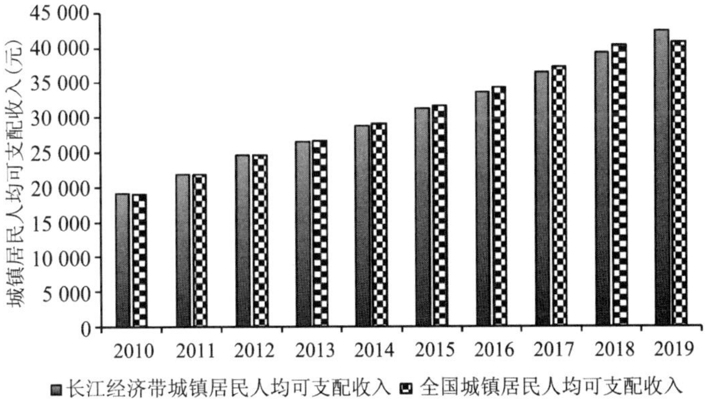

图2-11　2010—2019年长江经济带及全国城镇居民人均可支配收入对比情况

在 2010—2019 年长江经济带城镇居民人均可支配收入的基础上，计算出长江经济带城镇居民人均可支配收入的标准差和变异系数，其变化趋势见图 2-12。由图 2-12 可知，用标准差所测得的长江经济带城镇居民人均可支配收入的绝对差异在 2010—2018 年间呈逐年扩大趋势，长江经济带城镇居民人均可支配收入的标准差从 2010 年的最小值 5 772.25 元扩大至 2018 年的最大值 11 729.48 元；2018—2019 年长江经济带城镇居民人均可支配收入的标准差有较大幅度的下降，2019 年标准差仅为 8 247.48 元，比 2018 年下降了将近 3 500 元。用变异系数所测得的长江经济带城镇居民人均可支配收入的相对差异在 2010—2013 年间逐年缩小，2010 年为统计期内的最大值 0.30，2013 年已缩小至 0.28；2014—2018 年长江经济带城镇居民人均可支配收入的变异系数变化比较平稳，基本维持在 0.28 左右；但是，2019 年长江经济带城镇居民人均可支配收入的变异系数有较大幅度的下降，2019 年达到统计期内的最小值，仅为 0.20。由此可知，长江经济带的城镇居民人均可支配收入的差距整体呈缩小趋势，2019 年该区域城镇居民生活水平在协调发展方面的改善尤为明显。

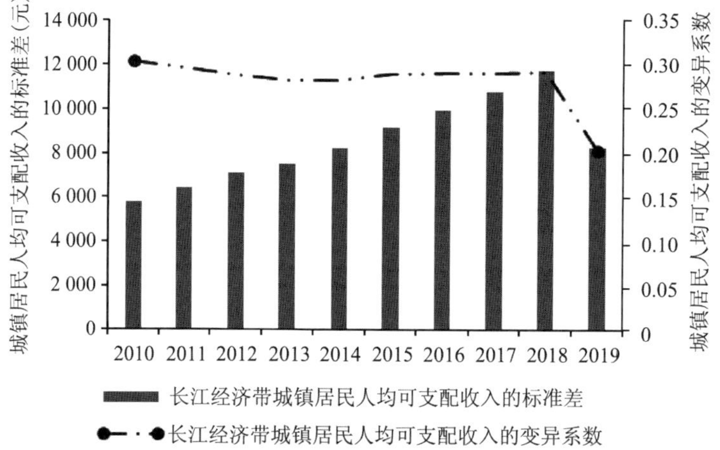

图 2-12　2010—2019 年长江经济带城镇居民人均可支配收入的标准差及变异系数变化趋势

2.2.4　开放发展空间不断拓展

开放发展是习近平总书记在十八届五中全会上提出的“五大发展理念”的重要组成部分。改革开放以来，长江经济带充分利用区位优势、特殊经济区和创新政策手段等具有的强示范带动效应，持续稳步扩大开放，以开放促改革、促发展，这已经成为长江流域经济引领国内区域经济高速发展的重要经验。

伴随着中国经济和世界经济的关联度不断提高，以更高水平开放推动长江经济带高质量发展，打造具有全球竞争力和影响力的大河流域经济带，是新时代赋予长江经济带的历史使命，也是有效推进长江经济带高质量发展的重要突破口。

长江经济带作为我国空间经济格局极其重要的组成单元，近年来在全国对外经济中的地位进一步得到巩固和提升。① 长江经济带的区域国际贸易规模和质量走在全国前列。国家发展改革委国际合作中心发布的《2018 年中国区域对外开放指数报告》显示：过去十年长江经济带 11 省市对外开放度总体稳步上升，2018 年长江经济带进出口总额超 2 万亿美元，约占全国进出口总额的 44%。② 长江经济带对外投资合作保持平稳有序发展。沿线省市与“一带一路”共建国家和地区的投资合作稳步推进，2018 年仅江苏全年就新增“一带一路”沿线对外投资项目 235 个，比上年增长 46.8%，中方协议投资额高达 23.1 亿美元。③ 以自由贸易区为代表的特殊经济区域稳步发展，为长江经济带的深化改革和扩大开放提供了实实在在的平台载体。以中国（上海）自由贸易试验区为先锋，截至 2023 年底，国务院批准的 22 个自由贸易试验区中有 9 个位于长江经济带，对整个经济带的开放发展起到了强大的示范带动作用。④ 长江经济带相关省市积极主动作为，创新开辟了多个国际合作新平台和新通道，其中最具代表性的是中欧班列品牌建设。目前长江经济带相关省市均已开通中欧班列，位于长江经济带上游的重庆是我国第一个开通“渝新欧”中欧班列的城市，目前累计开行超 1.4 万列，居全国第一，已形成 50 余条成熟运行线路，辐射欧洲、中亚、日韩、东南亚、北美及北非等地区，通达亚欧 100 多个城市。

本节选取外贸依存度、实际利用外资占 GDP 的比重、对外承包工程营业额占 GDP 的比重三个指标，分析长江经济带开放发展水平。

贸易依存度反映了一国对国际市场的依赖程度，是衡量对外开放程度的重要指标。为了了解长江经济带对外贸易发展情况，本节摘取相关数据绘制形成图 2-13。2010—2011 年长江经济带平均外贸依存度呈上升趋势，2011 年达到最大值 34.63%；2011—2016 年长江经济带平均外贸依存度逐年下降，2016 年下降至最小值 24.28%，2016 年长江经济带平均外贸依存度仅为 2011 年的 70%；2016—2018 年长江经济带平均外贸依存度有所反弹，2018—2019 年又有较小幅度的下降。2010—2019 年全国平均外贸依存度变化趋势整体和长江经济带一致，但统计期内全国平均水平始终高于同期长江经济带平均水平，2010 年全国平均水平是同期长江经济带平均水平的 1.43 倍，绝对差值有近 15 个百分点，但是统计期内长江经济带和全国的绝对差距整体逐渐缩小，2019 年全国平均外贸依存度仅高出长江经济带 7.08 个百分点。

从上述数据分析可以看出，长江经济带外贸依存度整体呈下降趋势。结合原始数据可知，长江经济带的进出口总额呈上升趋势。可见，外贸依存度下降的原因主要在于进出口总额的增速慢于经济总量的增速。

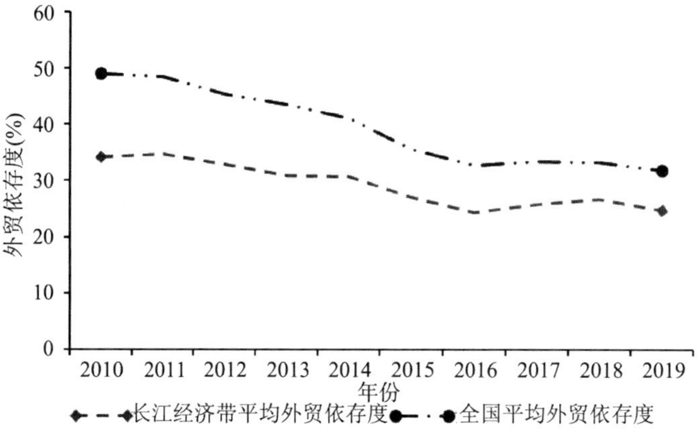

图 2-13　2010—2019 年长江经济带平均外贸依存度与全国对比情况走势图

外资是加快经济发展的催化剂，合理引进外资是推动长江经济带发展工作的一个重点，实际利用外资情况能真正体现长江经济带的外资利用水平。根据 2010—2019 年相关统计数据，本节就长江经济带平均实际利用外资占地区 GDP 的比重与全国整体情况进行对比，见图 2-14。2010—2011 年长江经济带平均实际利用外资占地区 GDP 的比重呈上升趋势，2011 年首次突破 3%达到峰值；2011—2015 年长江经济带平均实际利用外资占地区 GDP 的比重逐年下降；2015—2018 年长江经济带平均实际利用外资占地区 GDP 的比重变化平稳，维持在 2.5%左右；2019 年长江经济带平均实际利用外资占地区 GDP 的比重下降至统计期内的最小值 2.21%。2010—2019 年全国平均实际利用外资占全国 GDP 的比重逐年下降，由 2010 年的最大值 1.79%下降至 2019 年的最小值 0.97%。统计期内长江经济带平均实际利用外资占地区 GDP 的比重水平始终高于同期全国平均水平，2019 年长江经济带平均实际利用外资占地区 GDP 的比重是同期全国平均水平的 2.28 倍，绝对差值有 1.24 个百分点。

综上可知，长江经济带实际利用外资占地区 GDP 的比重大致呈下降趋势。但通过原始数据可以发现，长江经济带实际利用外资金额是不断上升的，该区域外资利用水平持续提高。实际利用外资占比下降的原因可能在于长江经济带的经济体量庞大，实际利用外资金额的增加情况不及经济总量增长得快。

在对外承包工程建设中，长江经济带秉持“全球责任、和谐共赢”理念，不

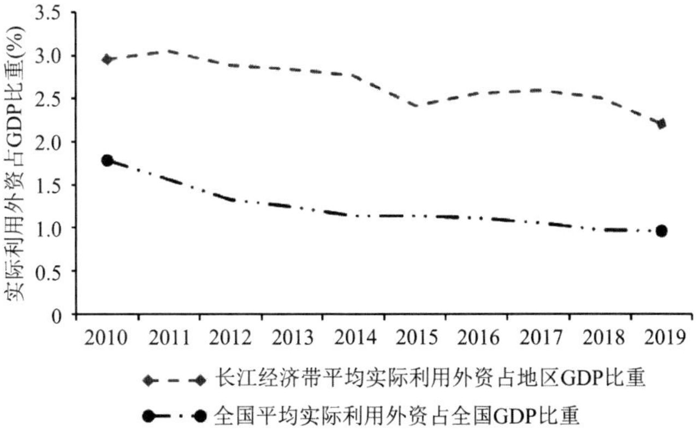

图 2-14　2010—2019 年长江经济带平均实际利用外资占 GDP 的比重与全国对比情况走势图

断健全社会责任管理模式，发挥承包工程专业优势，树立了良好的国际形象，赢得了东道国的高度肯定和当地社会的广泛认可。近年来，长江经济带的对外承包工程业务总体保持平稳发展。2010—2019 年长江经济带平均对外承包工程营业额占 GDP 的比重与全国对比情况如图 2-15 所示。统计期内，长江经济带的对外承包工程营业额占地区 GDP 的比重整体变化比较平稳，具体数值在 1%上下浮动；由于影响行业发展的外部挑战和各种困难的存在，2019 年长江经济带对外承包工程营业额占地区 GDP 的比重有较大幅度的下降，达到统计期内的最小值 0.78%；全国平均水平始终高于同期长江经济带平均水平，2019 年全国平均水平相当于同期长江经济带平均水平的 1.55 倍，绝对差值有 0.43 个百分点。

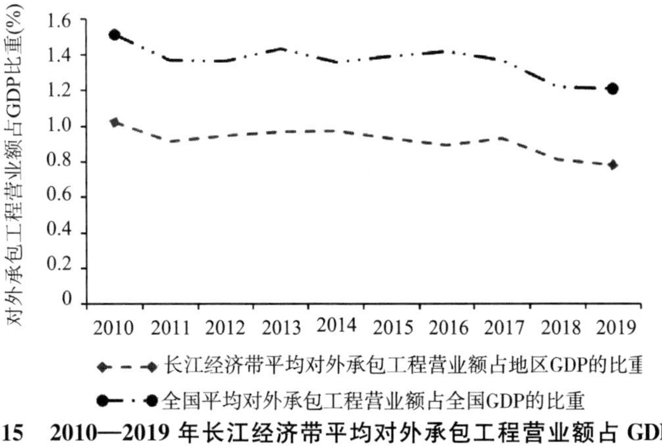

图 2-15　2010—2019 年长江经济带平均对外承包工程营业额占 GDP 的比重与全国对比情况走势图

究其原因，长江经济带对外承包工程营业额的增速相对于其GDP的增速偏低，从而导致长江经济带对外承包工程营业额所占比重与全国平均水平相比仍有一定的差距，这也进一步体现出长江经济带开放发展空间正不断扩展。

2.2.5 成果共享扎实推进

共享发展理念就是要坚持以人民为中心，让全体人民共享包括经济、政治、文化、社会和生态在内的所有发展成果。长江经济带积极践行共享发展理念，切实保障和改善民生，区域共享发展稳步推进。① 全力实施精准脱贫。长江经济带是我国推进精准脱贫的重点区域，尤其是中西部省市集中了众多贫困地区。贯彻落实共享发展理念，必须首先解决长江经济带的贫困问题，重点推进武陵山区、秦巴山区、大别山区、乌蒙山区、罗霄山区、滇桂黔石漠化区和滇西边境山区等集中连片特困地区扶贫攻坚，通过发展特色产业、易地搬迁、生态保护与教育培训等形式创新扶贫脱贫方式；加强跨区域扶贫协作，引导下游省市和企业对口帮扶中上游贫困地区和三峡库区。② 开展主体功能区划。长江经济带划定主体功能区的目的是通过功能的差异化分工和路径的差异化选择，实现"各尽其能"，逐步缩小各类分区之间的综合效益差距，最终实现以人为导向的共同富裕。例如，生态功能区通过人口转移安置和旅游度假经济发展，实现少量留守居民的富裕；农业功能区通过剩余劳动力流出和农业规模化、现代化，实现当地农民的富裕等。

本节选取人均教育支出、公共图书馆藏量两个指标分析长江经济带的共享发展成果。

教育不仅关乎国家发展大计，更关乎百姓的切身利益，共享发展就是要让全体社会成员享受优质均衡的教育成果。根据2010—2019年相关统计数据，本节绘制长江经济带及全国人均教育支出对比变化图（见图2-16）。2010年长江经济带人均教育支出仅为886.66元，经过随后10年教育支出的持续增加，2019年人均教育支出达到峰值2 455.64元，2019年长江经济带人均教育支出是2010年的2.77倍；2010—2019年全国人均教育支出不断增加，从2010年的882.17元增加到2019年的2 354.28元，2019年全国人均教育支出是2010年的2.67倍。统计期内，长江经济带人均教育支出始终高于全国平均水平。这说明长江经济带的教育事业发展迅速，沿岸地区通过扩大优质教育资源的覆盖面，切实保障了广大人民群众接受优质教育的权利。

在社会主义文化大发展、大繁荣的浪潮下，我国公共文化服务体系已基本确立并日益完善。公共图书馆作为公共文化服务体系的重要组成部分，它满

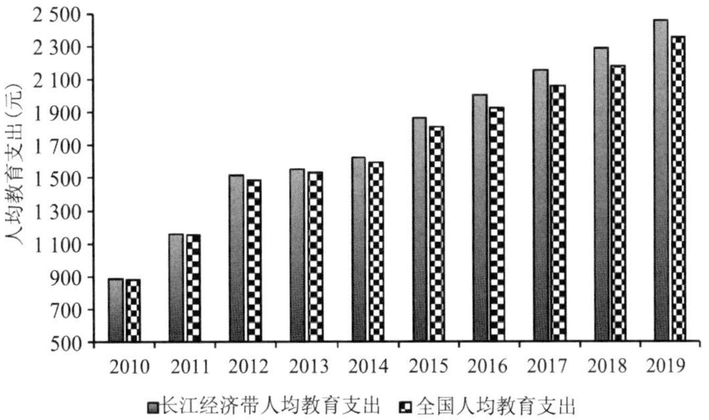

图 2-16　2010—2019 年长江经济带人均教育支出与全国对比情况

足了人民群众不断增长的精神文化需求，同时又促进了公共文化服务体系的建设。2010—2019 年长江经济带平均公共图书馆藏量变化趋势如图 2-17 所示。由图 2-17 可知，2010—2019 年长江经济带平均公共图书馆藏量整体呈上升趋势，2010 年长江经济带平均公共图书馆藏量为 2 547.84 万册件，2017 年公共图书馆藏量首次突破 4 000 万册件，截至 2019 年底，公共图书馆藏量为 4 633.58 万册件，较 2010 年增加了 2 000 多万册件。这说明随着国家对文化产业重视程度不断提高，长江经济带公共文化基础设施建设日益完善，公共文化供给能力不断增强，公共图书馆藏量稳步增长，这对满足人民群众日益增长的精神文化需求具有重要意义。

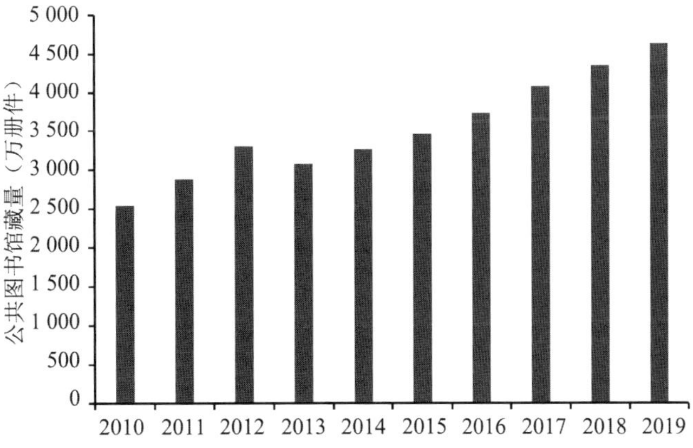

图 2-17　2010—2019 年长江经济带平均公共图书馆藏量变化趋势

03

第三章

长江经济带省市经济高质量发展情况

长江经济带跨越我国东中西 3 大区域，覆盖了上海、江苏、浙江、安徽、江西、湖北、湖南、四川、重庆、贵州、云南 11 个省市，是中国综合实力较强、战略支撑作用较大的区域之一，具有巨大发展潜力和独特优势。为响应党中央和国务院的号召，长江经济带沿线各省市均积极探索走经济高质量发展道路，并取得了一定的成效，具体表现为沿江省市经济有序增长、产业转型各具特色、创新驱动各显成效、生态环境各有改善、城乡融合各有侧重、开放渠道地方化以及成果共享程度各异。

3.1 长江经济带省市经济发展概况

3.1.1 沿江省市经济有序增长

长江经济带是国家重点发展区域，近年来，长江经济带各省市为促进长江经济带地区经济发展采取一系列措施，并取得了显著成效(如表 3-1 所示)。上游云贵、川渝和中游湘鄂赣地区，在经济高速发展的基础上实现了社会发展的齐头并进。下游江、浙、沪、皖则保持了原有的高水平态势，在工业、农业和社会建设方面取得显著成效。整个长江经济带的经济发展呈现出良好上升的态势。

为了进一步了解长江经济带沿线经济发展的状况，本节选取国内生产总值增长率以及失业率两个指标对长江经济带沿线各省市经济发展现状进行分析。

表 3-1 长江经济带沿线各省市经济发展主要促进措施

省市	措施
上海市	上海市建立市、区两级领导联系重大招商项目制度；通过协调解决土地、能源、环境容量等保障要素和建设过程中的困难问题；推进“一网通办”，深化企业投资项目审批制度改革；通过投资补助、资本金、贷款贴息等多种方式对人工智能、生物医药领域等战略性新兴产业进行支持
江苏省	在 2018 年，江苏省通过降低车辆车船税及研发费用税前加计扣除，以及设立省级融资担保代偿补偿资金池并实行动态补偿机制等措施来降低企业的负担；将民营企业贷款利率控制在合理水平，鼓励各地加快建立“政银担”合作模式；推进“不见面审批”标准化建设
浙江省	自 2020 年以来浙江省各设区市聚焦全省“六个千亿”产业投资工程、“万亩①千亿”重量级未来产业等主攻方向，积极构建产业生态系统；四大都市区积极推进总部基地建设；各市区为企业的高级管理人员、专业人才在居留落户、社会保险、医疗保障等方面提供便利

① 亩：面积单位，1 亩≈666.67 平方米。

续表

省市	措施
安徽省	安徽省加强培育产业链、供应链、创新链、资本链、人才链、政策链"多链协同"+优质高效政务服务发展生态支持政策;近年来对增值税小规模纳税人,按50%最高标准减征"六税两附加";在2021年实施"双招双引"来支持实体经济发展,并通过46条措施来稳定企业的供应链支持
江西省	江西省不断推进赣江新区打造一批"四新经济"创新基地工程,加快赣江新区和南昌市、九江市绿色经济协同发展;建设创新孵化示范基地和省级以上科技创新中心,推行2年"零房租"计划
湖北省	湖北省统筹推进重点企业和产业链配套企业发展,在2020年不断协调网络通信运营商来促进企业的发展;通过建立重大项目周调度机制,加快推进亿元以上的重大项目有序开工;还通过开展"网上春风行动",引导农民工、应届毕业生等重点就业群体安全有序流动
湖南省	湖南省通过设立县域特色优势产业发展引导基金,引导各县域集中资源重点发展1~2个特色主导产业;实施"一县一特"战略,支持创建15个左右国家级、30个左右省级特色农产品优势区
四川省	四川省在2016年采取分类去产能措施以及设立军民融合产业发展基金;在2020年通过推动产融合作,实施小微企业融资能力提升专项行动,完善融资担保服务体系,协调金融机构为企业提供续贷、展期、降息和流动资金贷款等支持措施
重庆市	重庆市着力深化"放管服"改革,不断加强对民营经济的服务支持力度;实施小规模纳税人税收减免的措施,将增值税小规模纳税人起征点从月销售额10万元提高到15万元,还采取对农民工工资保证金以及对收取的药品和医疗器械产品注册费进行减免等措施
贵州省	贵州省以产业发展为主,大力发展制造业、高新技术产业和生产性服务业,努力成为新型工业化发展的引领区;强化开发区精简高效的管理特色,创新运营模式;在2021年贵州省还通过减税降费、降低用电成本、强化科技支撑以及完善融资渠道等措施支持民营企业发展
云南省	云南省在2018年公布年度"四个一百"重点建设项目计划、工业转型升级"三个一百"重点项目计划以及统筹工业互联网、工业物联网等基础设施建设,推动工业云智能化应用,加快建设云南工业云平台;在2020年云南省采取支持重点企业开展有色金属产品商业收储、加快特色农产品加工产业园建设等17条措施来促进云南省实体经济的高质量发展

如图3-1所示,2010—2020年长江经济带各省市GDP的规模从高到低依次是:江苏省、浙江省、四川省、湖北省、湖南省、上海市、安徽省、江西省、重庆市、云南省、贵州省。GDP均值最高的省市是江苏省(72 469.54亿元),最低的省市是贵州省(10 900.99亿元),最大值是最小值的6.65倍,且经济总体规模呈现出由长江下游地区向中游地区、上游地区逐步缩小的趋势。长江下游地区均值最高,为48 682.02亿元,中游地区次之,为25 751.97亿元,上游地区最低,为18 914.4亿元。长江经济带各省市的GDP平均增长率从高到低依次是:重庆市、贵州省、云南省、安徽省、江西省、四川省、湖北省、湖南省、江苏省、浙江省、上海市。平均增长率最高的是重庆市(11.36%),最低的是上海市

(7.40%),最大值与最小值之间相差3.96个百分点,且增长率大致呈现出从东部地区向西部地区逐步增加的趋势。整体来看,GDP平均增长率最高的是长江上游地区的省市,平均值为10.77%,其次为长江中游地区的省市,平均增长率为10%,最后是长江下游地区的省市,平均为8.14%。从这11年GDP增长率的均值来看,长江经济带地区整体的平均水平要高于全国平均水平,在统计期内长江经济带各省市中只有上海市的GDP平均值增长率为7.40%,略低于全国平均水平的7.67%,其余各省市均高于全国GDP增长率的均值。

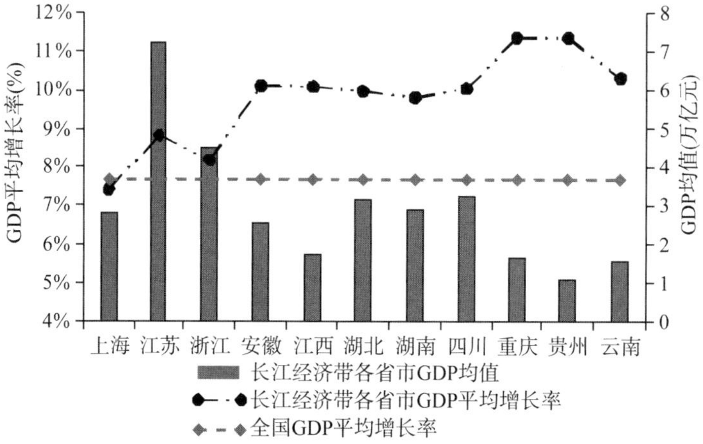

图3-1 2010—2020年长江经济带各省市的年均GDP及GDP增长率

失业率是反映一个国家或地区整体经济状况的指标。本节选取了2010—2020年长江经济带各省市城镇登记失业率均值与全国城镇登记失业率均值(以下简称失业率)进行对比(如图3-2所示)。从图3-2可以看出长江经济带各省市失业率均值由高到低依次是:四川省、湖南省、上海市、云南省、重庆市、贵州省、江西省、安徽省、湖北省、江苏省、浙江省。最大值为四川省的3.94%,最小值为浙江省的2.88%,最大值与最小值之间相差1.06%。在统计期内,长江下游地区各省市的平均失业率最低,为3.25%,中游地区次之,为3.35%,上游地区最高,为3.64%;整体来看,长江经济带各省市的失业率均值均小于全国平均水平(4.01%)。

3.1.2 沿江省市产业转型各具特色

产业转型升级是长江经济带实现经济提质增效和高质量发展的重要任务。近年来长江经济带各省市结合自身特点积极进行产业转型,主要措施如

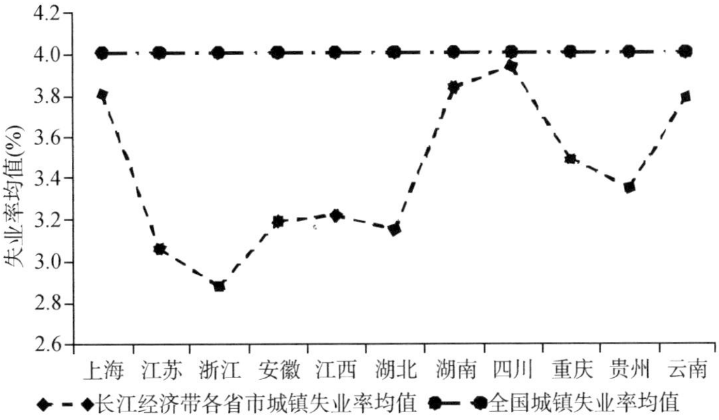

图 3-2　2010—2020 年长江经济带各省市的年均城镇登记失业率与全国对比情况

表 3-2 所示，区域产业空间布局更加合理，生产要素实现区域内自由、合理流动，下游地区高端产业、科技资源、人才要素优势更为突出，中上游地区承接产业转移规模进一步扩大，东中西协同发展的格局基本形成。

表 3-2　长江经济带省市产业转型主要措施

省市	措施
上海市	上海市不断加快推进“南北转型”发展，支持吴淞创新城、南大智慧城、滨海地区开发建设，支持金山区第二工业区深度调整，打造全市“二转二”转型升级示范园区；推动以企业为主体的产学研合作
江苏省	江苏省调节经济结构，加快构建自主可控的现代产业体系；推动 5G 技术、工业互联网技术、3D 建模及数字孪生技术深度融合，对传统制造业实行数字化、平台化、精细化管理；还通过培育先进制造业集群，推动强链补链，提升产业高端化发展水平
浙江省	浙江省不断加大工业投入力度，加大企业技术改造力度；深入推进“机器换人”；加快“腾笼换鸟”；推进并购重组，围绕集聚先进要素、发展七大产业、提升行业地位加大并购重组力度
安徽省	安徽省通过聚焦高端化、智能化、绿色化改造方向，培育传统产业竞争新优势；大力建设重大新兴产业专项、重大新兴产业工程和重大新兴产业基地；支持数字经济、机器人、集成电路、现代医疗医药等产业发展政策；重点实施了“互联网＋制造”行动计划
江西省	江西省鼓励技术创新、绿色制造和两化融合；推动数字技术与实体经济深度融合，加快推进农业、工业、服务业数字化转型；推进数字技术在公共服务、城市治理、乡村振兴等方面的应用
湖北省	湖北省推进企业向产品数字化、智能化方向发展；不断培育新能源汽车、高端装备制造、生物医药等战略性新兴产业项目；促进互联网与制造业融合发展；推动制造技术与信息技术融合，积极发展数字经济，发展“智能＋”产业，强化服务型制造水平等

续表

省市	措施
湖南省	湖南省推动加工贸易与新型贸易业态融合，促进传统产业转型升级以及加快先进制造产业与颠覆性技术深度融合；建立网络安全和信息化领域军民深度融合发展机制；促进现代服务业与先进制造业深度融合；培育建设20条新兴优势产业链
四川省	四川省安排专项资金用于支持农业转型升级，其中一部分资金用于支持培育新型农业经营主体；另一部分资金用于支持农业全程社会化服务以及农产品质量安全监管体系建设，并设立省级农业产业发展引导基金；实施“个转企工程”，支持引导经营能力强、业绩好的个体工商户向生产经营规模化、组织形式企业化方向发展
重庆市	重庆市实施产业科技绿色转型，健全碳中和科技创新体系，统筹市科技、商贸、工业信息化、中小微企业发展等市级财政专项资金，推动产业结构向中高端迈进；对4个示范园区、2个重点园区内的重点产业支持发展，在中央转移支付与市级有关专项资金安排上予以优先支持；指导各区县积极创建特色产业基地
贵州省	贵州省不断加快传统制造业通过技术改造向中高端迈进，促进信息技术与制造业结合，努力形成一批战略性新兴产业集聚区；推动企业循环式生产、产业循环式组合，实现企业向绿色低碳方向转型发展；不断促进民营企业数字化转型
云南省	云南省提高工业投资占固定资产投资的比重，突出抓好工业投资、民间投资和滇中5个州市、滇中新区的固定资产投资项目；实施烟草、有色金属、信息、先进装备制造、新材料等产业转型升级方案；全力推进水电铝材一体化、水电硅材一体化发展，制定专项用电价格，开展全产业链招商，启动建设铝工业工程研究中心

为了更进一步了解长江经济带沿线各省市产业转型情况，本节选取了规模以上工业企业新产品开发经费支出占规模以上工业企业主营业务收入比重的均值，以及第三产业增加值占地区生产总值比重的均值两个指标分析长江经济带各省市产业转型的现状。

规模以上工业企业新产品开发经费支出占主营业务收入比重是反映产业转型状况的重要指标。本节选取了2011—2018年长江经济带各省市规模以上工业企业新产品开发经费支出占主营业务收入比重均值与全国平均水平的数据，绘制了如图3-3所示的对比图。从图3-3可以看出，统计期内，长江经济带各省市的规模以上工业企业新产品开发经费支出占主营业务收入比重均值从高到低依次是：上海市、浙江省、江苏省、重庆市、湖北省、湖南省、安徽省、四川省、云南省、江西省、贵州省。最大值是上海市的1.64%，最小值为贵州省的0.58%，最大值是最小值的2.83倍，且大致呈现出从东部地区向西部地区逐步减小的趋势。在统计期内，长江经济带下游地区的比重最高，平均为1.47%；其次是中游地区，平均为0.81%；最低为上游地区，平均是0.76%。根据统计数据，长江经济带各省市规模以上工业企业新产品开发经费支出占主营业务收入比重均值与全国平均值相比，上海市、江苏省、浙江省和重庆市超过了全国平均水平。

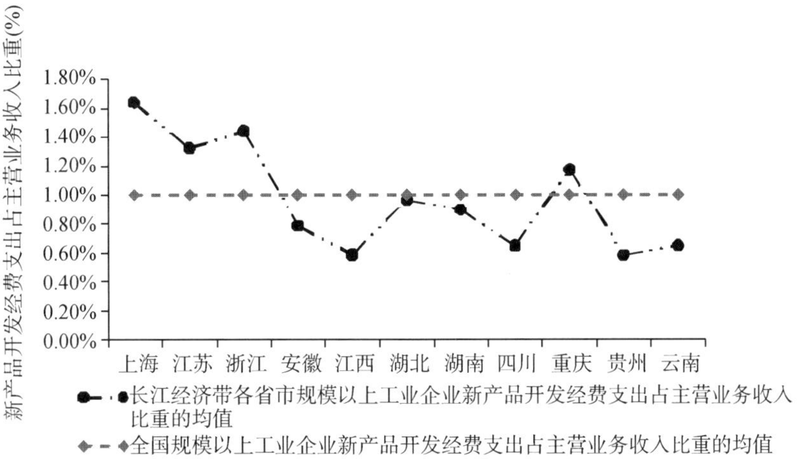

图 3-3 2011—2018 年长江经济带各省市的年均规模以上工业企业新产品开发经费支出占主营业务收入比重与全国对比情况

（注：2019 年和 2020 年的部分数据缺失）

第三产业增加值占地区生产总值的比重是用来反映一个地区产业转型情况的重要指标。本节选取 2010—2020 年长江经济带各省市第三产业增加值占各省市地区 GDP 比重的均值与长江经济带地区以及全国平均水平的数据，绘制了如图 3-4 所示的对比图。从图中可以看出，在统计期内长江经济带各省市第三产业增加值占各省市 GDP 比重从高到低依次是：上海市、浙江省、江苏省、贵州省、重庆市、云南省、湖南省、四川省、湖北省、安徽省、江西省。最大值为上

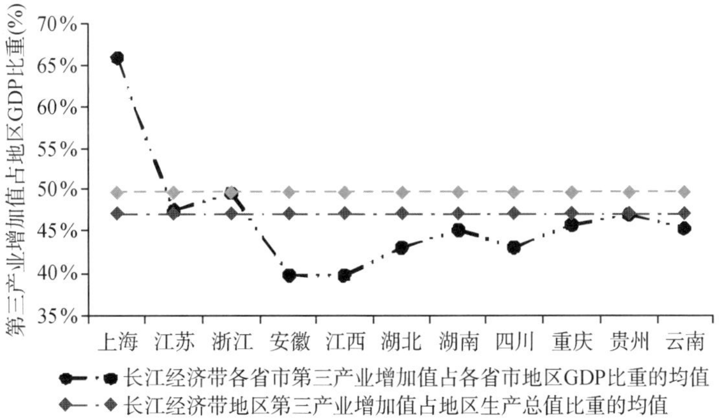

图 3-4 2010—2020 年长江经济带各省市的年均第三产业增加值占 GDP 比重与全国对比情况

海市的 65.88%，最小值为江西省的 39.74%，最大值与最小值之间相差 26.14%。分地区来看，长江下游地区省市的比重均值最高(54.3%)，其次是上游地区(45.27%)，最后为中游地区(41.91%)。在 2010—2020 年间，长江经济带各省市第三产业增加值占各省市 GDP 比重均值与长江经济带整体均值相比，上海市、江苏省和浙江省的均值在长江经济带平均水平以上；与全国第三产业增加值占国内生产总值比重的平均水平相比，只有上海市在全国平均水平以上。

3.2 长江经济带省市经济高质量发展成效与比较

3.2.1 沿江省市创新驱动各显成效

推动长江经济带发展是党中央作出的重大决策，是关系国家发展全局的重大战略。创新是引领发展的第一动力，创新驱动发展是推动长江经济带高质量发展的关键环节，长江经济带沿江各省市需要不断加强塑造创新驱动发展的新优势。长江经济带沿江各省市不断发挥创新驱动的优势，在经济的高质量发展方面取得更大的成效如表 3-3 所示。本节选取了技术市场成交额、规模以上工业企业 R&D 人员全时当量两个指标分析长江经济带沿江各省市创新驱动发展的现状。

表 3-3 长江经济带省市创新驱动主要措施

省市	成果成效
上海市	截至 2023 年，上海市世界首例生物节律紊乱体细胞克隆猴模型、引力诱导量子纠缠退相干实验，稳固钙钛矿半导体等一批重量级成果；全市经国家认定的高新技术企业超过 2.4 万家，在科创板上市的上海企业达 89 家，占科创板上市企业总数的 15.72%，居全国第二(仅次于北京)
江苏省	2022 年度国家科学技术奖评选中，江苏省共获得 19 项奖励，包括一等奖 1 项、二等奖 17 项和国际合作奖 1 项，获奖数位列全国第二(仅次于广东省)
浙江省	截至 2023 年，浙江省拥有国家级企业技术中心 297 家，位居全国第三位，同时拥有 2 000 余家省级企业技术中心；2023 年国家技术创新示范企业数量位列全国第四；2022 年，浙江省累计培育制造业单项冠军企业(产品)189 家，总数居全国前列
安徽省	截至 2023 年，安徽省累计有效发明专利 172 876 件，同比增长 19.5%，连续 11 年保持两位数增长；万人有效发明专利拥有量 28.2 件，比上年增长 19.0%；每万人口高价值发明专利拥有量 8.75 件，比上年增长 33.0%；全省吸纳、输出技术合同成交额分别达 4 442.10 亿元、3 210.44 亿元，同比增长 44.7%、44.8%；拥有国家级研发平台 245 家，省区域创新能力连续 12 年位居全国第一方阵

续表

省市	成果成效
江西省	2022年度，江西省技术合同登记总量10 255项，合同成交总额758.23亿元；科技成果登记1 705项，实现产业化并产生经济效益的成果有519项，占总量的30.44%；已建设国家工程研究中心2个、国家企业技术中心34个
湖北省	2023年，湖北省科学技术奖共授奖339项，其中科学技术突出贡献奖2项，自然科学奖44项，技术发明奖28项，科学技术进步奖242项，青年科技创新奖8项，科技型中小企业创新奖15项
湖南省	2024年，湖南省首批14个创新性县(市、区)建设期满，通过验收。截至2023年，湖南省高新技术企业总量突破1.6万家，2023年认定4146家，全省入库科技型中小企业3.3万多家，同比增长超70%；"十三五"期间，湖南省战略性新兴产业年均增速9.9%，占GDP比重达到10.0%，全省市场主体维持平稳增长
四川省	截至2023年，四川省获批了国家"芯火"双创基地、国家网络视听产业基地、国家超高清视频产业基地、中国电科成都产业基地、京东西南智能运营结算中心等一批重大项目加快实施；高新技术企业突破1.6万家，较2022年增长20%；新增国家级企业技术中心12家，省级技术中心150家；科技进步对经济增长贡献率达62%，战略性新兴产业增加值占规上工业比重提升至22%；数字经济占GDP比重8.1%，累计认定省级数字化转型促进中心37个
重庆市	2023年，重庆市共6个项目获得国家科学技术奖，其中自然科学奖1项，科技进步奖5项，牵头完成2项，参与完成4项；重庆市科学技术奖提名成果652项，较上一年度增长77项，信息技术、智能汽车、高端装备、生物医药、新能源、新材料和绿色环保等重点产业占比突出
贵州省	2024年，贵州省综合科技创新水平指数升至51.34%，首次突破50%，增幅居全国第七；全社会研发经费投入从2019年的144.7亿元增至211.4亿元，研发投入强度首次突破1%；2023年，贵州省科技进步贡献率首次超过60%，比2019年的50.38%有了显著提升；每万人有效发明专利从2019年的3.1件提高至5.71件；在2023年度，贵州省有省自然科学奖一等奖2项，省技术发明一等奖1项、省科学技术进步奖一等奖8项，省科学技术合作奖2项
云南省	2023年，云南省综合科技创新水平指数在全国排名第19位，较上年提升2位，全社会研究与试验发展经费投入比上年增长10.59%，全国排名第19位；截至2023年，云南省已建成国家重点实验室9个、省重点实验室138个、省技术创新中心15个、省工程技术研究中心123个；累计突破重大关键技术1 000余项，研发具有自主知识产权的重大新产品540个，三七、灯盏花种子种苗标准和中药材标准通过国际认证，建成全国最大铂族金属再生利用基地

本节选取2010—2020年长江经济带各省市技术市场成交额均值及全国技术市场成交额均值的数据，绘制如图3-5所示的对比图。从图中可以看出，在统计期内长江经济带各省市技术市场的成交额均值从小到大依次是：云南省、贵州省、江西省、重庆市、湖南省、安徽省、浙江省、四川省、湖北省、江苏省、上海市。其中最小值为云南省的52.27亿元，最大值为上海市的821.93亿元，最大值是最小值的15.72倍；长江经济带各省市技术市场成交额的平均水平为356.8亿元，其中上海市、江苏省、湖北省以及四川省在平均水平以上；长江经济带各省市技术市场成交额均值整体占全国均值的32.18%，其中占比最低的

省市是云南省(0.43%),占比最高的省市是上海市(6.74%);长江下游地区平均整体的技术市场成交额最高(数值为652.09亿元),中游地区次之,上游地区最低(数值为170.63亿元)。

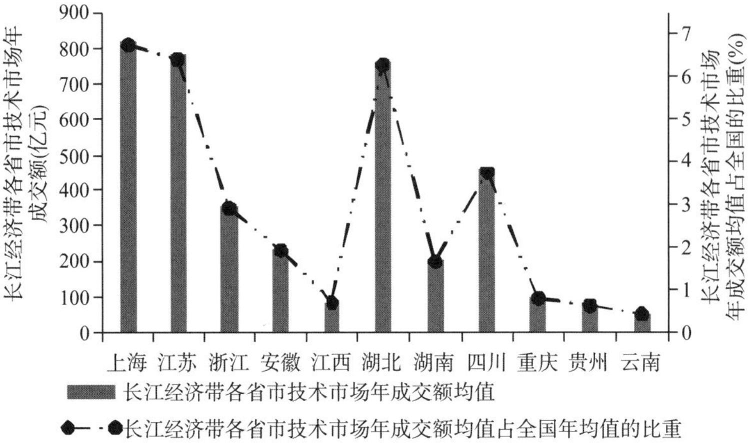

图 3-5 2010—2020年长江经济带各省市的年均技术市场成交额及占全国的比重

研究与试验发展(R&D)人员全时当量可以通过科技人力投入情况来衡量创新水平。根据2011—2019年相关统计数据,本节绘制了长江经济带规模以上工业企业R&D人员全时当量均值及其占全国均值的比重图(如图3-6所示),由统计图可以看出,长江经济带规模以上工业企业R&D人员全时当量均

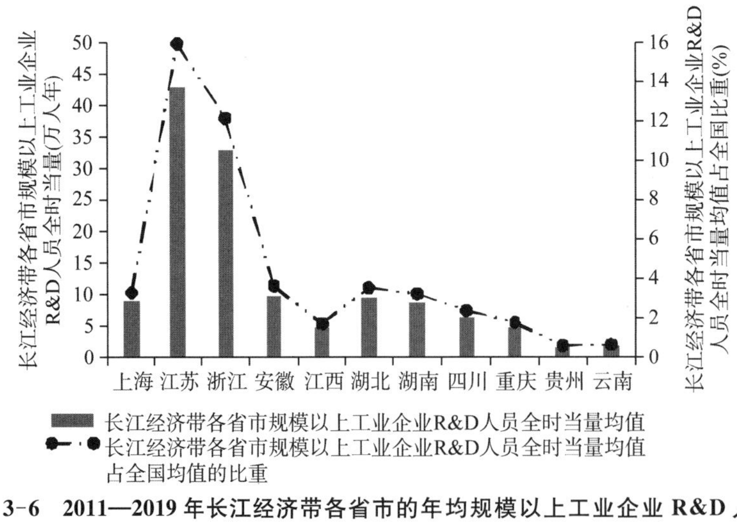

图 3-6 2011—2019年长江经济带各省市的年均规模以上工业企业R&D人员全时当量及占全国的比重

值从高到低依次是：江苏省、浙江省、安徽省、湖北省、上海市、湖南省、四川省、重庆市、江西省、云南省、贵州省，最大值为江苏省的 429 785.9 人年，最小值为贵州省的 17 234.9 人年，最大值为最小值的 24.94 倍；长江经济带规模以上工业企业 R&D 人员全时当量均值为 120 250.82 人年，只有江苏省和浙江省超过了均值水平，而且江苏省和浙江省表现相当出色，远远领先于其他省市；长江下游地区省市规模以上工业企业 R&D 人员全时当量均值最高，其次是中游地区，最后是上游地区；长江经济带规模以上工业企业 R&D 人员全时当量整体均值占全国的比重为 49.01%，其中占比最高的是江苏省（比重达到了 15.92%），占比最低是贵州省（比重为 0.64%）。可见长江经济带的创新发展水平存在着较大的地区差异。

3.2.2 沿江省市生态环境各有改善

长江经济带是我国经济重心所在、活力所在，也是中华民族永续发展的重要支撑。随着长江经济带发展战略的全面实施和生态文明建设的加快推进，沿江各省市因地制宜，把生态环境保护摆在优先地位，大力推进绿色生态建设，用改革创新的办法抓长江生态保护，确保一江清水绵延后世（见表 3-4）。

表 3-4 长江经济带省市生态环境主要改善措施

省市	成果成效
上海市	截至 2023 年中旬，“十四五”以来上海市规模以上工业单位增加值能耗已累计下降 13.8%；“十三五”期间，上海市工业用能总量累计下降 356 万吨标准煤，单位工业增加值能耗累计下降 16.9%；2023 年上海市一般工业固体废物量综合利用率达到 94.98%，建筑垃圾资源化利用率达到 97.5%，利用水平、研发能力国内领先
江苏省	“十三五”期间，江苏省的化学需氧量、二氧化硫、氨氮、氮氧化物四项主要污染物减排和碳强度下降全面完成国家下达的任务；2023 年江苏省湖体总磷、总氮浓度分别下降 14.5%和 14.3%；2020 年底，农村无害化卫生户厕普及率达 95%，农村生活垃圾集中收运率超 99%；截至 2022 年底，江苏省共建成国家生态园林城市 9 个，数量全国第一；国家生态文明建设示范区 31 个；2023 年可再生能源装机占比达 36.4%，2024 年可再生能源累计装机达 9 000 千瓦，首次超过煤电装机量，新型储能项目规模达 665 万千瓦
浙江省	2023 年新增或更新新能源公交车、出租车 1.1 万辆，占比均超过 70%；2022 年全省化肥用量 66 万吨，比 2018 年用量减少 11.4 万吨；2023 年，以新产业、新业态、新模式为主要特征的“三新”经济增加值占全省 GDP 的 28.3%，低碳排放特征明显
安徽省	2023 年，全省单位 GDP 能耗已降至 0.37 吨标煤/万元，优于全国平均水平，“十四五”以来全省单位 GDP 能耗累计下降 7.4%；2023 年全省技改投资全年增速达 25.2%，居全国第二位；2023 年长江干流安徽段水质稳定保持Ⅱ类，长江流域国考断面水质优良比例 94.8%，达到监测以来

续表

省市	成果成效
江西省	截至2023年,江西省森林覆盖率稳定在63.1%,2023年生态质量指数全国排名第一;截至2024年6月,可再生能源装机占比达55.5%;实施生态产品价值实现机制改革行动,排污权、用能权、水权、林权、碳汇等有偿使用和交易机制逐步建立,2023年林业类生态产品累计成交额超过90亿元;2024年,全省地表水国考断面水质优良比例97.7%,同比上升0.7个百分点,再创历史新高;好于Ⅱ类水体比例达到91.7%,同比升高4.6个百分点;全省地表水监测断面水质优良比例95.1%,继续保持稳定
湖北省	截至2023年,湖北省继续大力推进节能降耗工作,单位GDP能耗继续保持下降态势,"十四五"以来单位GDP能耗强度累计下降9%;;2023年,在全省124条主要河流的275个监测断面、24个湖泊(29个水域)、22座水库中,水质优良的Ⅰ至Ⅲ类的断面占91.1%,水质较差的Ⅳ类、Ⅴ类断面占8.6%,水质污染严重的劣Ⅴ类断面占0.3%,总体水质为优;与2022年相比,水质Ⅰ至Ⅲ类比例增加0.6%;2023年全省完成造林面积63.84万公顷,其中人工造林面积6.3万公顷,退化林修复(含人工更新)面积14.11,森林抚育面积39.69万公顷,全省国家级自然保护区22个
湖南省	2013年开始,湖南省连续实施三个湘江保护与治理三年行动计划,在洞庭湖实施水环境综合整治五大专项行动;自2018年污染防治攻坚战实施以来,湖南连续8年开展污染防治"夏季攻势",全省生态质量持续改善;节能减排扎实推进,2023年湖南单位GDP能耗为0.35吨标准煤/万元,同比减少4.5%,2013年—2021年十年间,湖南万元GDP能耗累计下降35.9%,单位GDP能耗累计下降20.1%,生态环境质量明显改善
四川省	在2019年四川省创建的76家绿色工厂中,民营企业多达60家,占比为78.95%。截至2019年底,全省累计排查"散乱污"企业32 772户,完成整治32 617户,完成率99.53%。2024年,全省PM2.5年均浓度首次低于30微克、下降幅度历史最大;345个国省考断面水质优良比例持续保持100%,川渝23个跨界国考断面全部达到优良
重庆市	截至2023年,重庆市累计建成国家级绿色工厂133家、绿色园区12个、绿色供应链管理企业17家;全市已排查621条河流9 550个入河排污口,市级审核确定8 387个,完成溯源5 151个。其中,长江、乌江、嘉陵江干流4 012个入河排污口已经生态环境部核定,排查、监测、溯源全面完成,整治完成3 744个,整治率93%,其中3 225个已完成整治验收销号,超过国家规定的2023年完成70%的整治要求,城市黑臭水体整治成效得到巩固
贵州省	在2019年贵州省完成投资188亿元,累计完成投资593亿元。其中,大生态十大工程包入库项目共158个,总投资792.47亿元,已开工147个,开工率93%,已完工35个,2019年完成投资95.66亿元,累计完成投资344.33亿元。而绿色经济工程包入库项目共125个,总投资425.67亿元,已开工建设118个,开工率94.4%,已完工33个,2019年完成投资93.2亿元,累计完成投资249.5亿元。2022年发布大生态工程包项目128个,总投资655亿元,截至9月底98个项目已开工建设,开工率76.6%,9个项目已完工
云南省	截至2024年12月,云南省地级以上城市居民小区生活垃圾分类设施配置覆盖率超过90%,全省乡镇镇区、村庄生活垃圾和乡镇镇区生活污水处理设施覆盖率分别为97%、92%、76%,较"十三五"末分别增长31、50、36个百分点;全省城市建成区绿地率达到39.9%;2024年清洁发电量占比为83.6%,非化石能源消费占能源消费总量比重为43%左右;全省完成营造林418万亩,新增绿化面积13.73万亩;2023年全年,全省完成人工造林120.34万亩,封山育林135.93万亩,退化林修复162.53万亩,森林抚育96.97万亩;2023年城市污水处理率达到97.96%,比上年提高1%

为了更进一步了解长江经济带沿江各省市生态环境状况，本节选取了工业污染治理完成投资额均值、城镇人均绿地面积两个指标分析长江经济带沿江各省市生态环境改善的现状。

根据 2010—2020 年相关统计数据，本节绘制了长江经济带各省市工业污染治理完成投资均值与全国均值的对比图（见图 3-7），从图中我们可以看出，统计期内长江经济带各省市工业污染治理完成投资均值从高到低依次是：江苏省、浙江省、安徽省、上海市、湖北省、云南省、四川省、湖南省、江西省、贵州省、重庆市，其中最大值为江苏省的 494 347.09 万元，最小值是重庆市的 52 611.14 万元，最大值是最小值的 9.4 倍；在统计期内，长江下游地区的工业污染治理完成投资均值最高（378 053.21 万元），其次是中游地区（168 925.16 万元），最后是上游地区（116 323.76 万元），其中只有长江下游地区的均值高于全国平均水平（209 795.17 万元）。此外，上海市、江苏省、浙江省和安徽省工业污染治理完成平均投资高于全国均值，沿江其他各省市均在全国平均水平以下。

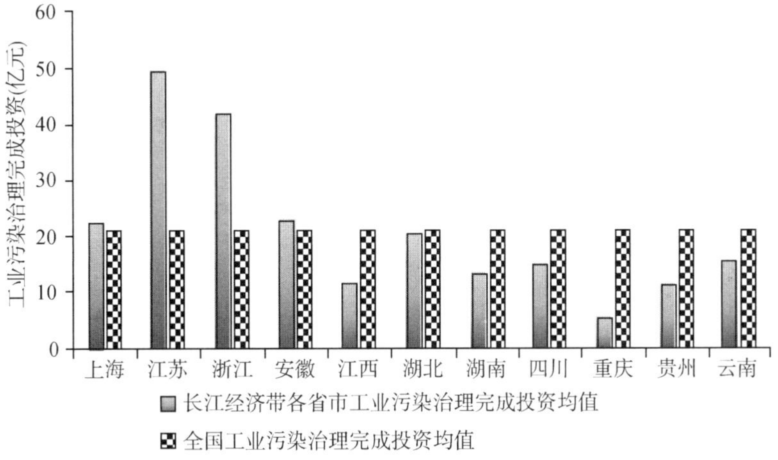

图 3-7　2010—2020 年长江经济带各省市的年均工业污染治理完成投资与全国对比情况

城市绿地面积是指城镇园林和绿化的各种绿地面积。具体包括公园绿地、生产绿地、防护绿地、附属绿地和其他绿地的面积。城镇人均绿地面积可以用来衡量城镇绿化以及生态环境情况。根据 2010—2020 年相关统计数据，本节绘制了长江经济带各省市城镇年人均绿地面积均值与全国的对比图（见图 3-8）。由对比图 3-8 可知，统计期内在长江经济带各省市城镇年人均绿地面积均值中，上海市的人均绿地面积均值最大，为 62.58 平方米，最小值则是湖南省的 17.65 平方米，最大值是最小值的 3.55 倍；长江下游地区城镇年人均绿

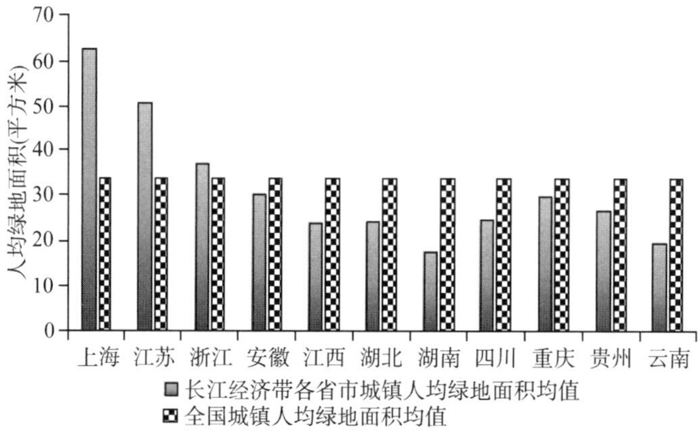

图 3-8　2010—2020 年长江经济带各省市的城镇年人均绿地面积与全国对比情况

地面积均值最高，为 50.06 平方米，要高于中下游地区，且是全国水平的 1.48 倍；长江中游地区均值最低(23.96 平方米)，上游地区为 25.1 平方米，均低于全国平均水平；此外，除了上海、江苏和浙江外其余省市的城镇年人均绿地面积均值都低于全国 33.84 平方米的平均水平。

3.2.3　沿江省市城乡融合各有侧重

城乡融合是城乡关系的发展过程，是从城乡二元分离到城乡成为一个整体的系统，其最终目的是消除城乡发展差距，为城乡居民自由平等发展提供保障。从长江经济带发展实际看，现阶段不平衡不充分的发展问题集中表现在城乡协调发展方面，推进长江经济带沿江各省市城乡融合发展是实现协调发展的必然选择。在经济发展进入新常态、城乡关系进入新时期、加快推动高质量发展的背景下，分析长江经济带各省市的城乡融合发展现状对长江经济带协调发展具有重要意义。近些年来，为推动城乡融合发展，长江经济带沿江各省市均采取了相应的举措，并取得了一定成效，如表 3-5 所示。本节选取城乡收入比、城市化率两个指标，重点分析长江经济带在城乡融合方面的协调发展现状。

表 3-5　长江经济带省市城乡融合主要改善措施

省市	措施及成效
江苏省	积极推进国家城乡融合发展试验区江苏宁锡常接合片区建设。试验区大力拓展农民增收渠道，农民人均可支配收入快速增长，从 2011 年 1.36 万元增长到 2020 年 3.06 万元，高于全国、全省平均水平，提前实现了翻一番目标；城乡居民收入比从 2011 年 2.07∶1 下降到 2020 年 1.91∶1，是全国城乡收入差距最小的地区之一

续表

省市	措施及成效
浙江省	加快国家城乡融合发展试验区嘉湖片区建设，对国家明确的重点任务进行改革探索，形成可复制推广的经验做法；深化农村“三权”制度改革，探索进城落户农民依法自愿有偿转让退出农村权益机制，审慎稳妥推进集体经营性建设用地入市；创新城乡公共服务供给机制，深入推进“互联网＋义务教育”城乡学校结对帮扶
安徽省	大力推进县域乡村建设规划，在凤阳等20个县开展县域乡村建设规划编制试点；发展特色经济，铜陵市大通镇、岳西县温泉镇、黟县宏村镇、裕安区独山镇、旌德县白地镇等5个被认定为第一批中国特色小镇；2010年实施农村清洁工程，2015年启动农村生活垃圾三年治理行动，2016年全面推进农村垃圾、污水、厕所专项整治工作；推进“四好农村路”建设，加快城乡公交一体化；截至2023年，安徽省城乡收入比由2020年的2.49∶1降至2.35∶1
江西省	建立健全有利于城乡基本公共服务普惠共享的体制机制。教育方面，建立城乡教育资源均衡配置机制，完善乡村教师补充机制，稳步提高乡村教师生活待遇。医疗方面，健全乡村医疗卫生服务体系，实施乡村全科医生特设岗位计划，推进城市三级医院对口帮扶乡村医疗卫生机构
湖北省	农业系统大力实施“三乡工程”，促进城乡资源要素流动融合，引导企业、能人投身农业农村发展，破解要素下乡障碍，激发农业农村发展动能。加快产业间生产要素的互通互融，实现农村一二三产业融合发展，进一步做大做强农产品加工万亿元产业，巩固提升粮食、蔬菜、生猪、水产四个千亿元级产业，拓展“农业＋”功能，推进农业与旅游、教育、文化、康养等产业深度融合
湖南省	实施“135”工程升级版和农村一二三产业融合发展试点示范工程、休闲农业经营主体提档升级工程，促进休闲农业与乡村旅游融合发展。完善县乡村三级电商服务体系和农村电商物流配送体系，推进电子商务进农村，扩大农产品消费市场。推进特色小镇有序发展，搭建城乡融合发展的重要载体，建设一批示范性城乡融合发展项目
四川省	注重顺应城乡融合要求完善现代城乡规划体系，形成以特色镇为中心、多个新型社区和林盘聚落环绕分布的“一心多点”网络化组团式布。注重产业协同构建现代农业生态圈，形成区域协调、产业高端、绿色循环、主体多元、供给高效、协同联动、功能复合的农业生态圈。注重自治法治德治结合创新城乡社区治理，加快构建村（社区）自治组织、社会组织和新型农民等有机统一、协同配合的生活共同体
贵州省	注重完善城乡基础设施，实施好新型城镇化基础设施建设规划，逐步推进城镇优质公共服务资源向农村延伸，实现城乡公共资源均衡服务全覆盖。注重优化产业结构，深入推进农村产业革命，着力打造“全市一盘棋、一县一主业、一乡一样板、一村一平台”的特色主导产业发展格局
云南省	建立健全有利于城乡基本公共服务普惠共享的政策措施，完善省级医院与基层医疗卫生机构合作帮扶机制，积极推动开展巡回医疗、远程医疗服务等。建立健全有利于城乡基础设施一体化发展的政策措施，推进“厕所革命”、“美丽公路”、“四好农村路”、“能通全通”工程、边境小康村等建设。建立健全有利于乡村经济多元化发展的政策措施，加快培育乡村旅游、休闲农业、手工业等新产业新业态
上海市	首先从土地入手，依法维护农民土地承包经营权，完善土地征用和使用的补偿机制。其次，重点建设若干个产业支撑强、人口规模大、城镇能级高的新城和中心镇，推进试点城镇建设和组织百镇规划，加速人口向城镇集中。再次，率先实现农业现代化，实现农业由数量型向质量型转变，由生产型向生态型转变，由产品型向服务型转变

续表

省市	措施及成效
重庆市	在户籍制度改革领域，全面放开落户限制，仅中心城区要求就业年限达到 2～3 年，且对大中专毕业生、留学回国人员、具有初级以上专业技术职称人员不设就业年限门槛；率先打破了公租房的户籍申请限制，农业转移人口与本地城镇户籍人口享有同等的公租房申请资格。挖掘特色资源，推动农文旅深度融合，2023 年全市第一产业增加值 2 074.7 亿元，农产品加工业总产值 3 421.45 亿元，实现乡村休闲农业经营收入达 1 009 亿元，同比增长 11.8%

城乡收入比是衡量城乡收入差距的一个重要指标，根据 2010—2019 年相关统计数据，本节绘制了长江经济带各省市的城乡收入比情况（如图 3-9 所示）。由图 3-9 可知，城乡收入比超过 3 的省份有贵州省和云南省，分别达到了 3.55 和 3.42。其中，贵州省城乡居民收入已经成为长江经济带 11 个省市中差距最大的省份，该省形成较大收入差距的原因主要有生态环境因素、基础设施薄弱、过去二元户籍制度的制约等。这些因素都阻碍了农村经济的发展，使得该省的城乡收入差距在整个经济带内达到最大。长江经济带城乡收入比由小到大排名前三的省市依次为浙江、上海和江苏，分别为 2.16、2.27 和 2.32。其中，浙江的城乡收入差距在整个长江经济带内最小，与城乡收入差距最大的贵州省相差达到 1.39，由此看来，浙江省缩小城乡差距的目标已经取得实质性成效，这也是浙江经济发展的最大亮点，究其原因，与其自身的经济发展模式密切相关。浙江是市场化程度最高、民营经济最发达的省份，无论是劳动力要素、土地等制度创新都走在全国前列，并且最早在全国实行省管县体制，县域经济、乡镇经济都十分发达，每个县都有自己的产业集群，形成了强大的产业竞争力，因而其城乡收入差距最小。

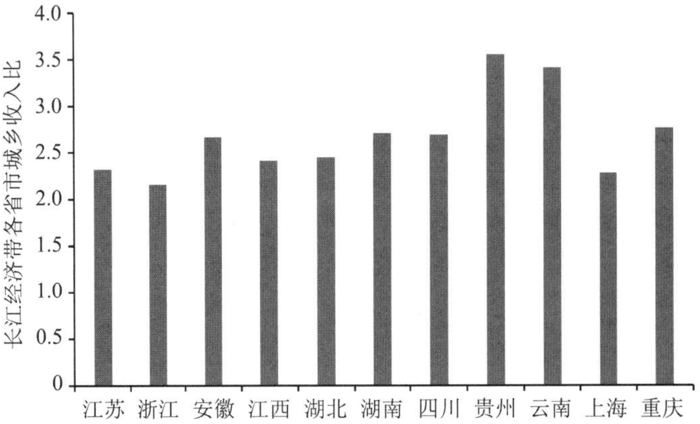

图 3-9　2010—2019 年长江经济带各省市的年均城乡收入比

城市化率是城市化的度量指标，是衡量现代化水平的重要标志。根据2010—2019年相关统计数据，本节绘制了长江经济带各省市的城市化率情况（如图3-10所示）。由图3-10可知，第一，长江经济带的城市化率大致由东向西递减，这是由地理、历史等多方面因素造成的。长江下游地形平坦、人口聚集，开发时间也较早，因此城市发展比较好；而中上游地区地形崎岖，不适宜城市建设，开发也较晚，导致城镇化发展较缓慢。具体来看，长江经济带城市化率排名前三的省份依次为上海、江苏和浙江，分别为89.18%、66.60%和66.03%，从中可以发现上海的城市化率处于绝对领先的位置，已经达到了发达国家的水平；中游的湖北、江西和湖南城市化率处于50%～60%，而上游的四川、贵州和云南城市化率尚不足50%，这说明中上游大部分省市的城市化率有待进一步提高。但值得注意的是，上游重庆的城市化率仅次于浙江，位列长江经济带第四，原因在于重庆充分发挥国家中心城市的辐射带动作用，其城市竞争力相比周边省市更强。第二，长江经济带三大中心城市所在省份的城市化水平要比周边地区高出一到两个梯度。如长江经济带龙头城市上海的城市化水平要比江苏、浙江高出一个梯度，比安徽高出两个梯度；长江中游城市群中的武汉都市圈所在的湖北省，其城市化率也比湖南、江西高出一个梯度；成渝城市群的核心城市重庆，其城镇化率依然比四川高出一个梯度。

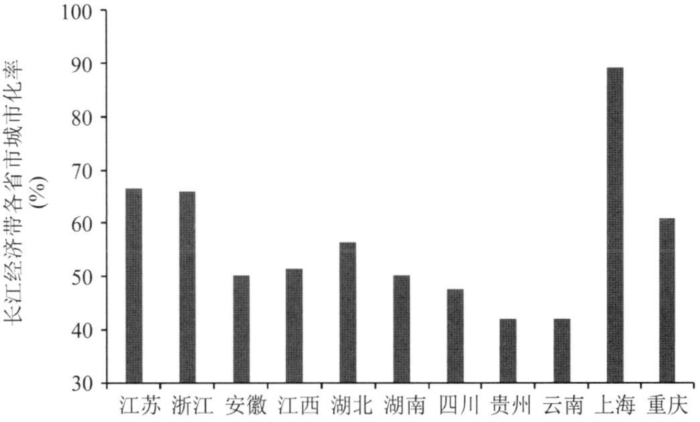

图3-10　2010—2019年长江经济带各省市的年均城市化率

3.2.4　沿江省市开放渠道地方化

开放发展是经济高质量发展的外部推力，在面对来自国际国内的各种威胁与挑战的情况下，开放发展理念对于推动经济高质量发展具有重大意义。

如表 3-6 所示，长江经济带沿江各省市全面贯彻落实开放发展理念，积极培育各具特色的开放竞争新优势。

本节绘制了长江经济带各省市的外贸依存度情况（如图 3-11 所示）。长江经济带沿线省市中外贸依存度最高的是上海，达到 114.98%，也是经济带内唯一一个外贸依存度突破 100%的城市，这与上海作为首个自贸试验区和第一大口岸，在发展开放型经济方面具有得天独厚的优势有关；外贸依存度排名第二、第三的依次是江苏和浙江，分别为 59.25%和 57.40%，原因在于同处于长江三角洲的江苏省和浙江省具有得天独厚的区位优势，江苏省有国家一类对外开放港口，浙江省具有丰富的深水岸线资源和优越的建港自然条件，港口经济发达，同时发达的制造业也形成了高素质的劳动力储备，具有较强的人力资本的优势，这些都有助于推动当地对外贸易的发展；排名第四的是重庆，外贸依存度为 22.15%，在习近平新时代中国特色社会主义思想指引下，地处祖国西南腹地的重庆，充分发挥西部大开发重要战略支点、"一带一路"和长江经济带联结点这两个"点"的特殊区位优势，加快建设内陆开放高地，努力在西部地区带头开放、带动开放；除此之外的其他省市外贸依存度较低，尤其是贵州、湖南、云南等地，这些省市也应该充分利用当地资源，以更加开放的姿态来实现高质量发展。

表 3-6　长江经济带省市开放发展主要措施

省市	措施及成效
江苏省	在扩大开放领域方面，落实准入前国民待遇加负面清单管理制度，负面清单之外的领域，按照内外资一致原则实施管理，大幅放宽市场准入。在推进"一带一路"交汇点建设方面，加大对境外园区建设支持，促进中欧班列健康有序发展，加强全省中欧班列线路整合优化。在加快培育开放发展新动能方面，创新引资引智引技相结合的招商机制，支持外资参与当地全球产业科技创新中心建设
浙江省	中国（浙江）自由贸易试验区到 2024 年，挂牌 7 年以来，现已探索形成特色制度创新成果和实践案例 330 项，其中全国首创 146 项，全国复制推广 32 项。以自贸试验区为龙头，截至 2023 年，浙江还拥有 22 家国家级经济技术开发区、12 家海关特殊监管区和 19 家国际产业合作园，它们和自贸试验区一起，构成浙江布局合理、层次分明、种类齐全的区域开放发展平台，成为推动全省高水平开放的重要支撑
安徽省	培育新动能，推动跨境电商跨越式发展，招引了一达通、考拉海购、孩子王、雅娜购等一批跨境电商知名项目落地，吸引敦煌网、阿里巴巴国际站、大龙网、eBay 等一批跨境电商平台参与合作共建跨境电商产业园区。高水平开放，深化改革试验田作用不断彰显，截至 2025 年 2 月，安徽自贸试验区累计新设企业 5.7 万家；截至 2023 年底，中国（安徽）自贸试验区累计形成 192 项制度创新成果，其中 32 项为全国首创，10 项在全国复制推广

续表

省市	措施及成效
江西省	提升开放合作水平，全面优化营商环境。继续深化“放管服”改革，提升贸易和投资自由化便利化水平，努力打造政策最优、成本最低、服务最好、办事最快的营商环境。打通对外开放大通道，畅通物流大循环。加快形成以沪昆、京港澳‘双轴’为支撑的‘六纵六横’综合运输大通道，完善物流基地、分拨中心、公共配送中心、末端配送网点四级城市物流配送体系
湖北省	外贸活力显著增强，市场主体由“国”字号一家独大，转变成民营企业为主导，2024年，湖北民营企业进出口 4 874 亿元，同比增长 10.3%，占同期全省进出口总值的 69.1%，对全省进出口增长的贡献率高达 73.9%。市场多元化格局基本形成，产品远销全球 200 多个国家和地区。国际朋友圈日益扩大，2018 年湖北入境游人数接近 400 万人次，2024 年湖北省接待境外团队游客 7.48 万人，同比增长 320.47%
湖南省	着力拓展优化对外开放格局。对外积极参与“一带一路”建设，努力扩大对东盟开放、积极融入“区域全面经济伙伴关系协定”、加强对接“非洲大陆自由贸易区”。大力培育外贸新动能新业态。推动建设中非经贸合作公共服务平台，建设非洲在华非资源性产品集散和交易中心，加快长岳潭郴等跨境电子商务综合试验区建设
四川省	高水平建设川渝自贸试验区协同开放示范区，加快打造内陆开放经济高地新支撑；高标准建好管好用好海关特殊监管区域，引领带动当地开放型经济高质量发展；抢抓国家布局建设综合立体交通网重要机遇，进一步优化口岸物流功能，补齐对外开放短板
贵州省	着力完善开放产业规划布局，支持轮胎等“优势型”企业通过走出去、引进来、股权并购等形式，打造高水平跨国企业；支持茶叶、吉他、打火机、工程机械等“成长型”企业持续扩大出口，全力打造“隐形冠军”；推动信息技术、生物医药、新能源等战略性新兴产业持续提高外向度
云南省	加强与长江经济带、粤港澳大湾区、京津冀协同发展战略以及成渝地区双城经济圈、贵安新区等国内区域合作，积极承接产业转移，不断融入国内经济圈。巩固提升与南亚东南亚国家的贸易合作，积极开拓日韩、欧洲、美洲、中东、南美、非洲、俄罗斯等新兴市场，做大贸易规模
上海市	首先，高水平开放重点行业领域。聚焦科技服务、商务服务、物流运输服务、金融服务、健康医疗服务、教育服务、旅游服务、电信服务 8 大重点领域，分类放宽服务业准入限制。其次，增强开放示范效应。聚焦虹桥商务区和浦东软件园，发挥平台和园区的示范作用，鼓励金融机构为虹桥商务区内企业和非居民提供跨境金融业务等
重庆市	首先，进一步提升开放通道效率，加快中欧班列提质创新，增强西部陆海新通道区域服务功能，深挖长江黄金水道潜力，更好在推进共建“一带一路”中发挥带动作用；其次，进一步提升开放平台能级，拓展中新互联互通项目合作领域，推动重庆自贸试验区联动创新区建设；再次，稳住外贸外资基本盘，进一步谋划加强与东盟、日韩等经贸合作，引导企业积极稳订单、拓市场；最后，深入推动制度型开放，落实好外资企业国民待遇，推动重大外资项目加快落地

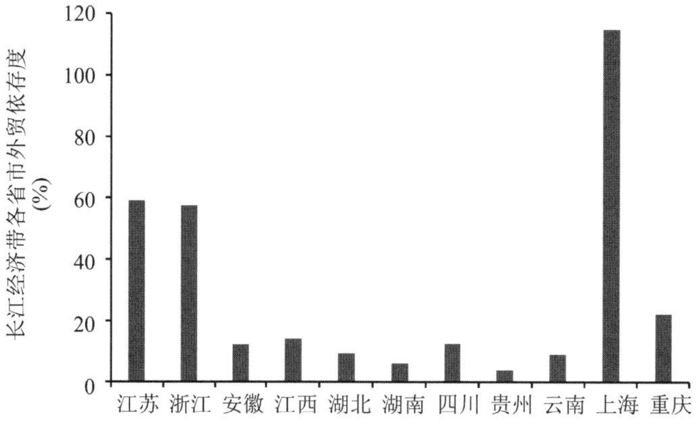

图 3-11　2010—2019 年长江经济带各省市的年均外贸依存度

本节绘制了长江经济带各省市的实际利用外资金额占 GDP 的比重情况(如图 3-12 所示)。由图 3-12 可知,重庆市的实际利用外资金额占 GDP 的比重最大,达到 4.62%,比排名第二的上海高出 1.05 个百分点,重庆在外资方面的开放程度已经超过了长三角地区,原因可能在于重庆作为我国中西部唯一直辖市,是西部大开发的重要战略支点,处在"一带一路"和长江经济带的联结点上,是外商投资的热土,可见外商投资在重庆经济社会发展和内陆开放高地建设过程中起着至关重要的作用;排名第二的是上海,其实际利用外资金额占 GDP 的比重为 3.57%,统计期内,上海作为我国最大的经济中心城市,全力以赴做好稳外资的各项工作,进一步加大投资促进和保护的力度,打造新时期外商投资首选地和高质量外资集聚地,在吸引外资和利用外资方面取得的成就

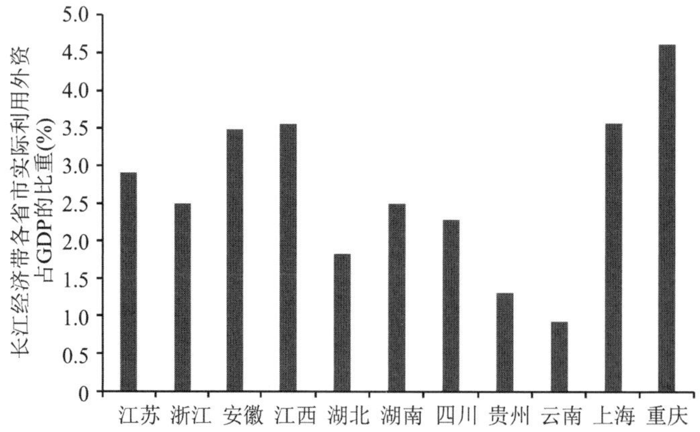

图 3-12　2010—2019 年长江经济带各省市的年均实际利用外资金额占 GDP 的比重

令人瞩目;实际利用外资占GDP的比重较小的省份为湖北、贵州和云南,其中云南省的实际利用外资占GDP的比重最小,仅为0.92%,与排名第一的重庆市相差3.7个百分点,云南对外资的吸引力不及长江经济带的其他省市,原因可能在于云南省地处西部边疆地区,基础设施落后,贸易通道不通畅,信息相对闭塞,无法顺利将投资转化为利润,无形中将很多外资拒之门外,实际利用外资水平存在较大的提升空间。

本节绘制了长江经济带各省市对外承包工程营业额占GDP的比重,如图3-13所示。由图3-13可知,上海对外承包工程营业额占GDP的比重远远超过长江经济带的其他省市,达到了1.99%;湖北、四川、江西的对外承包工程营业额占GDP的比重仅次于上海,分别为1.24%、1.22%和1.14%,这3个省份的比重均超过了1%;对外承包工程营业额占GDP的比重在0.5%~1%之间的有安徽、云南、浙江、江苏和湖南,分别为0.87%、0.86%、0.79%、0.73%和0.54%;对外承包工程营业额占GDP的比重低于0.5%的省市有贵州和重庆,分别为0.39%和0.31%。纵览长江经济带各省市的对外承包工程情况可知,统计期内,上海的对外承包工程业务蓬勃发展,成绩非常突出,而其他省份的对外承包工程营业额占GDP的比重还有较大的提升空间,尤其是重庆和贵州,需要进一步加强对外合作,从而实现对外承包工程规模的扩大和效益的提高。

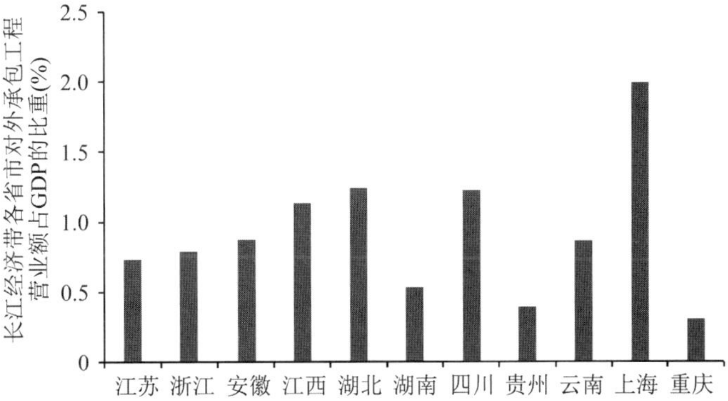

图3-13 2010—2019年长江经济带各省市年均对外承包工程营业额占GDP的比重

3.2.5 沿江省市成果共享程度各异

共享是高质量发展的必然要求。党的十八届五中全会提出了“五大发展理念”,其中共享发展的提出具有鲜明的时代性与针对性,是习近平新时代中国特色社会主义思想的有机组成部分,是一切发展的出发点和落脚点。共享发展注重的是解决社会公平正义问题，旨在促进经济社会发展的物质文明成果和精神文明成果由全体人民共同享有。长江经济带沿江省市结合自身发展水平及规划，统筹考虑需要和可能，按照经济社会发展规律循序渐进，自觉主动解决地区差距、城乡差距、收入差距等问题，在教育、医疗卫生、城镇化等方面各有侧重，积极抓民生、增福祉，促进高质量发展成果的共享，不断增强人民群众获得感、幸福感、安全感。经济带沿线各省市成果共享主要措施及成效如表3-7所示。

本节绘制了长江经济带各省市的城镇登记失业率，如图3-14所示。长江经济带各省市城镇登记失业率大多位于3%～4%，其中，四川省的城镇登记失业率最高，达到了3.965%；湖南、上海、云南的城镇登记失业率仅次于四川，依次为3.950%、3.823%、3.768%；重庆、贵州、安徽、江西、湖北、江苏的城镇登记失业率均在3%～3.5%，依次为3.420%、3.315%、3.238%、3.236%、3.133%、3.054%；浙江是唯一一个城镇登记失业率低于3%的省份，其城镇登记失业率为2.895%。纵观上述统计数据可知，统计期内，浙江的城镇登记失业率低位运行，原因可能在于浙江作为民营经济大省，近年来不断优化支持大众创业、促进就业的政策环境，极大地激发了劳动者的创业和就业热情；四川的城镇登记失业率相较于经济带的其他省市较高，就业工作还有一定的改进空间，地方政府需要继续加大就业工作力度，以政策支持为重点，结合地方实际，出台相关政策文件，缓解就业压力，保障就业岗位。

表3-7　长江经济带省市共享发展主要措施

省市	措施及成效
江苏省	围绕“有更好的教育”，深入推进国家教育现代化建设试验区和各类教育改革发展试验区建设；围绕“有更稳定的工作”，大力实施就业优先战略和更加积极的就业创业政策；围绕“有更可靠的社会保障”，加快建立更加公平、更可持续的社会保障制度；围绕“有更高水平的医疗卫生服务”，促进基本公共卫生服务均等化，进一步提升人民群众健康水平
浙江省	积极落实人才新政，支持各类人才在浙创业、来浙创业；切实加强就业再就业工作，重点解决好高校毕业生、就业困难人员、农村转移劳动力等群体的就业问题。制定实施学前教育标准，分步实施幼儿园达标改造、扩容；制定实施义务教育标准，分步实施中小学校提标改造工程；继续放宽普高、职高分流限制，促进普高、职高协调发展
安徽省	484万贫困人口全部脱贫，脱贫攻坚取得全面胜利。2020年脱贫攻坚收官后，着力做好防止返贫动态监测，坚决守住脱贫攻坚成果。民生工程深入推进，人民生活水平显著提高。企业职工基本养老保险基金实现省级统筹，低保对象、特困人员、困境儿童基本生活得到妥善保障。基础设施建设全面提速，农村人居环境明显改善。农村水电路气网基础设施建设全面提速，农村基本公共服务水平进一步提升

续表

省市	措施及成效
江西省	首先，教育事业健康发展。教育工作机制不断创新，教育公平不断推进，教育结构不断优化，各项教育事业持续健康发展。其次，卫生健康事业成就辉煌。卫生体制改革不断深化，医疗卫生服务体系不断健全，医疗卫生服务能力全面提升，服务保障成效显著。再次，文化事业繁荣昌盛。文创佳作层出不穷，文物遗产富饶丰厚，基本公共文化服务标准化、均等化不断推进
湖北省	首先，全力打赢脱贫攻坚战。以湖北大别山、武陵山、秦巴山、幕阜山等集中连片特困地区为主战场，坚决打赢脱贫攻坚战。再次，大力促进就业创业。实施更加积极的就业创业政策，健全有利于促进就业创业的财政、金融、产业等政策体系。再次，健全完善社会保障体系。实施全民参保计划，基本实现法定人员全覆盖，健全社保待遇确定和调整机制。最后，着力推进健康湖北建设。坚持医疗、医保、医药联动，建立覆盖城乡的基本医疗卫生制度和现代医院管理制度
湖南省	基础教育学校中超大班额实现清零，湖南省投入 80 多亿元，在边远地区县市区建设共计 101 所芙蓉学校，新增 14.6 万个优质学位，乡镇公办中心幼儿园实现全覆盖，全省整体通过国家区域义务教育基本均衡发展评估验收。全省范围内开展健康扶贫"一站式"结算，全面落实国家"4+7"带量采购，中选药品价格平均降幅达到 52%，明确三类医用耗材集中带量采购规则，"看病难""看病贵"的痛点得到明显缓解
四川省	首先，落实就业优先政策。开展职业技能培训和网络招聘活动，统筹做好农民工、高校毕业生、下岗失业人员、退役军人等重点群体就业工作。其次，加快公共服务和社会事业发展。实施健康四川 18 项重点行动，促进中医药传承创新发展；深入推进义务教育均衡发展，有序推进各级各类学校开学复课；大力发展文化事业和文化产业，深入实施博物馆、图书馆、文化馆、科技馆提升行动；实施养老服务体系建设"七大工程"，更好满足多样化养老需求
贵州省	实施"四在农家·美丽乡村"基础设施建设——小康路、小康水、小康房、小康电、小康讯、小康寨六项行动计划，打造生活宜居、环境优美、设施完善的美丽乡村。实施全民创业行动计划和"双百工程"，发动能人创业，引导返乡创业，鼓励大学生创业，支持妇女创业，促进科技人员创业，积极帮助困难群体和特殊人群就业
云南省	社会保障体系进一步健全，大力实施全民参保扩面专项行动，不断健全基本养老保险筹资和待遇调整机制，养老保险、工伤保险实现省级统筹。构建新型和谐劳动关系成效明显，紧扣"农民工工资基本无拖欠"目标，出台农民工工资支付保障相关政策制度，实现全省拖欠农民工工资案件数量、涉及人数、涉及金额逐年下降
上海市	养老服务增量提质。大力发展社区"嵌入式"养老服务，重点建设集多功能于一体的"枢纽型"社区综合养老服务。托幼服务加快发展。推动托育服务实现从"多元参与"向"体系构建"的转变，推动学前教育实现从"资源供给"向"内涵提升"的转变，推动校内课后看护服务实现从"有人看护"向"看护得好"转变。老旧小区改造提速。以细致的工作、精准的政策、管用的招数，全力以赴打好旧城改造攻坚战。美丽乡村更加宜居。积极探索创新，有效释放资源价值，做大做强优势产业，更加彰显品牌特色
重庆市	就业方面，实施就业政策启动"四进四送四服务"活动；教育方面，将印发教育事业发展"十四五"规划；医疗方面，围绕 9 个专题推出 38 项惠民措施；养老方面，城市社区居家养老服务设施基本全覆盖

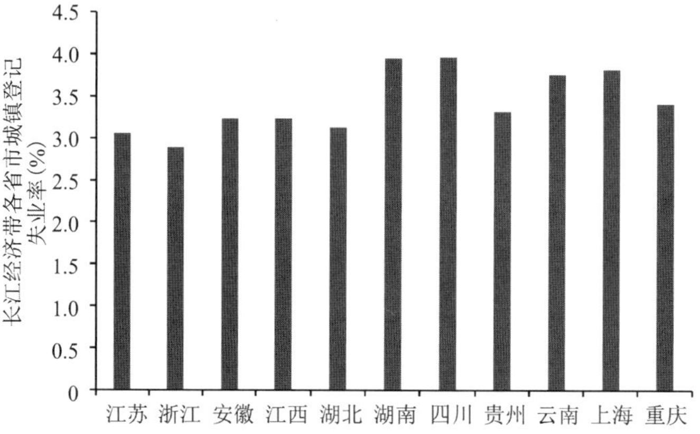

图 3-14　2010—2019 年长江经济带各省市的年均城镇登记失业率

本节绘制了长江经济带各省市的人均教育支出，如图 3-15 所示。上海的人均教育支出最高，也是唯一一个突破 3 000 元的城市，达到 3 024.14 元，比排名第二的江苏高出 1 084.98 元；人均教育支出排名第二、第三的是江苏和浙江，依次为 1 939.16 元、1 924.70 元；贵州、江西、重庆、云南的人均教育支出仅次于江苏和浙江，依次为 1 863.35 元、1 681.20 元、1 652.32 元、1 644.18 元；湖北、四川、安徽、湖南的人均教育支出均在 1 000～1 500 元，依次为 1 421.75 元、1 375.53 元、1 371.34 元、1 349.24 元。纵观上述统计数据可知，统计期内，上海市人民政府及有关部门始终坚持优先发展教育，高度重视增加财政教育投入，切实保证了经济社会发展规划优先安排教育发展，财政资金优先保障教育投入；湖南的人均教育支出相比长江经济带的其他省市较少，湖南省人民政

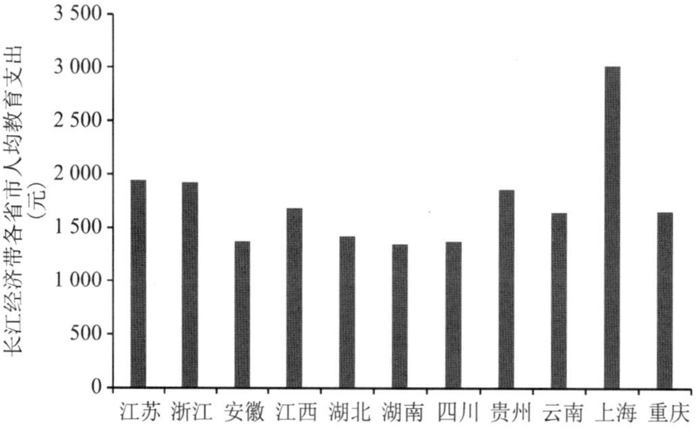

图 3-15　2010—2019 年长江经济带各省市的年均人均教育支出

府的教育投入可能不足以满足当地教育发展的需要，地方政府需要加强对教育的地位和作用的认识，改革教育投资体制，同时积极动员社会力量投资办学。

本节绘制了长江经济带各省市的公共图书馆藏量，如图 3-16 所示。统计期内，上海的公共图书馆藏量最多，高达 7 448.07 万册件；江苏和浙江的公共图书馆藏量仅次于上海，依次为 7 054.69 万册件和 6 344.12 万册件；其他省份的公共图书馆藏量与上海、江苏和浙江相差甚远，其中，四川、湖北、湖南、安徽、江西的公共图书馆藏量均超过 2 000 万册件，依次为 3 406.61 万册件、3 081.12 万册件、2 686.37 万册件、2 107.96 万册件、2 107.10 万册件，云南、重庆、贵州的公共图书馆藏量不足 2 000 万册件，依次为 1 941.26 万册件、1 419.92 万册件、1 270.43 万册件。纵观上述统计数据可知，统计期内，上海、江苏和浙江通过实施图书馆建设、图书馆修缮、文化信息资源共享工程、数字图书馆推广工程、综合文化站建设等重点文化工程，公共图书馆服务设施不断改善，公共图书馆藏量远远高于长江经济带的其他省市；其他省市的公共图书藏量依然偏低，不能满足相应的读者需求，要充分满足人民群众在这方面的需求，这些省市公共图书资源的供给能力必须进一步加强。

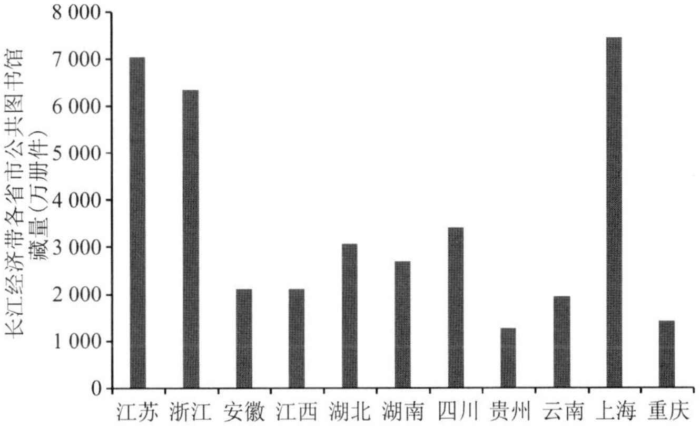

图 3-16　2010—2019 年长江经济带各省市的年均公共图书馆藏量

3.3　长江经济带省市经济高质量发展总体评价

长江经济带各省市经济发展概况如下。首先，长江经济带沿江省市经济发展呈现出良好向上的态势。具体地，从地区生产总值来看，长江经济带各省市 GDP 增长率基本上都高于全国平均水平；GDP 规模和 GDP 增长率呈现出由长江下游地区向中上游地区逐步缩小的趋势。从失业率来看，长江经济带各省市的失业率均值均小于全国平均水平。其次，长江经济带沿江省市产业空间布局更加合理，产业转型升级取得积极成效。具体地，从规模以上工业企业新产品开发经费支出占主营业务收入比重来看，上海、江苏、浙江和重庆规模以上工业企业新产品开发经费支出占比超过全国平均水平；下游地区比重最高，中游地区次之，上游地区最低，可见中上游地区对新产品开发仍需加大投入力度。从第三产业增加值占地区生产总值的比重来看，上海、江苏和浙江第三产业增加值占比高于长江经济带平均水平，可见下游地区产业转型升级情况更佳；只有上海的第三产业增加值占比高于全国平均水平，可见其他省市第三产业仍有较大的发展空间。

长江经济带各省市经济高质量发展成效如下。第一，长江经济带沿江省市创新驱动高质量发展取得显著成效。具体地，从技术市场成交额来看，下游地区技术市场成交额高于中上游地区，其中上海技术市场成交额最高。从 R&D 人员全时当量来看，江苏和浙江规模以上工业企业 R&D 人员全时当量超过长江经济带平均水平，其中江苏规模以上工业企业 R&D 人员全时当量最高，其占全国的比重达到 15.92%。第二，长江经济带沿江省市生态环境各有改善。具体地，从工业污染治理完成投资额来看，下游地区的上海、江苏、浙江和安徽工业污染治理完成投资额高于全国平均水平，但其他省市均低于全国平均水平。从城镇人均绿地面积来看，上海、江苏和浙江城镇人均绿地面积高于全国平均水平，但其他省市均低于全国平均水平，可见中上游地区仍需加强对绿色发展和环境保护的重视程度。第三，长江经济带沿江省市城乡融合各有侧重。具体地，从城乡收入比来看，长江经济带城乡收入比由小到大排名前三的省市依次是浙江、上海和江苏，其中浙江的城乡收入差距最小，这也成为了其经济发展的最大亮点，而贵州作为长江经济带城乡收入差距最大的省份，与浙江形成了鲜明的对比。从城市化率来看，长江经济带的城市化率大致由东向西递减，其中上海城市化率处于绝对领先的位置；长江经济带三大中心城市所在省份的城市化水平比周边地区高出一到两个梯度。第四，长江经济带沿江省市培育了各具特色的开放竞争新优势。具体地，从外贸依存度来看，上海凭借其在开放型经济方面得天独厚的优势，成为经济带内唯一一个外贸依存度突破 100%的城市；江苏和浙江凭借其发达的港口经济条件等，外贸依存度仅次于上海；重庆凭借其特殊区位优势，外贸依存度仅次于江苏和浙江；除此之外，其他省市外贸依存度较低，需要以更加开放的姿态来实现高质量发展。从实际利用外资金额占 GDP 的比重来看，重庆实际利用外资金额占 GDP 的比重最大，其在外资方面的开放程度已经超过长三角地区；云南实际利用外资金额占 GDP 的比重最小，其实际利用外资水平存在较大提升空间。从对外承包工程营业额占 GDP 的比重来看，上海对外承包工程业务蓬勃发展，成绩非常突出，其他省市仍需加强对外合作，以实现对外承包工程规模的扩大和效益的提高。第五，长江经济带沿江省市正在稳步推进发展成果由全体人民共享。从城镇登记失业率来看，浙江城镇登记失业率最低，四川城镇登记失业率最高，相较于其他省市，四川的就业工作还有一定的改进空间，当地政府需加大就业支持力度，从而有效缓解当地就业压力。从人均教育支出来看，上海人均教育支出最高，上海市人民政府及相关部门切实保障了经济社会发展规划优先安排教育发展；湖南人均教育支出最少，湖南省人民政府需要高度重视教育的地位和作用，在增加教育投入的同时也要积极动员社会力量投资办学。从公共图书馆藏量来看，上海公共图书馆藏量最多，江苏和浙江紧随其后，而其他省市的公共图书馆藏量与这三个省市相差甚远，其他省市公共图书资源的供给能力必须进一步增强，以满足人民群众日益增长的文化诉求。

总的来看，近 10 年来长江经济带高质量发展表现出较强的区域性差异，已经形成“东强西弱、中部角逐”和“下游优、中游平、上游劣”的高质量发展基本格局。具体而言，首先，上海市、江苏省、浙江省 3 个省市在长江经济带高质量发展中的表现尤为突出，各个维度的发展水平在长江经济带各区域发展水平中整体排名靠前并且浮动很小，为第一梯队；其次，重庆市、湖北省、湖南省、安徽省、四川省、江西省的高质量发展状况较好，为第二梯队；最后，云南省、贵州省的高质量发展水平较差，且排名情况常年靠后，为第三梯队。

04

第四章

长江经济带经济高质量发展面临的挑战及应对思路

长江经济带是我国经济重心所在、活力所在，是集文化、生态、区位资源优势于一体的核心枢纽地带。在国家政策指引和各方协同努力下，长江经济带高质量发展已经取得积极进展。然而在充分肯定长江经济带高质量发展取得阶段性成效的同时，也要清晰意识到发展过程中面临的困难挑战，并针对困难，在创新、协调、绿色、开放、共享各个维度共同发力，通过全力促进科技创新、强化区域协调联动、深化绿色发展方式、扩大对外开放、夯实成果共享，保障经济高质量发展的健康有序推进。

4.1 长江经济带经济高质量发展面临的挑战

4.1.1 创新发展方面面临的挑战

自长江经济带高质量发展的国家战略推出以来，沿线各省市大力实施创新驱动发展战略，加大创新投入，优化创新资源，提升创新效率，带动整个长江经济带创新动能迸发，创新主体、创新支持、创新资源、创新环境发展水平均高于全国平均水平。但是长江经济带创新发展仍存在一些问题，它们影响着长江经济带整体创新能力的提升。

第一，长江经济带中上游地区创新水平较低。由于长江下游地区高校、科研院所、规模以上科技型企业等数量多、涉及行业范围广，创新网络较为发达，长江中上游地区的创新水平与下游地区相差甚远。从第三章的技术市场成交额指标来看，长江经济带中上游地区的江西、湖南、贵州和云南等省市的技术市场成交额相对较低；经济带所有省市中，江苏省规模以上工业企业R&D人员全时当量最高，是最小值贵州省的24.94倍；长江下游地区省市规模以上工业企业R&D人员全时当量均值最高，中游地区次之，上游地区最低。

第二，长江经济带中上游地区的科技创新要素相对匮乏。在科研经费方面，长江经济带科研领域资金投入力度不断加大，但中上游地区的科研经费投入强度相较于下游地区来说仍然较低；在研发人员方面，中上游地区对人才吸引力较弱，“孔雀东南飞”现象较为普遍，从而导致中上游地区科技研发人员出现缺位现象；在专利水平方面，中上游地区投入产出比较低，创新资源低效、无效配置的情况时有发生，导致专利水平的有效量远远落后于下游地区。

第三，长江经济带中上游地区创新环境建设相对落后。在创新政策激励方面，下游地区特别是长三角地区受创新政策激励效应显著，创新成果不断涌现，而中上游地区创新政策的制订及落实存在障碍与瓶颈，严重影响了创新主体的积极性。在创新氛围方面，下游地区"放管服"等体制机制创新走在前列，政府服务企业意识较强，企业创新环境优良，而中上游地区创新环境亟待改进提升。

第四，长江经济带中上游地区的创新支持水平远不及下游地区。长江下游地区，特别在长三角地区拥有两个国家科学中心及众多高水平研究机构，且国际科技交流密切，基础研究与应用研究能力远超中上游地区。此外，下游地区创新服务机构，如科技中介、金融机构、法律服务、专利服务、会计师事务所等种类齐全、职能完善，且众创空间、孵化器、加速器、科技园区、技术转移市场等载体数量多、功能强，下游地区的科技成果转化率也远超中上游地区。

4.1.2 协调发展方面面临的挑战

长江经济带涉及 9 省 2 市，沿江各省市在协调发展过程中积极探索，比如，贵州与云南、四川合作，按照 5∶1∶4 的比例共同出资两亿元，设立流域横向生态补偿基金，开创了跨省横向生态补偿的先河。但由于长江经济带涉及较多的行政区域，各自发展的基础和经济水平不同，各省市的发展任务、目标和战略差异较大，因此长江经济带在协调不同河段、不同省市的发展工作上仍然存在较大的挑战。

第一，长江经济带地区间发展差异明显，区域协调发展任重道远。长江经济带横跨我国地理三大阶梯，资源、环境、交通、产业基础等差异较大，地区间发展差距明显。另外，区域间经济发展联动性不足。在不平衡发展战略指导下，长三角率先开放发展，而中部崛起战略尚未取得显著成效，西部地区的发展比中部又稍显落后，东中西部之间的经济发展缺乏联动性。从协调发展的指标也可以看出，长江经济带人均国内生产总值和城镇居民人均可支配收入的标准差整体呈上升趋势，由此可知，长江经济带"一盘棋"规划与发展虽然取得较好进展，但区域协调发展良好氛围尚未形成，一体化发展程度不足。具体从区域协调机制来看，在国家层面，有关部门已经出台《长江经济带发展规划纲要》《全国主体功能区规划》《全国生态功能区划》等，但这些既有规划对区域合作保护与开发的关系没有给出明确的界定，现有研究对科学发展的内在逻辑缺乏精准而清晰的认识；在地方层面，各省市出台的政策和举措主要涉及自身的经济、社会发展及生态环境保护等内容，虽然一定程度上也促进了区域协调发展，但相互间的协调发展政策与举措较少，合作计划虚多实少。而且由于区域合作组织的管理相对松散，缺乏对合作各方的约束激励机制，相关省市之间签署的部分合作协议在落地实施方面存在一定的困难等。

第二，长江经济带产业同质的矛盾突出，产业转型升级任务艰巨。由于历史和体制的原因，尽管长江经济带上下游之间存在显著的产业梯度和要素禀赋差异，但以省级为单位的行政区划导致对全域缺乏产业整体转型与升级的统筹规划，这明显加剧了区域协调发展的难度。多年来各省市突出地方经济发展，产业发展具有较高的同质性和攀比性，沿江各地纷纷把钢铁、石化、造船、汽车等产业作为主导产业，地方保护主义突出，这也导致产业竞争过度，市场相互割据，影响了生产要素的自由流动，产业协同性和经济互补性表现得不明显，企业规模在低效率基础上趋向小型化、分散化，从而造成分工效益和规模效益双重损失。

第三，长江经济带城市群发展不平衡，居民生活水平差距明显。近年来城市化发展促进地域城市群兴起，从城市群的状况来看，下游城镇体系完备，已形成由超大城市—特大城市—大城市—中等城市—小城市组成的、相对完善的城镇体系结构；中游城镇化基础良好，城市群发展迅速；上游城市数量少，分布分散，城镇体系还不够完善。从协调发展的指标可以看出，11 个省市的城市化率排名前三的依次为上海市、江苏省和浙江省，其中上海市的城市化率处于遥遥领先的地位，达到了约 90%；城乡收入比由小到大排名前三的依次为浙江省、上海市和江苏省。由此可以看出，除长三角城市群外，中上游城镇体系仍不够完善，城乡融合发展水平有待进一步提高。此外，长江经济带沿线超大和特大城市群的兴起并没有对周边的城镇化带来渗透作用，反而产生“虹吸”效应。劳动力等生产要素向中心城市集聚，但由于社会公共服务目前还存在较大短板，导致沿江中心城市资源过度集中，城市承载力下降、发展负荷过重。而其他中小城市和农村地区形成发展“漏斗”和资源耗散，造成区域内和区域间发展严重不平衡，这既不利于现代化经济体系的形成，也不利于发挥产业梯度转移的扩散机制。

第四，长江经济带上下游联动与协调不足，黄金水道功能未能充分发挥。黄金水道形象地体现了长江航运运量大、成本低、耗能少的优势，航运优势是长江经济带发展的重要支撑与保障。由于上下游联动与协调不足，部门之间衔接不够，加之对未来需求估计不足，长江航运仍面临上游不通、中游不畅、桥坝阻隔等关卡，导致黄金水道的优势并没有得到充分发挥。具体原因包括以下两方面。首先，长江干支流航道缺乏系统整合，“黄金水道”的干流标准低，航道等级不足，主要支流航道建设滞后，港口标准化、规模化和集约化发展水平不高，导致长江航运潜能尚未充分发挥，客观上延滞了沿江产业的进一步发展。其次，三峡枢纽通过能力不足，长江三峡船闸的通行能力已提前达到设计通过能力，处于超负荷运行状态，航运的瓶颈问题日渐突出，挖掘潜力的空间非常有限。

4.1.3 绿色发展方面面临的挑战

近几年来，长江经济带坚持以“共抓大保护、不搞大开发”为导向，不断推动经济绿色发展，在经济取得进步的同时，生态环境也明显得到改善。但长江经济带仍面临着严峻的生态环境状况，在绿色发展方面将面临更多的挑战。

首先，长江经济带水质性缺水问题严重。长江经济带水资源需求量与日俱增，人均占有水量仅为世界人均占有量的 1/4。同时，长江干线危险化学品运输量超过 1.6 亿吨，运输量仍以年均近 10％的速度增长，作业品种超过 250 种，化学品泄漏和废水事故性排放等环境风险概率显著增加；固体危废品跨区域违法倾倒呈多发态势，污染产业向中上游转移等风险隐患加剧。

其次，长江经济带人口、经济和土地城镇化矛盾明显。长江经济带土地面积约 205 万平方公里，占全国的 21％，但人口和经济总量超过全国的 40％，从上游到下游区域，经济、人口承载比重逐步趋多，但土地资源占比逐步减少。除此之外，长江经济带的污染排放强度高，环境风险隐患突出，从长江经济带地区工业污染治理投资额的不断增加以及占全国的比重不断增加可以看出，长江经济带在工业污染治理方面面临着更加严峻的挑战；同时，长江经济带大部分区域的能耗、水耗和污染排放强度在全国平均水平以上，尤其是长三角地区污染物排放强度在全国平均水平的 4 倍以上。

最后，长江流域生态功能退化现象依然严重。长江“双肾”——洞庭湖、鄱阳湖频频干旱见底，接近 30％的重要湖库仍处于富营养化状态，长江生物完整性指数到了最差的“无鱼”等级；同时，长江经济带沿江地区的环境绿化面积需要进一步提升，该地区各省市的城镇人均绿地面积分布不均衡，除了上海市、江苏省和浙江省，其余 8 个沿江省市的城镇人均绿地面积均低于全国平均水平。

长江经济带沿江地区还存在协调机制不健全，生态补偿难以有效解决的问题，主要表现在长江经济带沿江地区生态补偿指标理论上比较健全，但是可选取的具有代表性和操作性的指标难以明确；由于长江经济带涉及 11 个省市，一些省市存在互为上下游、左右岸的关系，关系比较复杂，难以确定归属问题；现有的生态补偿大都是以资金补助为主，市场化补偿较弱，所起到的效果也较有限。

4.1.4 开放发展方面面临的挑战

过去十余年长江经济带11个省市顺应全球化趋势，持续稳步扩大开放，对外开放度总体稳步上升。然而，世界百年未有之大变局加速演进，世界经济形势仍然复杂严峻，复苏前景不稳定、不平衡，疫情冲击导致的各类衍生风险不容忽视。面对外部环境更加不稳定、不确定带来的挑战，长江经济带要在提高对外开放水平上下功夫，推动改革和开放相互促进，通过融入国际循环有效助力国内大循环提质升级，为经济带内经济持续恢复和高质量开放注入中长期动力。

一方面，长江经济带中上游地区贸易开放程度较低。总体来看，长江经济带的区域国际贸易规模和质量走在全国前列。2018年，长江经济带11个省市进出口总额超2万亿美元，约占全国进出口总额的44%。但经济带的国际贸易主要聚集在下游地区，2018年下游4省市国际贸易比重占全经济带的82.6%；而中游地区和上游地区分别仅占10.2%和7.3%。近年来，中上游地区的国际贸易在全经济带占比实际上已有所提升，但短期内仍无法改变以下游为主的格局。从前述指标分析也可以看出，11个省市中外贸依存度排名前3的依次为上海市、江苏省和浙江省；在对外承包工程营业额占GDP的比重方面，上海仍然处于领先地位；在实际利用外资占GDP的比重方面，上海位列第二。由此可知，下游的上海、江苏和浙江在经济带开放发展方面始终占据领先地位；中游的湖南等省份近年来开放度快速跃升，进入全国前列；而上游的贵州等省份排名一直相对靠后，贸易开放程度仍然有很大的提升空间。

另一方面，长江经济带在高水平对外开放方面仍有较大提升空间。一是对世界经济的影响力仍有较大提升空间。长江经济带对全球经济的影响力在低层次的商品层面较强，而在较高层次的服务、资本、金融层面相对较弱。在商品贸易方面，货物贸易占世界比重大幅提升，而服务贸易所占比重相对较小。二是在全球经济分工中所处的层次仍有较大提升空间。在全球价值链制造环节，长江经济带所处分工层次持续上升，但相较美国等发达经济体，仍有明显差距。在品牌、营销、研发等全球价值链的服务环节，长江经济带在全球经贸合作中的层次也在不断上升，但与发达经济体之间的差距相较生产制造环节更大。从跨国公司的全球化经营能力看，经济带内大型跨国公司的跨国指数与全球大型跨国公司平均水平相比仍然有较大差距。三是主动创造开放合作新模式、新规则、新标准的能力仍有较大提升空间。随着全球化的深入发展，协同创新、平台共享、个性化跨国定制、第三方市场合作等新型经贸合作模式层出不穷，迫切需要创设新规则、新标准。当前，长江经济带在跨境电子商务、跨境基础设施建设投融资、第三方市场合作等新型经贸合作领域的规模已经跃居世界前列，但制定相关规则和标准的能力却相对滞后。另外，从前述开放发展指标也可以看出，长江经济带的外贸依存度、对外承包工程营业额占GDP的比重始终低于全国平均水平，并且大致呈下降趋势；长江经济带实际利用外资占GDP的比重虽然高于全国平均水平，但整体仍然呈下降趋势。由此可知，长江经济带的开放水平还有较大的提升空间，需要努力构建全方位开放新格局，使得开放型经济发展水平能够进一步提高。

4.1.5 共享发展方面面临的挑战

近年来，在推进全面建成小康社会的过程中，长江经济带有关增进民生福祉的政策已经取得了显著成效。推进棚户区危房改造，全面推进县级公立医院综合改革，提高低保、企业退休人员基本养老金标准等民生举措，让老百姓拥有了实实在在的获得感。然而不容忽视的是，由于社会发展的阶段性困难以及对民生重视力度仍显不够，长江经济带民生领域在取得巨大进步的同时，一系列新老民生问题仍在一定阶段、一定层面、一定区域影响或困扰着百姓生计，未来一段时间内，民生问题会随着民众对于生活质量要求的提高而有所强化。

其一，乡村建设和农村人居生活环境建设滞缓。长江经济带乡村金融发展不足，经济增长、产业发展亦出现瓶颈。一方面，长江经济带由于金融、产业等方面存在的问题，导致其得天独厚的条件没有在新时代乡村振兴中发挥出领头羊的作用，同时也没有发挥好具有企业家精神的新型农民队伍这一关键力量，阻碍了乡村振兴的进程。另一方面，长江经济带部分农村地区居住条件差、生活用水受到污染、养殖业污染严重、农村生态环境污染正在不断加剧、农村基础设施建设滞后、基本公共服务供给严重不足等问题尚未有效解决，人居生活环境整治工程可谓刻不容缓。另外，扶贫攻坚问题是民众关注的焦点，而贫困人口和低收入阶层的基本生活保障及其出路是解决问题的关键。在政策层面上，长江经济带各级政府对扶贫问题非常重视，投入资金也很多。但由于一系列客观原因，在短期内仍然难以实质性改变低收入群体的收入状况。在信息化时代，少数特困群体的状况更容易引发关注，因而在整个社会发展水平不断提高的背景下，长江经济带民众对贫困群体的基本保障问题会不断加以关注，同时会寄希望政府给予更多的帮扶。

其二，从民生诉求的主要领域来看，教育特别是幼儿教育的短板逐渐显现，而民众的需要和关切不断强化。教育具有公共特征，相比而言，目前小学、初中及大学教育更具有公共产品特征，社会的满意度相对较高。但幼儿教育目前有相当部分归属于私人投资领域，公立幼儿园的数量有限。幼儿阶段的教育随着人口政策的变化，相当长时间里供需矛盾比较突出，并且由于幼儿本身的脆弱特性，更容易引起社会的关注；另外，高中教育未纳入义务教育范畴也是一个值得关注的问题，随着居民收入的增加，对教育的质量要求会相应提高，优质高中将是民众期望所在。因而，在教育方面，建立更优质的幼儿园、将高中纳入义务教育将会是长江经济带民生诉求的重点。另外，从前述的教育和公共文化方面的指标分析可知，长江经济带的人均教育支出和公共图书馆藏量虽然高于全国平均水平，但各省市在教育和精神文化生活领域仍然存在较大差异，上海市、江苏省和浙江省的人均教育支出和公共图书馆藏量明显高于长江经济带的其他省市，长江经济带现阶段的教育资源分配不均衡的现状需要进一步改善。在医疗卫生领域，随着老龄化不断增加，人口预期寿命逐渐延长，医疗资源紧缺问题可能会进一步凸显。客观上说，随着社会的发展和收入水平的提高，长江经济带沿江区域内居民对于医疗品质的要求也会不断提高，但目前，经济带的医疗资源整体紧张，而且资源分配并不合理，医患矛盾时有发生，公众的关切也在不断增加。同时，就业问题将会进一步显现，如何解决毕业生就业问题仍然会是艰巨的任务。随着新增适龄劳动力的增加，岗位增加的幅度有所下降，就业压力有可能会不断加强。特别是随着技术进步，社会对劳动力的需求有所下降，就业将更为困难。毕业生的去向，特别是大中城市毕业生的就业问题将会被社会广泛关注，来自贫困地区和农村地区的毕业生可能更难留在大中城市。

4.2 推进长江经济带经济高质量发展的思路

4.2.1 全力促进科技创新

推动长江经济带高质量发展，要全面贯彻新发展理念，坚持创新引领，落实创新驱动发展战略，以创新创业为抓手，发展新经济，加速产业优化升级，以体制机制改革为突破口，激发创新活力，不断推动长江经济带经济转向高质量发展。

第一，全面塑造创新驱动发展新优势。长江经济带沿线各省市要勇于创新，坚持把经济发展的着力点放在实体经济上，围绕产业基础高级化、产业链现代化，发挥协同联动的整体优势，全面塑造创新驱动发展新优势；要建立促进产学研有效衔接、跨区域通力合作的体制机制，加紧布局一批重大创新平台，加快突破一批关键核心技术，强化关键环节、关键领域、关键产品的保障能力。长江经济带要加快推动中上游地区科技创新中心和综合性国家实验室建设，提升原始创新能力和水平；强化企业创新主体地位，打造有国际竞争力的先进制造业集群，打造自主可控、安全高效并为全国服务的产业链供应链；要激发各类主体活力，破除制约要素自由流动的制度藩篱，推动科技成果转化。

第二，加大对新兴产业的创新支持。首先，加快新材料产业的创新与进步。长江经济带在围绕保障大飞机、微电子制造、深海采矿等重点领域产业链供应链稳定的同时，要不断加快在光刻胶、高纯靶材、高温合金、高性能纤维材料、高强高导耐热材料、大尺寸硅片、电子封装材料等领域实现突破；实施新材料创新发展行动计划，提升稀土、钒钛、铷、铯、石墨等特色资源在开采、冶炼、深加工等环节的技术水平，加快拓展石墨烯、纳米材料等在光电子、航空装备、新能源、生物医药等领域的应用。其次，加快新能源产业跨越式发展进程。聚焦新能源装备制造“卡脖子”问题，加快主轴承、绝缘栅双极晶体管（IGBT）、控制系统、高压直流海底电缆等核心技术部件研发；加快突破风光水储互补、先进燃料电池、高效储能与海洋能发电等新能源电力技术瓶颈，建设智能电网、微电网、分布式能源、新型储能、制氢加氢设施、燃料电池系统等基础设施网络；提升先进燃煤发电、核能、非常规油气勘探开发等基础设施网络的数字化、智能化水平。最后，加快数字创意产业融合发展。长江经济带各省市需要鼓励数字创意产业与生产制造、文化教育、旅游体育、健康医疗与养老、智慧农业等领域融合发展，激发市场消费活力，不断建设一批数字创意产业集群；加强数字内容供给和技术装备研发平台，打造高水平直播和短视频基地、一流电竞中心、高沉浸式产品体验展示中心，提供虚拟现实（VR）旅游、增强现实（AR）营销、数字文博馆、创意设计、智慧广电、智能体育等多元化消费体验；进一步贯通内容生产传播价值链和电子信息设备产业链，联动线上线下文化娱乐和综合信息消费，构建新时代大视听全产业链市场发展格局。

此外，应加强长江经济带上中下游地区的创新合作，在长三角地区日益实现经济增长与高科技产业快速发展趋势下，更应关注缩小长江上游地区如贵州、云南、四川等欠发达地区与长江下游的经济发展差异；国家以及地方政府要加大对中上游地区的转移支付与创新投入，加速推动整个流域创新资源共享、区际科技要素无阻碍流动与创新资源高效的汇聚；建立跨区域协同合作机制，强化长江经济带区域协同创新平台建设，利用大数据、云计算、人工智能、智慧信息平台等构建紧密的区际创新网络，优化区域协同创新的制度环境，促进跨区域协同创新合作，提升协同创新效率。

4.2.2 强化区域协调联动

推进长江经济带协调发展，必须统筹兼顾，建立有效的制度化协调运作机制，搭建顺畅的合作平台，促进资源优化配置，避免重复建设、无序竞争，从而实现资源共享、优势互补、分工协调、共赢发展。

第一，建立高效务实的区域协调分工机制。进一步加强巩固长江经济带各省市的协调机制建设，建议由国务院牵头，成立由中央各部委和长江经济带有关省市参加的长江流域合作发展委员会，代表国家行使长江经济带规划、建设与管理权利。长江流域合作发展委员会的主要职能是：组织协调跨区域的重大战略资源开发、重大基础设施以及生产要素布点、统一的市场竞争规则和政策的制定。长江流域合作发展委员会下设相关的推进协调机构，围绕产业投资、基础设施建设、生态环境保护不定期召开各级别层次的协调会，落实中央有关优惠政策和项目布局要求。在长江流域合作发展委员会的领导下，不断创新深化区际协调模式，如组建有各省市参加的共同发展基金，通过共同的权力干预资源的分配，调动各省市利益主体参与协调的积极性；组建上海、南京、武汉、重庆四个长江流域重要节点城市的城际协调会，以重点中心城市为依托，前期开展一些具有实质性内容的合作，促进长江上中游地区城市之间紧密联系。

第二，完善产业发展的共建与补偿机制。长三角洲城市群、长江中游城市群和成渝城市群“三极”的产业布局具有梯度差异性，为产业合理分工与协调互补布局发展提供了可能性。要进一步深化长江经济带的产业布局规划，尽早研究并出台长江经济带发展总体规划、分区域功能布局规划，发布分区域投资指南和产业发展指导目录。从国家重点产业布局“一盘棋”角度考虑整合流域产业布局与梯度转移，立足于自身的比较优势展开更高层次的分工合作。如对于国家级石化、高端装备制造、航空航天制造、新能源、新一代信息技术等战略性产业，应从长江流域整体考虑布局整装基地和配套基地，推进下游部分失去比较优势的产业有序向中游和上游地区转移，国家应从财税补贴、土地指标供给方面，给予退出地区和承接地区双向支持，以促成产业合作链条在长江流域更广泛的范围内展开。又如重庆港作为长江上游地区最大的内河港口，应作为上游 4 省市统一的对外集疏运货物港口，考虑由中央企业和 4 省市共同出资，组成统一的内河港口投资运营公司共同投资建设与经营管理，引导上游沿江城市的货物在重庆集中转运，以化解上游各城市港口重复投资建设的矛盾。

第三，建立经济带一体化发展的体制机制。在发展思路上，要增强系统思维，统筹各地改革发展、各项区际政策、各领域建设、各种资源要素，变各自为政的孤立式发展为区域协同的联动式发展，促进沿线地区效率最大化和发展一体化，使区域经济更具均衡性和可持续性。长江经济带作为流域经济体，涉及水、路、港、岸、产、城等多个方面，要运用系统论的方法，正确把握自身发展和协调发展的关系，长江经济带的各个地区、每个城市在各自发展过程中一定要从整体出发，树立“一盘棋”思想，实现错位发展、协调发展、有机融合，形成整体合力，努力将长江经济带打造成为有机融合的高效经济体。在由长江经济带发展领导小组出台的政策基础上，瞄准长江经济带一体化发展目标，围绕重大事项协商、城市群联动、港口协调发展和横向生态补偿等重点领域进一步深化体制机制创新，逐步建立健全推动长江经济带一体化发展的体制机制。

4.2.3 深化绿色发展方式

推动长江经济带高质量发展，必须坚持生态优先、创新绿色发展，要勇于担当、主动作为，坚决打好长江保护修复攻坚战，努力做到以下几个方面。

首先，要把修复长江生态环境摆在压倒性位置，构建综合治理新体系，统筹考虑水环境、水生态、水资源、水安全、水文化和岸线等多方面的有机联系，进一步完善水资源管理体系，实行最严格水资源管理制度，推进长江上中下游、江河湖库、左右岸、干支流协同治理，改善长江生态环境和水域生态功能，提升生态系统质量和稳定性；同时要狠抓突出问题整改，全面排查生态环境问题及风险隐患，要找出问题根源，从源头上系统开展生态环境修复和保护，并采取有力措施，逐项开展整改。同时，要举一反三带动生态环境全域治理；扎实推进污染治理“4＋1”工程，加快补齐环境基础设施短板；毫不松懈做好长江“十年禁渔”工作，持续巩固禁捕退捕成效；还要加强重要支流、重要湖泊治理，深入推进入河排污口整治工程，强化“三磷”和锰污染治理。

其次，长江经济带还要培育绿色高质量发展新优势。加快沿江高铁等一批综合交通走廊骨干项目规划建设，积极发展多式联运，提高综合交通网络化、智能化、现代化水平，重点任务包括：提升黄金水道功能，稳步推动航道区段标准、船舶标准、港口码头管理、通关管理"四个统一"建设；完善综合运输网络，加快沿江铁路、省际待贯通高速公路、支线机场等重大基础设施项目建设；加快发展铁水、公水、空铁联运，着力解决各种运输方式之间的衔接问题，优化与中欧班列、水水中转等运输模式的高效衔接。在此基础上，长江经济带要加强协同联动，强化山水林田湖草等各种生态要素的协同治理，推动上中下游地区的互动协作，增强各项举措的关联性和耦合性；在重点突破的同时，要注意系统性和整体性，防止畸重畸轻、单兵突进、顾此失彼；要在严格保护生态环境的前提下，全面提高资源利用效率，加快推动绿色低碳发展，努力建设人与自然和谐共生的绿色发展示范带。

最后，长江经济带在绿色发展方面还要不断强化国土空间管控和负面清单管理，严守生态红线，持续开展生态修复和环境污染治理工程，保持长江生态原真性和完整性；要加快建立生态产品价值实现机制，让保护修复生态环境获得合理回报，让破坏生态环境付出相应代价；要健全长江水灾害监测预警、灾害防治、应急救援体系，推进河道综合治理和堤岸加固，建设安澜长江。在生态补偿方面要积极建立长江流域生态补偿大数据平台，统一规范水质监测体系；积极探索多元化生态补偿方式，包括如互派干部挂职、对口帮扶等服务补偿以及项目支持补偿等多种形式；重点利用传感技术、感知设备和智慧化系统，准确把握长江经济带环境变化动向，实施信息化精准管控。

4.2.4 扩大对外开放

推动长江经济带开放发展，必须充分利用好国内国外两种资源、两个市场，畅通"国内国际双循环"。长江经济带沿线省市正处于经济社会转型发展关键时期，必须走高水平对外开放之路，加快贸易和投资环境与国际接轨，优化基础设施互联互通，打通经济走廊，以"一带一路"引领经济带全方位开放，发挥特殊经济区域的强大示范带动效应，勇于创新，积极开辟国际合作新渠道。

一方面，加强与"一带一路"建设融合。推进"一带一路"建设是统筹国内国际两个大局，落实开放发展理念的重大战略部署。长江经济带是"一带一路"在国内的主要交汇地带，要统筹沿海、沿江、沿边和内陆开放，实现同"一带一路"建设有机融合，培育国际经济合作竞争新优势。要推动落实具备条件的沿江口岸加入安全智能贸易航线试点计划，扩大机电产品和高新技术产品出口总量，增加来自“一带一路”沿线国家的能源、资源和农产品进口种类。要以重庆、成都、武汉和义乌等经济带内关键城市为突破口，推动中欧班列品牌进一步做大做强做优，促进中国与欧洲及沿线国家的务实合作，打造国际陆路运输的中国方案。发挥相关重点省市在衔接新亚欧大陆桥经济走廊、面向南亚及东南亚地区开放等方面的优势，加快建设以“国际陆海贸易新通道”为代表的周边基础设施互联互通项目，进一步加强重庆、云南等重点省市与相关国家和地区的联系，大幅提升中西部地区的对外连通性，促进相关地区之间更好融合发展，形成陆海内外联动、东西双向互济的开放新格局。

另一方面，推动特殊区域开放发展。以自由贸易区、综合保税区、跨境经济合作区等为代表的特殊经济区域稳步发展，为长江经济带的深化改革和扩大开放提供了实实在在的平台载体。一是做好自由贸易区建设。以中国(上海)自由贸易试验区为先锋，自2013年至今，国务院批准的22个自由贸易试验区(以下简称自贸试验区)中有9个位于长江经济带，自由贸易区对整个经济带进一步开放发展，扩大对外贸易具有重要作用。围绕自贸试验区建设发展需要，在营造优良投资环境、提升贸易便利化水平、推动金融创新服务实体经济、推进人力资源领域先行先试等方面，加大改革授权和开放力度，给予政策扶持，体现特色定位，着力打通有关工作的“堵点”和“难点”，推动自贸试验区更好发挥示范引领作用。二是扩大综合保税区。在综合保税区优先实行贸易和投资自由化、便利化政策，建立更加市场化的运营机制和更为灵活的政策支持体系，促进区内市场主体自主开展贴近国际市场的创新业务。在综合保税区建设辐射经济带的外贸综合服务平台、进口商品分拨平台、大宗商品交易平台、金融服务创新平台，以高能级平台带动经济带开放型经济的发展。加强综合保税区与其所在区域内的自贸试验区、经济技术开发区、高新技术开发区的政策对接、产业融合、空间联动。三是设立跨境经济合作区。重点在长江经济带边境地区设立边境经济与旅游合作区，促进跨境经济贸易合作与开放发展。逐步建立完善跨境两国政府各自的管理委员会，建立常备性的协商机制，共同研究协调跨境经济区的发展规划、物流、海关、检验检疫、税收、金融等政策，创新跨境经济合作区双边协调机制。对经济区内的人流、物流进入他国的经济腹地应给予一定的便利，降低贸易成本。

4.2.5 夯实成果共享

推动长江经济带共享发展，需积极响应社会公众的民生关切，深入分析民生诉求的特点，并采取有针对性的措施加以解决。要改变原先单一重视产出的目标，更多地将目光聚焦到“以人为本”的民生改善之上，社会发展最终要落到民众的基本社会福利之中，满足人民群众对教育、医疗、就业、乡村建设、扶贫攻坚等民生领域的诉求。

首先，促进教育领域成果共享。加大公立幼儿园的建设，同时，逐步推进将高中阶段纳入义务教育范畴。幼儿教育阶段，教育对象的权利难以自我维护，需要严格的公共监管，因而不适合大规模商业化运作。随着经济发展水平的提高，长江经济带各级政府应承担更多的公共投入。应该考虑培养幼师，提高从业人员门槛及其待遇。同时，也要减少私人资本的过多介入，防止个别资本方通过压缩成本等方式从中谋取高额的利润，侵害教育主体的利益。在高中教育方面，由于长江经济带的发展水平已经到了新的高度，可以将高中阶段逐步纳入义务教育范畴。不能简单地认为，原先的义务教育划分仍然适用于当前的发展水平。同时，教育具有人力资本投入特性，因而长江经济带应根据社会发展程度，适时适当地增加教育投入。

其次，推进医疗体制改革，扩大优质医疗资源的范畴，切实提高医生的工资收入标准和水平。增加政府对公共医疗资源的投入，增加医院的数量和服务场所及面积。培养更多合格医生，并采取各种措施，提高医生职业的吸引力。在改革的过程中，需要体现以医生为本的导向，改变原先医生“绩效工资”的模式，显现医疗的公共特性。同时，加强监督，引入更多的第三方力量，减少“过度治疗”等倾向。

再次，采取更多促进就业的措施。为广大毕业生提供更好的就业信息服务，减少户口等制度层面的障碍；同时，继续实施鼓励创业带动就业行动计划，鼓励适合的毕业生创新创业等；另外，也要吸引部分毕业生投身到国防建设之中。对于社会层面的失业人群，有关部门应给予相应的失业救济，辅以一定的再就业帮扶措施。要制定人员安置方案，实施专项就业帮扶行动，妥善处理劳动关系和社会保险接续，促进失业人员尽快再就业；产业结构调整补助资金、依据兼并重组政策规定支付给企业的土地补偿费要优先用于职工安置；完善失业登记办法，健全失业监测预警机制，实施失业预防和控制，保持就业局势总体稳定。

最后，巩固脱贫攻坚成果，确保已脱贫地区不返贫。从“真扶贫扶真贫”到“真脱贫不返贫”，新征程上更需要通过创新观念、激活动力、稳定收入来源、完善基础设施、提升公共服务等方式，降低脱贫群体的脆弱性，增强其发展能力，不断改善其生活水平，从而坚决守住不发生规模性返贫的底线。要让贫困人口收入有保障、扶贫成果稳得住，就必须完善监测帮扶机制，加大对乡村振兴重点帮扶县和易地搬迁集中安置区支持力度，促进脱贫人口持续增收，推动脱贫地区帮扶政策落地见效；另外要贯彻落实“摘帽不减政策”的工作要求，在贫困县摘帽、贫困村退出、贫困人口脱贫之后，做到摘帽不摘责任、不摘政策、不摘帮扶、不摘监管，确保扶贫政策和扶贫模式的稳定性和连续性，阻断贫困的代际传递。

05

第五章

经济高质量发展的评价指标体系构建

本章为测度分析篇的开篇，重点介绍经济高质量发展的评价指标体系是如何构建的。本章首先从经济高质量发展评价指标体系构建宗旨和经济高质量发展的相关研究两个角度介绍了经济高质量发展评价的理论基础，然后在理论基础之上介绍了经济高质量发展评价指标体系的构建原则和框架并基于创新、协调、绿色、开放、共享五个方面构建了经济高质量发展评价指标体系。本章的构成为后续章节的指数测度以及协同分析提供了充足的理论背景和完整的指标体系框架。

5.1　经济高质量发展评价的理论基础

5.1.1　经济高质量发展评价指标体系构建宗旨

经济高质量发展的相关理念来自 2017 年党的十九大报告，报告指出："我国经济已由高速增长阶段转向高质量发展阶段。"同年的中央经济工作会议也指出："中国特色社会主义进入了新时代，我国经济发展也进入了新时代，基本特征就是我国经济已由高速增长阶段转向高质量发展阶段。"经济的高质量发展是党中央对我国经济发展大势所作出的重要决策，其宗旨就是不再追求经济发展的速度有多快，而是要求经济发展在现有基础上进一步提质增效。

新发展理念的雏形是习近平总书记在 2015 年党的十八届五中全会中提出的，他强调，理念是行动的先导，创新、协调、绿色、开放、共享的新发展理念是我们在总结国内外发展经验教训的基础上形成的，也是在深刻分析国内外发展大势的基础上形成的，集中反映了我们党对经济社会发展规律认识的深化，也是针对我国发展中的突出矛盾和问题提出来的。这表明"创新、协调、绿色、开放、共享"的新发展理念是我国经济高质量发展的理论基础和重要理念，也是构建经济高质量发展指标评价体系的宗旨。2021 年 1 月 28 日，中共中央政治局就做好"十四五"时期我国发展开好局、起好步的重点工作进行第二十七次集体学习。习近平总书记在主持学习时强调，新发展理念是一个系统的理论体系，回答了关于发展的目的、动力、方式、路径等一系列理论和实践问题，阐明了我们党关于发展的政治立场、价值导向、发展模式、发展道路等重大政治问题。全党必须完整、准确、全面贯彻新发展理念，确保"十四五"时期我国发展开好局、起好步。未来推进中国经济深化高质量发展必须贯彻执行五大发展理念，从提高科学创新能力，解决低端产能过剩与高端供给不足的结构性矛盾,改变传统粗放型增长模式带来的资源与环境问题,改善开放环境并提高开放效率,提升公共服务与人民生活水平等方面入手,并最终服务于建设富强、民主、文明、和谐、美丽的社会主义现代化强国。2022 年 10 月 16 日,中国共产党第二十次全国代表大会在北京人民大会堂开幕。党的二十大报告提出:"高质量发展是全面建设社会主义现代化国家的首要任务。"明确了未来五年我国发展的主要目标任务,"经济高质量发展取得新突破"排在首位。党的二十大报告提出了五大经济布局,包括构建高水平的社会主义市场经济体制、建设现代化的产业体系、全面推进乡村振兴、促进区域协调发展和推进高水平对外开放。这五大布局的落实将使中国经济基础更加牢固,国家发展水平、科技水平、安全发展水平、人民生活水平和对外开放水平将得到提升。

5.1.2 经济高质量发展评价的相关研究

目前,关于经济高质量发展的相关研究可以大致总结为从内涵、实现途径和评价指标的角度来进行研究。

(1) 经济高质量发展内涵的相关研究

狭义上的经济高质量发展主要指在经济发展过程中要素投入效率的提高以及产出品质的提高。国家发展改革委经济研究课题组认为高质量发展的内涵是以高效率和高效益为目标的生产模式。王东京从动力关系的视角分析经济高质量发展,他认为经济高质量发展是经济效率的变革;逄锦聚等指出,经济高质量发展强调在发展经济的同时要更加注重效率,国家可通过改善经济结构和转变动力机制来改变经济发展方式。

广义上的经济高质量发展主要指在狭义定义的基础上还需考虑社会、政治、文化、生态等方面与经济发展之间的联系。洪银兴提出五大发展理念是经济高质量发展的依据,也是经济高质量发展的核心内容;金碚指出,经济高质量发展应是能够更好满足人民日益增长的物质需求的发展模式、结构和动力;程承坪、赵昌文和朱鸿鸣认为经济社会发展中的不平衡、不充分问题是衡量经济高质量发展的重要因素;马茹等指出,经济高质量发展是当今中国经济面对结构性矛盾、资源环境瓶颈、复杂多变的国内外形势等考验所做出的对于未来发展道路的重大战略选择,是更高质量、更具效率、更为开放的经济发展模式;张军扩等认为,经济高质量发展的内涵从本质上来讲是以满足人民日益增长的美好生活需要为目标的高效率、促公平和绿色可持续的发展。

综上所述,狭义上的经济高质量发展强调经济效率,广义上的经济高质量发展则更注重政治、文化、社会、生态等方面与经济发展的关系。由此可见,经济高质量发展模式对经济效率高、要素生产配置好、环境成本低等方面提出了要求。

(2) 经济高质量发展实现途径相关研究

实现经济由高速发展向高质量发展的转变不仅需要赋予经济发展新内涵,也需要通过结构性改革形成相应的发展机制体制,使得经济高质量发展有路可走,有方可行。对此,高培勇等指出,经济高质量发展要以新发展理念为内涵,以供给侧结构性改革为实现途径;王一鸣认为实现经济高质量发展的途径在于竞争、创新、产权保护、要素市场化改革、教育体制改革、扩大对外开放等方面;安淑新指出,经济高质量发展的实现途径主要包括加快实现要素的市场化配置、深化社会保障制度改革、构建有利于创新的体制机制、加快扩大开放等几个方面;任保平提出,实现高质量发展,要在创新上下功夫,必须把立足点放在提高经济发展质量和效益上来,同时重视资源的开发、利用和保护,改善民生、保护环境,更加重视经济社会全面发展;魏敏和李书昊指出经济高质量发展需要实施全地域视角下的各省份经济高质量发展协同优化策略,缩减经济高质量发展水平的区域差距;吴志军和梁晴指出经济高质量发展应明确战略导向、深化要素市场化配置改革、加强科技创新和自主研发能力、调整和完善国民收入分配、着眼民生福祉和深化供给侧结构性改革等;秦放鸣和唐娟为提升经济高质量发展提出了提高资源配置效率、促进产业结构升级、增强创新驱动等路径。

综上所述,实现经济由高速发展向高质量发展的转变,必须基于新发展理念进行新的制度安排,特别是要进行供给侧结构性改革,要形成适应高质量发展要求的体制机制环境,然后再从创新、协调、绿色、开放、共享五个方面着手推进经济高质量发展。

(3) 经济高质量发展评价指标相关研究

基于狭义与广义层面上的经济高质量发展内涵,学者们也分别从狭义与广义角度构建了经济高质量发展水平的衡量指标体系。部分研究从狭义角度衡量经济高质量发展水平,认为经济效率是判断高质量发展最重要的标准。如 Zhang 和 Kong、Mei 和 Chen 通过使用索洛残差法,构建出投入产出模型,进而测算出全要素生产率(TFP)并使其能够衡量中国经济发展的质量;Chung 等人使用方向距离函数应用于 Malmquist 方法将非期望产出添加在投入产出模型中,从而能够测算绿色全要素生产率(GTFP)。Yörük 和 Zaim、Kumar、Feng 和 Serletis、余泳泽等利用测算 GTFP 的方法,将 GDP 作为期望产出,将污染物排放作为非期望产出,测算出 GTFP 的大小,并将测得的 GTFP 用于衡量经济质量。

与将单一经济效率视为经济高质量发展的思路不同，部分学者从广义角度构建经济高质量发展的衡量指标体系，这体现出衡量过程的综合性和系统性。如师博和任保平借鉴联合国人类发展指数和经济脆弱度指数，测算了1992—2016年中国省际经济增长质量指数；卞泽阳等通过效率、科技、人才资源、金融水平和市场等五个维度分别测算出全要素生产率、科技创新能力、人力资源质量、金融体系效率和市场配置资源机制，并据此构建了经济高质量发展评价指标体系；魏敏和李书昊则通过区域经济结构优化水平、创新驱动发展水平、资源配置效率等十个方面构建区域经济高质量发展的评价指标体系。此外，也有部分学者强调了社会因素的重要性，如师博和张冰瑶认为经济高质量发展应包含经济和社会两个方面；李金昌等从社会主要矛盾的两个方面着手，用经济活力、创新效率、绿色发展、人民生活、社会和谐这五个方面来构建经济高质量发展的评价指标体系。

综上所述，经济高质量发展已经成为当下研究的热点，很多研究从经济高质量发展内涵、实现路径、评价指标角度为提升经济发展质量及推动经济高质量增长提供大量理论基础。虽然由于高质量发展概念的提出时间较短，不同研究所得出的结论仍然存在着一定的分歧，然而已有研究的共性之处都或多或少地借鉴了新发展理念的内容。因此，构建出以“创新、协调、绿色、开放、共享”的新发展理念为基础的一套科学的经济高质量发展评价指标体系，对于经济高质量发展的相关研究具有重要的意义。

5.2 经济高质量发展评价指标体系的构建原则和框架

5.2.1 经济高质量发展评价指标体系构建原则

在构建指标体系的过程中，应综合考虑实现经济高质量发展的相关因素，确保指标体系能够更真实、更全面地反映经济的高质量发展。因此经济高质量发展评价指标的选取应遵循以下原则。

第一，代表性原则。指标选取的首要前提就是指标需要具有代表性，这是保证评价准确、科学的关键。如果指标不具备代表性，那么之后所有的测度计算与实证研究都会失去意义。因此，应根据经济高质量发展所涉及的主要内容，选取最具有代表性的指标进行测度评价。

第二，科学性原则。首先，经济高质量发展是一个综合性的过程，其涉及科技创新、生态环境、社会基础设施建设、外贸进出口等各个方面，进行测度评价时过程较为复杂，因此指标的设计要秉持科学的原则。其次，科学性原则还要反映该指标能够抓住经济高质量发展的本质和特点，以达到正确测度的目的。最后，指标在选取的过程中要避免重复，做到全面而不重叠，这样使得指标选取更加科学。

第三，客观性原则。客观性是指在评价指标设计的过程中秉持实事求是的原则。一方面，要限制和减少偏离客观要求的随意性；另一方面，需要确定能够实现客观要求的方法和评价指标。收集的资料信息真实可靠，构建具有可行性的指标评价模型，保证评价结果客观公正，对一部分定性指标使用合适的方法进行量化，以保障经济高质量发展评价指标体系的真实性和准确性。

第四，可操作性原则。可操作性是指依据科学理论构建的指标评价体系在实际中可以被成功运用，即要求指标体系的设置清晰，对指标的意义描述准确，需要的资料在现有条件下可以获取。否则，即使指标设计得再合理，若数据无法找到，也无济于事。因此在选取经济高质量发展评价指标的过程中应注意指标量化和数据获取的难易程度，保证数据来源的真实性和可靠性。

第五，可比性原则。本书长江经济带经济高质量发展测度以长江经济带11个省市为研究对象，而这11个省市在历史进程中形成了各自的特色，彼此之间具有差异性。因此指标选取在时间和空间上要具有可比性，且在不同省市之间也要具有可比性，这样才能够从不同角度进行测度和分析。

5.2.2 基于新发展理念构建的经济高质量发展评价指标体系框架

5.2.2.1 经济高质量发展中的创新

创新是引领发展的第一动力，是提升生产能力、市场效率、企业竞争力的主要支撑力。发展动力决定发展速度、效能和可持续性。坚持创新发展，就是把创新摆在国家发展全局的核心位置，不断推进理论创新、制度创新、科技创新、文化创新等各方面的创新，让创新贯穿党和国家一切工作，让创新在全社会蔚然成风。在上述的几个创新点中，本节重点介绍科技创新。科技创新从提高社会生产效率、驱动高质量供给、推动消费结构升级、推动产业结构升级、影响资源环境等方面对经济高质量发展起到了重要的促进作用。

(1) 科技创新提升社会生产效率

科技创新之所以能够促进经济高质量发展，其关键就在于它优化了资源的配置效率，并且提升了社会的生产效率。从发展经济学的角度来看，科技创新对资源配置效率的影响呈现出阶段性特征。具体来看，在经济起步阶段，主要是依赖资本投入和劳动投入，科技对经济的贡献较小，这较为符合中国过去的粗放型增长模式，换言之，经济增长主要依赖资本投入，科技创新对经济增长的驱动作用相对较弱。而在经济腾飞阶段，科技创新对经济增长的驱动力逐渐增强，新兴技术的出现不断影响着市场环境，资源配置的方向与效率也因此发生变化。在此阶段，科技创新提升社会生产效率的方式主要有以下三种：首先，通过科技创新优化生产要素的组合方式，进而推动社会分工的深化与拓展；其次，通过创新技术在经济领域中的有效转化运用，提高经济要素的配置效率；最后，通过淘汰占有和消耗大量要素的低效率企业和僵尸企业，促进经济资源向先进技术企业转移。

（2）科技创新驱动高质量供给

科技是第一生产力，从人类社会的进程中可以看出，每当社会生产力出现进步时，都会伴随着科技变革。随着科技创新水平的提高，技术成果的形成与成果走向产业化之间的周期越来越短，这不仅直接提高了产品质量，也间接为产品和服务的高质量供给带来源源不断的技术支撑，进而提升经济高质量发展。进一步地，科技创新通过市场机制和企业逐利机制激发企业市场活力和创新能力，有助于开辟新的经济增长点，尤其是促进高新技术产业的发展。只有通过提升科技创新驱动经济高质量发展的能力，才能建立独立自主的研发中心、设计中心和制造中心，才能使中国由制造大国升级为“智造强国”，才能形成以战略性新兴产业为引领、先进制造业为基础、现代服务业为主体的现代化产业新体系。

（3）科技创新推动消费结构升级

科技创新有助于将知识要素转化为生产成果，将潜在的生产能力转化为客观的物质财富，从而推动消费结构升级。上述结构升级过程主要通过以下几个方面来实现。① 供给侧结构性改革，当全社会自主创新能力提升后，能够根据消费者的各类需要进行更有针对性的供给改善并逐步满足消费者既定收入条件下的有效需求，从而避免消费与供给结构失衡，进而有效扩大消费需求，最终有助于经济高质量发展。② 科技创新促进产品和服务的多样化，其创新成果的应用与普及可以大大丰富居民生活，由此产生“引致需求”，最终提升新的消费增长点。③ 科技创新在促进消费需求扩大的同时，通过建立起新技术、新产品、新服务等新优势，形成较大的潜在利润空间，从而促进投资需求的增长。投资需求的增长进而带来供给增加，客观上也促进了消费需求。④ 从企业生产的角度来看，科技创新推动消费结构升级的同时，一方面诱使企业不断提升自身产品与服务的科技含量以及附加值；另一方面也会倒逼企业不断加大创新投入并开发新的产品与服务。

(4) 科技创新推动产业结构升级

在供给侧改革的驱动下，我国科技创新水平不断提升，推动了产业结构向更优化的方向发展。科技创新有助于催生新的经济结构，通过开发新兴技术或对已有技术的应用进行创新，均能够演化出新的产品和服务。具体来看，一方面，新兴技术不断产业化形成新的产品和服务，进而形成新的产业，例如高端通信设备的制造产业、新能源的开发与使用产业、大数据云服务产业等近年来涌现出的具有颠覆性特点的新兴产业；另一方面，对已有技术的应用进行创新则通过改善传统产业的生产效率、资源配置比等方面推动传统产业转型内部升级，使传统产业的生产更加节能化、低碳化，使其产品与服务更加科技化，进而能符合社会对经济高质量发展的需求。

(5) 科技创新影响资源环境

经济高质量发展应是资源朝向节约型、环境朝向友好型的发展。科技创新通过产业升级和产业转移促进资源环境的改善，最终实现可持续发展的途径。主要体现在以下三个方面。第一，加大对环境科学基础的科技创新投入，刺激环保科技进步，同时推广与应用环保技术，促进环境保护产业发展，并不断向绿色经济发展道路迈进。第二，倡导节约资源和保护环境，大力发展循环经济。科技创新通过人力资本效应、知识外溢效应、投入产出效应等对绿色经济发挥积极影响，有效地推动产业走节能减排道路。第三，通过科技创新驱动下的产业升级或产业结构调整，鼓励发展科技、教育、文化、医疗、环保等低碳经济产业，从根本上摆脱对传统资源开发产业的过度依赖，最终实现可持续发展。

5.2.2.2 经济高质量发展中的协调

协调是持续健康发展的内在要求，主要是解决发展不平衡的问题。协调既是发展手段又是发展目标，同时还是评价发展的标准和尺度。坚持协调发展，就是实现辩证发展、系统发展、整体发展。从经济领域考虑协调，主要包含区域协调发展、城乡协调发展、经济结构协调发展等几个方面。

(1) 区域协调与经济高质量发展

目前，我国经济增长模式正由“高速”向“高质量”转变，这也对区域协调发展提出了新的要求，即区域协调不再是简单地要求各个地区的经济处在同一水平线上，而是要根据各地区的经济、地理、资源等条件进行合理分工和优化发展。区域协调推动经济高质量发展的内部规律主要为产业向优势区聚集，发挥比较优势，形成以城市群为主要形态的增长动力源，集聚效应的出现带动总体的经济效率获得提升，各类生产要素按照协调的市场资源配置方式流动，向优势地区集中，要素配置效率也随之提高。

经济高质量发展背景中的区域协调发展重要战略包括“一带一路”建设、京津冀协同发展、长江经济带发展等。这些战略旨在跨越行政区域促进区域协调发展。党的十八届五中全会提出了区域协调发展的新思路：以“一带一路”建设、京津冀协同发展、长江经济带发展为引领，形成以沿海沿江沿线经济带为主的纵向横向经济轴带。发挥城市群辐射带动作用，优化发展京津冀、长三角、珠三角三大城市群，形成东北地区、中原地区、长江中游、成渝地区、关中平原等城市群。通过轴带引领统筹东中西部区域，协调南北方，从而促进区域经济协调发展，这是在新形势下推出的新的重大举措。

（2）城乡协调与经济高质量发展

城乡发展不平衡不协调是目前我国经济社会发展存在的突出矛盾，同时也是全面建成小康社会、加快推进社会主义现代化过程中的重大问题。尽管随着改革开放的深入展开，我国农村发生了翻天覆地的变化，但城乡差距依然较大。要从根本上解决城乡二元结构问题，必须健全体制机制，形成新型工农城乡关系，使得广大农民可以平等参与现代化进程、共同分享现代化的成果。城乡一体化是国家现代化的重要标志，努力缩小城乡区域发展差距，是全面建成小康社会的一项重要任务。

经济高质量发展背景下的城乡协调体现在城乡经济高效率发展和城乡居民共享发展成果。城乡经济高效率发展要以现代化农业和非农业为要素，通过推动科技化农业，使得传统农业向现代化农业转型，推动农业劳动力向非农业转型，从而提高农业生产效率、劳动效率以及农村居民收入水平。同时，经济高质量发展背景下的城乡协调应在实现农业和非农产业现代化的同时，通过非农产业反哺农业、城市反哺农村、支持“三农”发展，让城乡居民更公平地分享经济发展成果。

（3）经济结构协调与经济高质量发展

实体经济结构性供需失衡是我国重大结构性失衡的主要方面之一。由此可见，协调经济结构在经济高质量发展中尤为重要。这是因为在经济结构协调中经济制度调整、供需结构优化、生产要素配置升级为经济高质量发展提供支撑。首先，制度调整的目标为转变粗放发展模式，为加速经济质量建设提供了制度保障。其次，深化供给侧结构性改革，通过优化市场供需结构来提高产品与服务质量，为经济高质量发展提供环境保障。最后，生产要素配置升级，能够通过各地、各产业比较优势，合理配置技术、人力、资本等生产要素，以最优路径提升各行各业生产效率，为经济高质量发展提供动力。

5.2.2.3 经济高质量发展中的绿色

绿色是永续发展的必要条件。绿色发展，就是要解决人与自然的和谐共生问题，加快建设资源节约型、环境友好型社会，形成人与自然和谐发展现代化建设新格局，推进美丽中国建设。绿水青山就是金山银山，绿色是经济高质量发展的底色，也是在推动经济高质量发展中尤为重要的动力机制。经济高质量发展意味着要转变以资源环境为代价的传统发展模式、转变因能源过度消耗而带来的生态破坏。因此，经济高质量发展背景中的绿色发展理念要求追求经济增长的同时，还要评估自然资源的承载能力，形成绿色经济模式，最终形成经济与环境、发展与生态共存的发展模式。

(1) 绿色经济与经济高质量发展

Pearce 等较早提出了绿色经济，其对于绿色经济定义为：经济发展要在环境可承受的范围之内进行。直至目前，由绿色经济衍生出众多相似的概念，如生态经济、低碳经济等，概念与概念之间内涵相似且没有明显边界。在国际上，受众多学者认可的是联合国环境规划署(UNEP)自 2008 年提出、于 2011 年发布的《迈向绿色经济：实现可持续发展和消除贫困的各种途径》报告中正式形成的概念，其将绿色经济的内涵定义为改善人类福祉和社会公平，同时显著降低环境风险和生态稀缺性的经济，具有低碳、资源节约和社会包容性的特点。

综上，绿色经济驱动高质量发展的路径包括两个方面。首先，经济组织在进行经济活动时需要考虑经济活动的负外部性对环境承压能力的影响，绿色经济则是以保护环境、合理开发资源、保障人身健康为特征，是以经济发展水平与环境承载能力为相互正反馈的均衡发展的新模式。其次，则是从绿色活动中获得经济效益，通过绿色活动促进经济增长，使“绿色”与“增长”共赢。

(2) 产业绿色化与经济高质量发展

产业绿色化是经济高质量发展的主要途径之一。如今，我国社会对于产业产品的绿色化、高质量化的要求越来越高，因此，在经济发展模式向高质量发展转变的时期，必须以供给侧结构性改革为主线并以产业绿色化为主要途径来实现经济的高质量增长，这样才能满足全社会的绿色消费需求。产业绿色化的目的主要在于：一是在有限的资源环境承载力基础上，提高资源利用效率，减少排放；二是从过程角度出发，产业绿色化是按照产业生态学思想，对生产、分配、流通、消费以及再生产等各个环节进行合理优化的耦合过程；三是从系统角度出发，认为产业生态化的内涵是基于自然生态系统原理，将产业融入生态系统中。由此可见，产业绿色化包含两个方面：一个是新兴绿色产业的出现；另一个则是传统工业通过革新生产技术，提高资源能源使用效率，减少污染排放，获得绿色化转型。无论是哪种产业绿色化，都能通过以绿色生产为机制提升生产效率，同时力求在生产过程中不产生或少产生污染，从而提高经济发展的质量。

5.2.2.4 经济高质量发展中的开放

开放是国家繁荣发展的必由之路。坚持开放发展，就要奉行互利共赢的开放战略，坚持内外协调，进出口平衡，坚持“引进来”与“走出去”相结合，引资引智引技并举，发展更高层次的开放型经济，积极参加全球经济治理和公共物品供给，提高我国在全球经济治理中的制度性话语权，构建广泛的利益共同体。从党的十八大提出“加快形成更高水平对外开放新格局”，到党的十九大提出“推动形成全面开放新格局”，再到十九届四中全会指明“更大范围、更宽领域、更深层次的全面开放”的方向，经济高质量发展背景下的开放内涵不断更新，这标志着随着经济发展模式的转变，我国的开放格局也随之变化。

(1) 国际市场和资源与经济高质量发展

我国经济的高质量发展必然要依靠开放广度和开放深度的不断提升。一旦离开国际市场和资源，供给侧结构性改革中的扩大中高端供给与减少低端无效供给都无法真正实现。依据这一规律，我国需要进一步扩大开放范围、提升开放水平，通过降低市场准入门槛，高水平地引进全球范围内的高端要素和资源，利用好国内外两个市场，通过资源的高效配置与市场的深度融合，更好地弥补经济短板。

(2) 开放质量与经济高质量发展

一方面，在经济高质量发展背景下，应提高开放质量，完成由贸易大国向贸易强国的转型，才能实现从注重吸引外资规模向注重外资质量全方位提升的转型，才能实现从低水平对外转移落后产能向引领高能级产业“走出去”的转变，最终以高水平国际贸易、高质量国际合作，吸引和配置国际化创新资源，加快我国产业升级，补齐产业链发展短板，解决关键核心技术被“卡脖子”的现象，通过提高产品质量，助力我国经济高质量发展。

另一方面，应扩大开放范围，既要坚持制造业领域开放，又要有效扩大服务业开放，同时要在风险可控的情况下，探索资本、金融乃至数据信息等核心要素市场的开放。不仅要鼓励海外资本投资于国内高端制造业及其他实体经济行业，也要引导外资向先进生产型服务业领域进军。在推动国内企业与产业园区“走出去”扩大对境外投资的同时，既要强调对海外各类风险的防范和预警，又要积极挖掘海外投资对本国的技术溢出等正面效应，从而为我国经济高质量发展提供多领域技术支持。

(3)“中国制造”与经济高质量发展

一方面，依托对外产业、资本和装备输出与合作，推动国内服务、技术、标准以及品牌“走出去”，增强“中国制造”的辐射力与影响力。依托海外并购增强技术溢出逆向效应，利用境外市场尤其是发达国家市场的技术、经验与渠道，提高中国企业的自主创新能力，增强中国产品的国际竞争力，从而为对外贸易的结构转型与升级助力。另一方面，通过高标准建设高质量境外产业园区，规避针对中国的关税等贸易壁垒，降低贸易摩擦、贸易保护、海外市场低迷对中国出口的影响，挖掘对外贸易全新的、高质量的增长点。

5.2.2.5 经济高质量发展中的共享

共享的内涵主要有四个方面，分别是全民共享、全面共享、共建共享和渐进共享。坚持共享发展，既要不断地把“蛋糕”做大，又要把不断做大的“蛋糕”分好，让人民群众有更多获得感。共享是经济高质量发展的根本目的。在经济高质量发展阶段，社会追求的是效率与公平内在统一的发展，而共享经济有利于促进效率与公平相统一的经济高质量发展，坚持发展为了人民，发展成果由人民共享，促进充分就业和提高居民收入，提供更为充分、均等化的基本公共服务供给，让改革发展成果更多更公平地惠及人民群众。共享经济能够促进效率与公平相统一，其关键在于促进“增量公平”。

增加新时代人们的共享机会，从盯住“存量”转向“增量”要确保公平。“增量”体现在参与机会增多、参与门槛降低、共享价值增加等方面。在共享参与机会方面，大数据共享平台规则透明，只要符合规则要求，人人都可参与平台买卖。在共享社会福利方面，共享经济打破了时空及社会阶层的限制，能够改善社会福利及资源分布的不均衡现状。我国应更加注重公共服务增量，不断改善基础设施、增加公共服务等，让公共服务均等化，为更加公平创造更好条件。

综上，本章从新发展理念的角度出发，紧扣经济高质量发展内涵，从创新、协调、绿色、开放、共享五个方面构建了经济高质量发展评价指标体系框架，如图 5-1 所示。

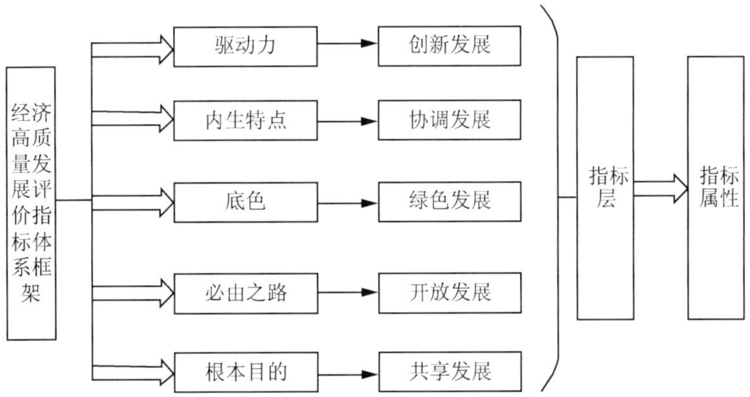

图 5-1　经济高质量发展评价指标体系框架

5.3　经济高质量发展评价指标体系的构成

根据上文所述，采取新发展理念作为指标依据，使其作为一级指标，并在这五个一级指标的基础上再构建若干二级指标来进行测算。经济高质量发展评价指标体系如表 5-1 所示。

表 5-1　经济高质量发展指数测度指标体系

目标层	一级指标	二级指标	指标具体含义	单位	指标性质
长江经济带经济高质量发展水平	创新	创新投入	各地区 R&D 经费支出占地区 GDP 比重	%	正向
		创新产出	国内三种专利授权量	件	正向
		创新投资	科学研究、技术服务投资占地区 GDP 比重	%	正向
		创新交易	技术交易成交额占地区 GDP 比重	%	正向
	协调	区域协调发展	地区人均 GDP 与全国人均 GDP 之比		正向
		城乡协调发展	城乡收入水平比		负向
			城市化率	%	正向
		产业结构协调发展	第一产业产值占地区 GDP 比重	%	负向
			第二产业产值占地区 GDP 比重	%	正向
			第三产业产值占地区 GDP 比重	%	正向
		需求结构协调发展	社会消费品零售额占地区 GDP 比重	%	正向

续表

目标层	一级指标	二级指标	指标具体含义	单位	指标性质
长江经济带经济高质量发展水平	绿色	节能减排	单位 GDP 废水排放	万吨/亿元	负向
			单位 GDP 二氧化硫排放	万吨/亿元	负向
			单位 GDP 固体废弃物排放	万吨/亿元	负向
			单位 GDP 耗电量	千瓦时/元	负向
		绿化环保	森林覆盖率	%	正向
			生活垃圾无害化处理率	%	正向
	开放	文化交流开放	国际旅游收入	百万美元	正向
		金融市场开放	金融业的增加值占地区 GDP 比重	%	正向
		对外贸易开放	进出口交易额占地区 GDP 比重	%	正向
			外商投资企业投资总额占地区 GDP 比重	%	正向
	共享	公共服务供给	人均医疗卫生机构床位数	张/千人	正向
			人均拥有公共图书馆藏量	册/人	正向
			地方教育支出占地方财政支出比重	%	正向
		人民生活状况	城乡支出水平比		负向
			城镇登记失业率	%	负向

5.3.1 创新发展维度

根据表 5-1,创新的二级指标分别为:各地区 R&D 经费支出占地区 GDP 比重,国内三种专利授权量,科学研究、技术服务投资占地区 GDP 比重,技术交易成交额占地区 GDP 比重。它们分别代表创新中的创新投入、创新产出、创新投资和创新交易。各指标的具体计算方法及解释如下。

各地区 R&D 经费支出占地区 GDP 的比重是用各地区 R&D 经费支出除以各地区 GDP,其中各地区 R&D 经费支出数据来自 2011—2022 年的《中国统计年鉴》,各地区的 GDP 数据同样也来自 2011—2022 年的《中国统计年鉴》。

国内三种专利授权量的数据来自 2011—2022 年的《中国统计年鉴》。科学研究、技术服务投资占地区 GDP 比重是用各地区的科学研究、技术服务投资的金额除以各地区的 GDP,其中各地区的科学研究、技术服务投资的金额数据来自 2011—2022 年的《中国统计年鉴》。

各地区技术交易成交额占地区 GDP 比重是用各地区的技术交易成交额除以各地区 GDP,其中各地区的技术交易成交额数据来自 2011—2022 年的《中国统计年鉴》。

5.3.2 协调发展维度

根据表5-1,协调的二级指标分别为:第一产业产值占地区GDP的比重、第二产业产值占地区GDP的比重、第三产业产值占地区GDP的比重、城乡收入水平比、城市化率、地区人均GDP与全国人均GDP之比和社会消费品零售额占地区GDP比重。它们分别代表协调中的产业结构协调发展、城乡协调发展、区域协调发展和需求结构协调发展。各指标的具体计算方法及解释如下。

第一产业、第二产业以及第三产业分别占地区GDP的比重是用第一、第二、第三产业的增加值分别除以各地区GDP得出。第一产业、第二产业、第三产业的增加值和各地区GDP数据均来自2011—2022年的《中国统计年鉴》。

城乡收入水平比是用各地区城镇居民人均可支配收入除以各地区农村居民人均可支配收入,其中各地区城镇居民人均可支配收入与各地区农村居民人均可支配收入数据都是来自2011—2022年的《中国统计年鉴》。城市化率的数据来自2011—2022年《中国城市统计年鉴》。

地区人均GDP与全国人均GDP之比是由人均地区生产总值除以人均国内生产总值,其中人均地区生产总值与人均国内生产总值都是来自2011—2022年的《中国统计年鉴》。

社会消费品零售额占地区GDP比重是用各地区社会消费品零售额除以各地区的GDP,其中各地区的社会消费品零售额数据来自2011—2022年的《中国商务年鉴》,各地区的GDP来自2011—2022年的《中国统计年鉴》。

5.3.3 绿色发展维度

根据表5-1,绿色的二级指标分别为:生活垃圾无害化处理率、森林覆盖率、单位GDP废水排放、单位GDP二氧化硫排放、单位GDP固体废弃物排放以及单位GDP耗电量。它们分别代表绿化环保和节能减排。各指标的具体计算方法及解释如下。

生活垃圾无害化处理率的数据与森林覆盖率的数据都是直接从2011—2022年的《中国统计年鉴》获得。

单位GDP的废水排放是用各地区的废水排放总量除以各地区的GDP,其中2010年、2011年各地区的废水排放总量来自2011年和2012年的《中国统计年鉴》,2012—2018年各地区的废水排放总量来自2013—2019年的《中国环境统计年鉴》,2019年和2020年各地区的废水排放总量来自2020年和2021年的

《中国社会统计年鉴》,2021 年各地区的废水排放总量来自 2022 年《中国统计年鉴》。各地区的 GDP 数据来自 2011—2022 年的《中国统计年鉴》。

单位 GDP 的二氧化硫排放是用各地区的二氧化硫排放量除以各地区的 GDP,其中 2010—2018 年各地区的二氧化硫排放量来自 2011—2019 年的《中国统计年鉴》,2019—2020 年各地区的二氧化硫排放量来自 2020—2021 年的《中国环境统计年鉴》,2021 年各地区的二氧化硫排放量来自 2022 年的《中国统计年鉴》。各地区的 GDP 数据来自 2011—2022 年的《中国统计年鉴》。

单位 GDP 固体废弃物排放是用各地区的一般工业固体废物产生量除以各地区的 GDP,其中 2010 年和 2011 年各地区的一般工业固体废物产生量来自国家统计局的专题数据,2012—2018 年各地区的一般工业固体废物产生量来自 2013—2019 年的《中国社会统计年鉴》,2019 年和 2020 年各地区的一般工业固体废物产生量来自 2020 年及 2021 年的《中国环境统计年鉴》,2021 年各地区的一般工业固体废物产生量来自 2022 年《中国统计年鉴》。各地区的 GDP 数据来自 2011—2022 年的《中国统计年鉴》。

单位 GDP 耗电量是用各地区的电力消费量除以各地区的 GDP,其中各地区的电力消费量和各地区的 GDP 数据均来自 2011—2022 年的《中国统计年鉴》。

5.3.4 开放发展维度

根据表 5-1,开放的二级指标分别为:进出口交易额占地区 GDP 比重、外商投资企业投资总额占地区 GDP 比重、金融业的增加值占地区 GDP 比重和国际旅游收入。它们分别代表对外贸易开放、金融市场开放和文化交流开放。各指标的具体计算方法及解释如下。

进出口交易额占地区 GDP 的比重是用按境内目的地和货源地划分的货物进出口总额除以各地区的 GDP。其中 2010—2014 年的按境内目的地和货源地划分的货物进出口总额的单位是万美元,为了统一单位,故查出以 2010—2014 年美元与人民币之间的平均汇率,将美元换算成人民币并除以 10 000 得到以亿元为单位的数据,保证分子、分母单位相同。按境内目的地和货源地划分的货物进出口总额和各地区的 GDP 数据都来自 2011—2022 年的《中国统计年鉴》。

金融业的增加值占地区 GDP 比重是用各地区的金融业增加值除以各地区的 GDP,其中除 2018 年的金融业增加值是来自 2019 年的各省统计年鉴,其余各地区的金融业增加值与各地区的 GDP 数据均来自 2011—2022 年的《中国统计年鉴》。

外商投资企业投资总额占地区 GDP 比重是用各地区的外商投资企业投资总额除以各地区的 GDP。其中各地区的外商投资企业投资总额的单位均为亿美元，为了统一单位，查询到 2010—2022 年的美元兑换人民币的汇率，用投资总额乘以汇率换算得到以人民币计算的投资额。各地区的外商投资企业投资总额和各地区的 GDP 数据均来自 2011—2022 年的《中国统计年鉴》。

2010—2020 年的国际旅游收入的数据来自 2011—2021 年的《中国统计年鉴》，2021 年的国际旅游收入的数据来自 2022 年长江经济带 11 省市的统计年鉴。

5.3.5 共享发展维度

根据表 5-1，共享的二级指标分别为人均医疗卫生机构床位数、人均拥有公共图书馆藏量、地方教育支出占地方财政支出比重、城乡支出水平比以及城镇登记失业率。它们分别代表公共服务供给和人民生活状况。各指标的具体计算方法及解释如下。

人均医疗卫生机构床位数的数据来自 2011—2022 年的《中国统计年鉴》；人均拥有公共图书馆藏量的数据除 2010 年的数据是来自 2019 年的《中国文化和旅游统计年鉴》，其余均来自 2012—2022 年的《中国统计年鉴》。

城乡支出水平比是用各地区的城镇居民人均消费支出除以各地区的农村居民人均消费支出，其中各地区的城镇居民人均消费支出和各地区的农村居民人均消费支出数据都来自 2011—2022 年的《中国统计年鉴》。

城镇登记失业率的数据来自 2011—2022 年的《中国统计年鉴》。地方教育支出占地方财政支出比重是用各地区的教育支出除以各地区的一般公共预算支出，其中各地区的教育支出和各地区的一般公共预算支出数据均来自 2011—2022 年的《中国统计年鉴》。

根据以上说明，本章构建了 5 个一级指标、26 个二级指标的经济高质量发展指数的指标体系，并对各指标的性质进行了确定。根据某一指标数值的增加对经济高质量发展产生积极或消极影响，将指标分为正向指标和负向指标，其中正向指标是指指标数值增加会对经济高质量发展产生积极影响，负向指标是指指标数值增加会对经济高质量发展产生消极影响。按照上述指标性质的判断方法，所构建的 26 个指标中有 18 个正向指标，8 个负向指标。具体如表 5-1 所示。

06

第六章

长江经济带经济高质量发展指数测度与评价

本章基于第五章所构建的指标体系进行长江经济带经济高质量发展指数的测度并对此进行评价。首先介绍熵值法的相关概念，接着使用熵值法测算长江经济带11省市2010—2022年经济高质量发展指数，然后根据测算结果并结合Arcgis软件绘制的地域分布图重点对比分析2021—2022年长江经济带经济发展情况，最后针对对比分析的结果进行成因分析。本章为后面各维度测算以及协同分析提供了理论基础和数据支撑。

6.1 经济高质量发展的评价方法

6.1.1 指数测度方法概述

我国学者针对长江经济带高质量发展指数测算的研究方法很多，但究其本源，都是将各项指标赋予权重来进行测算，这些研究的方法大致可以分为两类，分别是主观赋权法和客观赋权法。主观赋权法是指用主观方法确定各指标权重，主要有层次分析(AHP)法、专家打分法、综合指数法等。这类方法主要是通过专家的主观经验判断来得出权重，然后进行综合评价。它们的优势在于方法方便快捷，但是缺乏一定的客观度。而客观赋权法是指根据指标的变异程度或相关性来确定指标权重，主要有熵值法、主成分分析法、变异系数法、灰色关联法等。这类方法具有较强的客观性。本章使用熵值法对2010—2022年的长江经济带经济高质量发展指数进行测算。

6.1.2 熵值法介绍

熵值法是指根据各项指标观测值所提供的信息的大小来确定指标权重。假设有 m 个待评方案，n 项评价指标，形成原始指标数据矩阵 $\boldsymbol{x}=(x_{ij})_{m\times n}$。对于某项指标 x_j，指标值 x_{ij} 的差距越大，则该指标在综合评价中所起的作用越大；如果某项指标的指标值全部相等，则该指标在综合评价中不起作用。

在信息论中，熵是对不确定性的一种度量。信息量越大，不确定性就越小，熵也就越小；信息量越小，不确定性就越大，熵也越大。根据熵的特性，我们可以通过计算熵值来判断一个方案的随机性及无序程度，也可以用熵值来判断某个指标的离散程度，指标的离散程度越大，该指标对综合评价的影响越大。因此，可根据各项指标的变异程度，利用信息熵这个工具，计算出各个指标的权重，为多指标综合评价提供依据。

熵值法的具体算法步骤如下：

第一步，构造数据矩阵 $\boldsymbol{X}=\begin{pmatrix} x_{11} & \cdots & x_{1m} \\ \vdots & & \vdots \\ x_{n1} & \cdots & x_{nm} \end{pmatrix}$，其中 x_{ij} 为第 i 个方案中第 j 个指标的数值。

第二步，进行指标的归一化处理，即异质指标同质化。由于各项指标的计量单位都不统一，因此在用它们计算综合指标前，要先对它们进行标准化处理，即把指标的绝对值转化为相对值，从而解决各项不同质指标值的同质化问题。而且，由于正向指标和负向指标数值代表的含义不同，即正向指标数值越高越好，负向指标数值越低越好，因此，对于正、负向指标我们用不同的算法进行数据标准化处理。具体的公式为

$$\text{正向指标：} x'_{ij}=\frac{x_{ij}-\min\{x_{ij},\cdots,x_{nj}\}}{\max\{x_{1j},\cdots,x_{nj}\}-\min\{x_{1j},\cdots,x_{nj}\}} \tag{6-1}$$

$$\text{负向指标：} x'_{ij}=\frac{\max\{x_{ij},\cdots,x_{nj}\}-x_{ij}}{\max\{x_{1j},\cdots,x_{nj}\}-\min\{x_{1j},\cdots,x_{nj}\}} \tag{6-2}$$

其中，$i=1,2,\cdots,n$；$j=1,2,\cdots,m$；x_{ij} 为第 j 个指标下第 i 个方案的数值。

第三步，计算第 j 个指标下第 i 个方案占该指标的比重，公式如下：

$$p_{ij}=\frac{x_{ij}}{\sum_{i=1}^{n}x_{ij}}(i=1,2,\cdots,n;j=1,2,\cdots,m) \tag{6-3}$$

其中，p_{ij} 为第 j 个指标下第 i 个方案占该指标的比重；x_{ij} 为第 j 个指标下第 i 个方案的数值。

第四步，计算第 j 个指标的熵值，公式如下：

$$e_j=-k\sum_{i=1}^{n}p_{ij}\ln(p_{ij}) \tag{6-4}$$

其中，$k>0$，ln 为自然对数，$e_j\geqslant 0$。常数 k 与样本数 n 有关，$k=1/\ln(n)$。

第五步，计算信息熵冗余度，公式如下：

$$d_j=1-e_j \tag{6-5}$$

其中，e_j 为第 j 个指标的熵值。

第六步，计算各项指标的权值，公式如下：

$$w_j = \frac{d_j}{\sum_{j=1}^{m} d_j} \tag{6-6}$$

其中，d_j 为信息熵冗余度。

第七步，计算各方案的综合得分，公式如下：

$$s_i = \sum_{j=1}^{m} w_j \cdot p_{ij} \tag{6-7}$$

其中，w_j 为第 j 个指标的权值；p_{ij} 为第 j 个指标下第 i 个方案占该指标的比重。

6.2 长江经济带经济高质量发展指数测度

6.2.1 经济高质量发展指数测算步骤

本节基于上文所介绍的熵值法对 2010—2022 年长江经济带高质量发展指数进行测算。测算过程使用软件为 R 软件，具体的操作步骤如下：首先，根据上文所述熵值法正向指标和负向指标的定义及公式使用 R 软件编写出一个归一化函数，并使用 for 循环进行计算。接着，根据上文所述熵值法得分计算的相关定义和公式使用 R 软件编写出一个得分函数，并继续使用 for 循环进行计算。编写完函数后，只需导入数据，选择出数据中所需要计算指标的相关列，并输入所需计算各个列的正向指标、负向指标情况，输入函数即可得出最后的各指标权重和最终得分。

6.2.2 经济高质量发展指数测度结果展示

通过使用 R 软件，测算得出 2010—2022 年长江经济带经济高质量发展指数，具体结果见表 6-1。为了能更明显看出指数之间的差异并方便进行后续的相关分析，本章的指数均在使用熵值法计算公式所得出结果的基础之上乘以 100 之后获得。

表 6-1　2010—2022 年长江经济带高质量发展指数

年份	2010	2011	2012	2013	2014	2015	2016	2017	2018	2019	2020	2021	2022
上海	77.599	80.417	77.528	76.066	73.556	74.410	75.075	73.673	71.532	74.528	74.488	78.306	77.501

续表

年份	2010	2011	2012	2013	2014	2015	2016	2017	2018	2019	2020	2021	2022
江苏	54.327	59.163	58.686	57.967	59.442	55.828	55.840	54.769	49.957	53.515	51.802	47.640	50.287
浙江	52.831	54.390	54.064	56.712	56.772	53.980	52.973	50.549	48.452	54.472	47.431	42.581	43.829
安徽	23.645	23.846	26.091	28.227	31.346	31.176	31.615	30.714	26.917	29.032	30.909	30.542	30.545
江西	24.543	24.600	23.570	23.856	23.925	23.234	24.509	23.867	23.90	27.705	27.319	23.865	25.112
湖北	24.076	24.027	29.101	32.792	36.055	39.445	40.033	40.466	36.585	35.655	29.786	26.909	27.997
湖南	19.568	24.750	24.702	25.574	28.977	28.519	29.860	32.985	33.093	34.602	32.203	29.064	31.282
重庆	26.660	29.547	30.254	32.335	35.951	31.719	32.928	32.883	33.099	30.825	27.989	27.552	31.011
四川	19.916	21.319	25.115	25.267	25.182	26.830	26.848	27.1945	28.944	30.376	25.434	21.089	22.523
贵州	15.272	14.087	11.797	14.716	13.382	12.875	13.211	14.882	15.127	13.427	14.903	11.243	14.642
云南	17.906	15.935	14.897	14.415	13.707	11.862	13.088	14.033	15.550	14.596	14.205	10.721	13.088
均值	32.395	33.826	34.165	35.267	36.209	35.444	35.999	36.070	34.833	36.248	34.224	31.774	33.438

6.3　长江经济带经济高质量发展指数的特征分析

本节重点对 2022 年的长江经济带经济高质量发展指数进行特征分析。2022 年 11 省市的指数相较于过去十余年，尤其是相较于近年来的数据，大部分省市呈现出下滑态势，而小部分省市呈现出平稳或小幅度上升的态势。因此，本节将着重对产生上述情况的原因进行分析。

6.3.1　经济高质量发展指数主要特征分析

本小节使用 Arcgis 软件对 2022 年的指数进行处理，以便能更清晰地分析 2022 年长江经济带的经济发展质量情况。如图 6-1 所示，运用经济高质量发展指数和其 5 个一级指标所测算的指数分别绘制 2010 年、2021 年和 2022 年的长江经济带经济高质量发展水平柱状图，并将发展水平分为 4 个等级，某一省市数值越高，代表该地区经济高质量发展水平越高。

从图 6-1 可以看出，长江经济带经济高质量发展不平衡的现象正在逐渐改善，区域发展差距日益缩小，从 2010 年的下游省市绝对领先演化至 2021 年的中上游部分省市奋起直追，纵使经历了新冠疫情，2022 年的经济高质量发展水平比 2021 年仍有较微弱提升。具体来看，下游省市经济高质量发展水平在观察期内的变化较小，经济高质量发展水平有所下降，但在 2022 年经济逐渐复苏，相关指数稍微上升。而中上游省市中除贵州和云南之外，高质量发展指数所在等级均有上调，说明长江经济带中上游省市整体经济质量在这 12 年里得到了一定的发展，在下游地区高质量发展的辐射带动下，中游地区经济高质量发展水平有显著提升，同时上游地区也有了一定的改观。得益于中游地区成功承接了下游地区的产业转移，并吸收了技术溢出，极大地促进了本地区经济的高质量发展。因此，相较于 2021 年，2022 年中游地区的整体指数变动幅度亦相对较小，与下游地区相似。而重庆、贵州和云南因为指数值有明显变化，但是所在等级未发生改变，特别是贵州与云南两省，经济发展已处于靠后位置，两省亟须形成高质量发展观，出台促进经济高质量发展的政策，推进经济稳健增长。

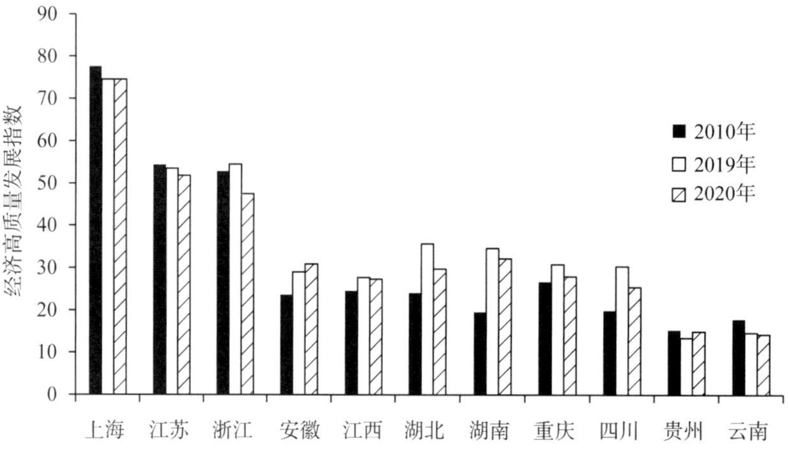

图 6-1　2010 年、2021 年、2022 年长江经济带经济高质量发展水平柱状图

（注：75～100 为第一档，50～75 为第二档，25～50 为第三档，0～25 为第四档）

从图 6-2 中可以看出，2021 年和 2022 年下游省市在创新发展中均占据绝对优势，整体得分处于领先位置；在中上游省市里安徽、江西与四川 2021 年得分较高，说明这 3 个省市在创新方面优势突出。但在 2022 年，江西等级下调，湖南等级上升。纵观整体，长江经济带创新发展较为不均衡，下游地区绝对领跑的地位较为显著，上游和中游地区亟须提高创新发展水平，尤其是贵州、云南等省份，必须高度重视创新这一引擎，积极加大创新发展的力度，以提升动力、提高质量。

从图 6-3 中可以看出，2022 年相较于 2021 年长江经济带整体的协调发展水平未发生较大变化。下游省市在协调发展方面优势较为明显，它们得分较

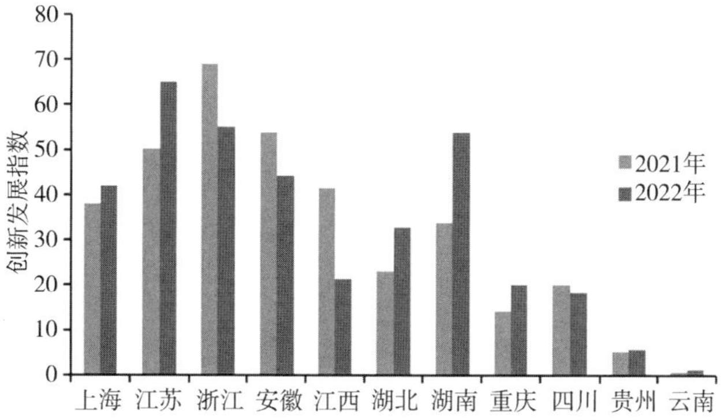

图 6-2　2021—2022 年长江经济带创新发展水平柱状图

（注：75～100 为第一档，50～75 为第二档，25～50 为第三档，0～25 为第四档）

高，尤其是上海，处于绝对领先的位置；中上游省市除贵州和云南之外均得分较高，说明在协调发展方面这些中上游省市表现较好；而上游的两个省市贵州与云南需进一步努力，在区域协调发展、城乡协调发展、产业结构、需求结构等方面存在协调不足的问题。两省必须高度重视结构优化问题，积极推动城镇化建设，缩小城乡差距，实现共同富裕。

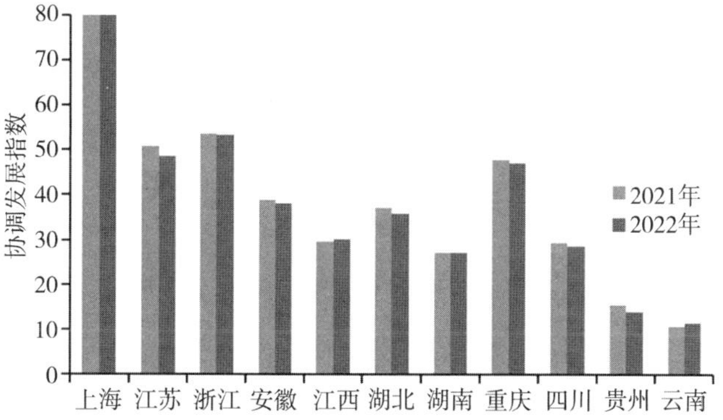

图 6-3　2021—2022 年长江经济带协调发展水平柱状图

（注：75～100 为第一档，50～75 为第二档，25～50 为第三档，0～25 为第四档）

从图 6-4 中可以看出，绿色发展方面与其他维度不同，下游省市不再占据领先地位。下游省市中浙江得分最高，2021 年和 2022 年均呈现出一致结果。江苏和上海 2021—2022 年的表现不像其余 4 个指标和综合指数一样具有绝对优势，表现欠佳，主要原因在于下游地区城镇经济快速发展和人口集聚，给环境保护和生态建设带来了较大压力，绿色发展道路任重道远。在中上游省市，绿色高质量发展在中游表现尤为突出，其中，湖南与重庆 2022 年得分均处首档，湖南与重庆成为2022年中游地区绿色发展方面表现最突出的省市，尤其值得关注的是，重庆在2022年的得分从第二档提升为第一档，表现出了显著的进步。同时，湖北、安徽、江西和四川2021—2022年的得分也紧随其后，说明中上游省市对绿色发展的重视程度均保持较高的水准，但2022年上游地区的贵州和云南表现较差，得分偏低。尽管有较小下降幅度，云南仍努力保持绿色环境保护的力度，特别是在热带珍贵野生动植物保护方面加大了资金投入。相较之下，贵州的表现并无明显变化，贵州政府在推进经济发展的同时，也需关注生态文明建设。

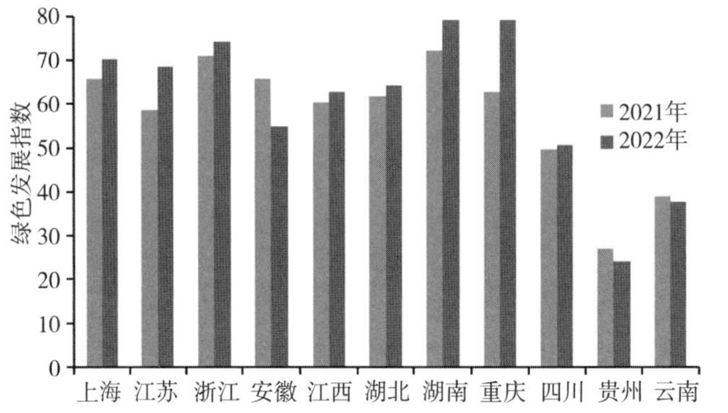

图6-4　2021—2022年长江经济带绿色发展水平柱状图

（注：75～100为第一档，50～75为第二档，25～50为第三档，0～25为第四档）

2021—2022年，在开放发展方面，下游省市仍然占据绝对优势，得分较高，其中浙江的得分最高，其次是上海和江苏。这一现象表明，我国沿海地区的开放发展水平较高，优势地位继续得到巩固。而中上游省市整体情况尚佳，2021年和2022年均是如此。在整个经济高质量发展中，开放发展水平这个维度存在的空间差异较小，除贵州和云南外，其余省市整体得分尚可，这与国内旅游成为了越来越多人的首选有关。这种趋势的背后，是社交媒体和各省旅游宣传的积极推动。在此背景下，各地纷纷抓住机遇，充分利用自身资源，以期在开放发展中实现经济的高质量增长。2022年，中下游城市表现尤为出色，尤其是湖南和重庆等地。

2021—2022年在共享发展方面下游省市继续占据绝对优势，得分较高。其中，上海得分最高，其次是浙江，值得注意的是2021—2022年江苏在共享发展方面得分均仅高出平均分一点，主要原因在于江苏各地区共享发展联动性较差，特别是苏南和苏北发展差异大。2021年在中上游省市中除云南外均表现较好，说明这些省市在共享方面表现优异，但在2021年重庆的指数下降，说明重庆2021年在共享方面表现欠佳；云南2021—2022年经济共享水平较差，需要在共享方面作出改进，在实现经济发展的同时满足人民美好生活的需要。

综上所述，除绿色发展水平柱状图呈现的结果不同，其余的柱状图均呈现出上海、浙江和江苏经济高质量发展水平处于高位的现象，这主要与下游地区全面贯彻新发展理念，持续推动产业结构优化升级，秉持新旧动能转换观念等较强的意识和执行力有关。中游省市在不同维度的指数下表现稳定，经济高质量发展水平有显著提升，与下游省市的差距在逐渐缩小。而云南、贵州两省得分处于靠后位置，且均处于长江经济带上游地区，两省需要形成高质量发展观，加强新旧动能转换，加快基础设施建设，针对性地出台促进高质量发展的政策。总体来说，长江经济带经济高质量发展水平的空间格局有了明显变化，区域发展差距日益缩小，下游省市应当在保持自身优势的情况下，重点采取措施着手绿色发展，而中上游省市则需要根据各自的不足采取措施进行改善。

6.3.2 经济高质量发展指数变化的成因分析

针对 2022 年长江经济带高质量发展指数相较于 2021 年出现的变化，深入剖析如下几个关键因素。

首先，在新冠疫情肆虐全球的大背景下，我国长江经济带面临巨大压力，依然坚持“生态优先、绿色发展”的战略定位。在这一指导思想下，长江经济带紧紧围绕稳中求进的工作总基调，积极推进绿色高质量发展总要求。在经济增长方面，展现出强大的韧性；在创新驱动方面，动力逐年提升；在新旧动能转换方面，速度加快；在经济结构优化方面，成果显著。这充分展示了长江经济带的活力与巨大潜力。

其次，长江经济带地区经济规模持续扩大，尽管受到新冠疫情的影响，增速有所放缓，但与全国经济增长相比，其优势依然明显。在全球经济增速放缓、不确定性加剧的当下，我国经济已由高速增长阶段转向高质量发展阶段，长江经济带的发展显得尤为重要。

最后，2022 年，是党和国家历史上极其重要的一年，党的二十大召开，描绘了全面建设社会主义现代化国家的宏伟蓝图，中国在攻坚克难中稳住了经济大盘，在复杂多变的环境中基本完成了全年发展的主要目标任务——实现全面建成小康社会，面临新冠疫情的严重影响，我国依然坚定不移地迈向第二个百年奋斗目标、维护中国金融体系稳定新征程的第一年，这在人类历史上堪称首次。在 2022 年的共享发展指数和协调发展指数中，我们看到了一些省市，尤其是中上游省市，指数值不减反增，充分彰显出全面建成小康社会在中上游省市取得的显著成效。

07

第七章

长江经济带省市经济高质量发展指数的时空演变

本章将从整体到局部依次分析长江经济带各省市经济高质量发展指数的特征变化。首先从整体角度出发，分别对沿江省市经济高质量发展指数的空间特征和时间特征依次进行分析。然后深入局部，从创新、协调、绿色、开放、共享五个维度出发，分别对其进行深入分析。本章在第六章已有数据基础之上进行由面及点的深入分析，为后续协同分析以及政策建议方面提供了数据支撑。

7.1 沿江省市经济高质量发展指数空间特征分析

将表6-1的数据进行横向分析，我们可以看到，在同一年里，下游省市——江苏、浙江、上海的高质量发展指数都非常高，中上游省市在统计期内的高质量发展指数都比较低，二者的差距较大，而下游地区和中上游地区内部各省市整体差距不大。

下游省市——浙江、江苏、上海在统计期里稳居前三，中上游省市与它们的指数差距较大，体现出长江经济带下游省市与中上游省市经济发展状况的大不相同。衡量一个地区经济发展的高低，主要看其工业化、第三产业产值和城镇化水平程度。下游省市拥有雄厚的工业基础，第三产业比重和城镇化水平随着历史进程逐渐提升，这也从统计数据中第三产业占GDP的比重和城镇化水平反映出来，继而表现在指数的大小中；其次，统计数据中的城乡收入比和支出比指标呈现出下游省市数值低于中上游省市数值的现象，进一步说明下游省市的经济发展状况优于中上游省市，才会导致下游省市城乡收入支出差距较中上游省市小；再次，中上游省市在经济发展的过程中，出现了发展居中的现象，体现在中心对周边“虹吸效应”大于其“辐射效应”。从中上游省市统计年鉴的数据可以看出，省会城市的相关数据比周边城市大，周边城市的经济水平将中上游省市的经济水平拉低，所以导致在进行以省级为标准的指数测算时中上游省市指数整体偏低，这些因素足以体现出下游省市的区域协调发展比中上游省市情况好，进而在数值上体现出二者差距的巨大。但是随着时间推移，下游省市与中上游省市高质量发展指数的差距在逐渐缩小，体现出中上游省市的经济发展状况在2010年后不断提升，这归功于长江经济带建设。推动长江经济带发展使得下游发达省市经济带动中上游省市经济，中上游省市协同发展能力正在不断加强，虽然提升的程度远远比不上下游省市，但可以推断出未来时间里二者的差距会进一步缩小。

7.2 沿江省市经济高质量发展指数时间特征分析

将表 6-1 中数据进行纵向分析，可以发现不同省市 2010—2022 年经济高质量发展指数皆具备小幅度的变化特征。更深层次的观察可发现，下游省市指数增减变化基本不大，但随着时间的推移整体出现了下降的趋势，而中上游省市指数的增减变化相较于下游省市偏大。通过观察这 13 年高质量发展指数均值可以发现均值有小幅度的增长，从原先 2010 年的 32.395 增长到 2022 年的 33.438，说明虽然这 13 年里高质量发展指数存在增减变化，但整体的趋势是上涨的。

2010—2022 年上海高质量发展指数增减变化的幅度较小，但整体趋势呈略微下降，从 2010 年的 77.599 下降到 77.501；江苏在这 13 年里变化的幅度较小，但整体也处于下降趋势，具体来看，江苏在 2011 年、2014 年、2016 年、2019 年、2022 年出现上升，其余年份均出现下降；浙江在这 13 年里经历了小幅度的变化，在 2010—2014 年处于上涨态势，于 2014 年趋于顶峰，随后持续下降至 2018 年，在 2019 年指数大小出现小幅上升，但 2020 年由于疫情原因指数出现较大下滑，持续到 2022 年；安徽的整体趋势呈现近似“几”字形，具体来看，安徽于 2010—2014 年上涨，于 2014—2017 年趋于平稳，自 2017 年后下降，于 2019—2022 年呈现小幅上升；江西的整体趋势呈现类似盆地的形状，经历了 2010—2011 年两年的平稳后于 2012 年缓慢下降，此后的 2013—2018 年处于较平稳态势，于 2019 年实现大幅度增长，而后在 2020 到 2022 年因疫情原因又小幅回弹；湖北的整体趋势呈现出山丘形状，在 2011—2017 年持续上涨，但上涨幅度逐渐减小，其于 2017 年达到顶峰，但在随后的 3 年，指数出现下降态势，尤其在 2021 年，下降幅度偏大，这是由于 2020 年疫情，湖北的经济发展在 2020 年上半年遭遇了停滞，指数出现大幅度下降；湖南在这 13 年里整体呈现出先上升、后下降的趋势，从 2010 年的 19.568 上升至 2019 年的 34.602，但由于疫情，湖南也出现了经济停滞的情况，指数大幅度下降；重庆的整体趋势呈现出一次高尖峰和一次小尖峰，其于 2010—2014 年趋于上升，于 2014 年达到顶峰，随后出现骤降并在 2015—2018 年经历平稳期，而后在 2018—2021 年持续走跌；四川在 2010—2019 年经历了上升期，从 2010 年的 19.916 增长到 2019 年的 30.376，但由于疫情，指数出现骤降；贵州在这 13 年里呈现出上下震荡的态势，其中 2010—2012 年、2013—2015 年、2018—2019 年和 2020—2021 年皆为下降，其余均为上升；云南整体呈现出下降趋势，在2010—2015年经历下降后，于2015年达到谷底，虽然于2016—2018年开始攀升，但在2019—2021年再度下跌，2022年小幅回升。

从上中下游省市划分的角度来观察，下游省市的指数趋势可以近似看作下降，而中上游省市的指数在2010年基本处于15～25的区间，随着时间推移，它们的指数不断散开，差距也在扩大，但在2018年之后散开的趋势也出现了些许缩小。总体来说，下游省市的经济已经发展到一定程度，因此变化的趋势基本不大，而中上游省市经济发展相对于下游省市来说是落后的，经济发展具有不稳定性，会有不确定因素，例如环境因素、资金因素、政策因素等阻碍经济发展，但也有可能因为这些因素而促进经济发展，因此指数变化的幅度相较于下游省市较大。预计未来短期内中上游省市指数变化的情况会出现缓慢上浮或近似平稳的情况，而下游省市的指数变化情况仍然会以微小变动但不影响整体指数变化趋势的状态持续下去。

7.3 沿江省市经济高质量发展指数各维度分析

本节重点从测算长江经济带经济高质量发展指数的五个指标开始分别分析，将长江经济带经济高质量发展指数分成创新指数、协调指数、绿色指数、开放指数和共享指数，并依次进行时间特征分析。

7.3.1 创新指数

要想实现经济的高质量发展，必须加强科技创新，采用新技术将落后的旧技术替换，提高经济增长的效率与质量。本节以已测算出的高质量发展指数中的创新指数中的4个二级指标为基础，使用熵值法测算11个省市在2010—2022年的创新指数并进行比较分析。创新指数的测算使用R软件，仍使用测算经济高质量发展指数时所编写的函数进行测算，将数据的范围缩小至一级指标中创新指标的相关数据，并附上正向指标、负向指标情况，输入函数得出结果。测算的结果如表7-1所示。

表 7-1　2010—2022 年长江经济带创新指数

省市	年份												
	2010	2011	2012	2013	2014	2015	2016	2017	2018	2019	2020	2021	2022
上海	58. 512	59. 870	48. 790	50. 582	49. 087	50. 168	46. 579	43. 882	42. 245	41. 393	34. 992	38. 034	42. 014
江苏	58. 229	72. 252	72. 140	73. 829	75. 927	67. 216	66. 899	69. 824	56. 375	67. 748	68. 627	50. 067	65. 139
浙江	35. 143	35. 978	39. 398	44. 846	44. 339	42. 076	48. 948	47. 651	44. 747	59. 135	56. 165	69. 068	55. 084
安徽	33. 888	27. 752	37. 576	40. 507	47. 964	46. 548	50. 964	44. 868	32. 211	30. 276	33. 066	53. 842	44. 096
江西	24. 823	9. 217	10. 392	11. 807	11. 158	16. 993	24. 934	23. 491	20. 710	22. 332	22. 505	41. 457	21. 276
湖北	25. 719	19. 778	25. 308	35. 804	39. 226	49. 957	46. 809	51. 507	38. 569	38. 156	33. 979	23. 188	32. 729
湖南	11. 436	27. 011	20. 843	22. 240	28. 635	31. 733	33. 163	42. 761	43. 905	46. 067	51. 571	33. 852	53. 948
重庆	22. 079	16. 285	11. 911	15. 553	20. 982	13. 233	20. 330	13. 060	14. 246	13. 407	14. 270	14. 159	20. 111
四川	13. 798	12. 701	14. 624	13. 170	18. 481	26. 610	21. 345	20. 780	27. 329	28. 987	21. 306	20. 057	18. 415
贵州	5. 779	2. 996	0. 969	4. 499	0. 852	2. 333	3. 383	7. 477	6. 967	11. 318	9. 181	5. 129	5. 702
云南	0. 377	12. 057	8. 632	7. 338	4. 646	2. 355	2. 987	3. 478	1. 170	1. 062	0. 209	0. 606	1. 185
均值	26. 344	26. 899	26. 417	29. 107	31. 027	31. 748	33. 304	33. 525	29. 861	32. 717	31. 443	31. 769	32. 700

在表 7-1 的基础上，使用 Excel 绘制出 2010—2022 年长江经济带创新指数的折线图，如图 7-1 所示。

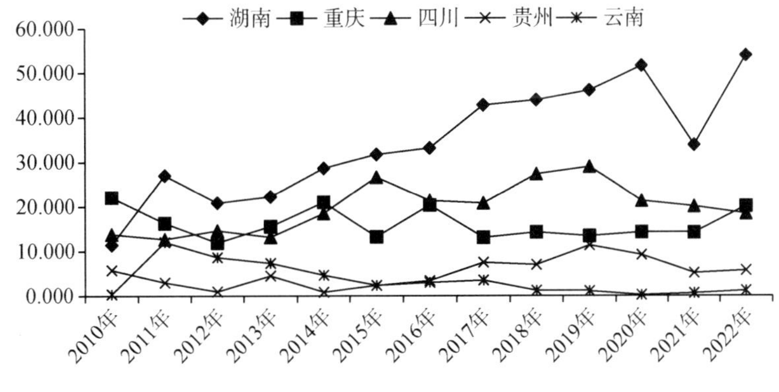

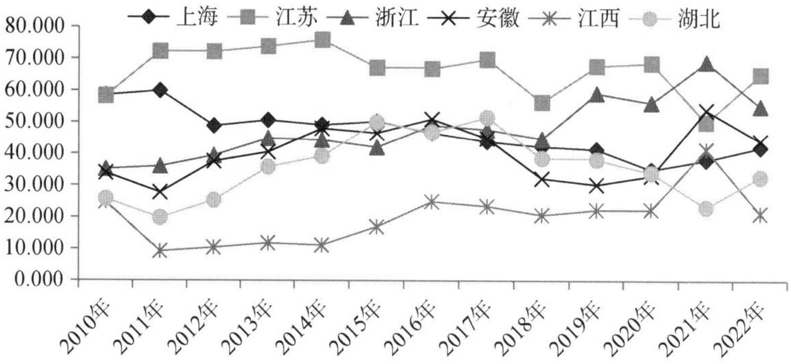

图 7-1　2010—2022 年长江经济带创新指数折线图

综合图表的数据，2010—2022 年，长江经济带的创新指数总体上呈现出较大波动的态势。具体来看，在创新方面，下游的江苏始终排在前列，在 2010—2014 年呈现上升趋势，其中 2010—2011 年增幅最大，在 2014 年之后出现下降，而后在 2015—2017 年经历平稳和些许上升后在 2018 年出现骤降，但在 2019—2020 年再次上涨，2020—2022 年出现下降再上升的趋势。除 2021 年外，江苏持续稳定在榜首位置，这是因为 13 年来江苏在经济创新领域做足了功课，颁布了许多有关加大科技创新的政策，例如：① 加强科技基础设施的建设；大力支持高校、研究所以及创新中心的建设；② 为鼓励科技创业，提供经济补助；政府降低创业项目审批门槛，巩固科技创新成果；③ 加强知识产权的维权力度以及对于科技创新人才的重点培养等。正是通过这些政策，统计期内的专利授权量、R&D 经费投入、科学技术投资和技术交易成交额都有上升的趋势，致使指数呈现出领先其他省市的现象。纵使在疫情蔓延的 2020 年，江苏仍然没有停下创新的脚步。2020 年，江苏颁布《江苏省技术创新中心建设工作指引(2020 年版)》，指引中包括了四项扶持政策，分别是：① 统筹中央引导地方科技发展专项资金和省科技计划专项资金，对立项建设的省技术创新中心和创建获批的国家技术创新中心，给予一定的资金支持。② 符合条件的省技术创新中心，按规定享受省新型研发机构奖补、省研发型企业认定、省科研事业单位推荐等政策。③ 符合条件的省级技术创新中心，按规定享受研发费用加计扣除、高新技术企业税收优惠、进口科研仪器设备税收减免等税收优惠政策。④ 优先支持省技术创新中心对接我省重大技术创新需求，牵头或参与实施国家或省重点研发等计划任务。通过这四项扶持政策，达到加快开展技术研发和产业化，加强培育发展创新型企业，加快引进和培育创新创业人才，创新管理体制机制的效果，把江苏建设成为自主可控现代产业体系的重要载体。江苏一直以来关注科技创新，积极响应国家有关科技创新的会议与文件精神，致使江苏的经济一直处于领先位置，说明科技创新在将来对于经济发展会起到至关重要的作用，会成为经济驱动的重要一环，因此应当更加重视科学技术创新，加大创新投资力度。

浙江虽然指数处于中上游位置，但是整体处于上升态势，经过不懈努力在2018—2020 年以及 2022 年均位于 11 省市的第二位，2021 年更是居于榜首。纵观浙江的上升，我们看到浙江省对于科技创新的关注度是越来越高的，所颁布的政策与江苏所颁布的政策相似，且拥有较江苏更多的激励政策，不仅在科研机构，而且在高校、金融机构方面也大力支持，鼓励创新，加大补助力度，致使浙江省的创新意愿增加，从而看到指数的上升。但浙江同样位于下游，指数总体比江苏低的原因首先在于浙江在高校数量和实力方面逊于江苏；其次在于浙江推行有关大力推动科技创新政策的时间较江苏晚；再次，虽然浙江在这 13 年里都有颁布关于推动科技创新的政策，但力度不大，真正开始加大力度是在 2016 年，也是“十三五”的开局之年，所以出现浙江指数较江苏早期整体不高的现象。2020 年，在疫情以及“十三五”收官之年的大前提下，浙江发布《2020 年科技体制改革与发展工作要点》，要点指出：要聚焦“高质量、竞争力、现代化”三大要素，创新“科技新政”实施举措，完善科技创新体制机制，重构区域创新生态系统，加快建立具有国际竞争力的创新驱动发展机制，全面提升科技创新治理能力，为加快建设“互联网+”和生命健康科创高地、谋划建设新材料科创高地、基本建成创新型省份提供体制机制保障。因此，浙江 2020 年的创新指数没有出现较大的下滑。

反而在上文测算高质量发展指数时一直名列前茅的上海只有在 2010 年处于第一位，2011—2015 年处于第二位，并且在 2015 年之后逐渐处于中游。究其原因，上海属于直辖市，较江苏和浙江相比，首先在土地面积方面，上海少于这两个省；其次科技创新资源，例如产业园、高新技术开发区、科研机构等设施也少于这两个省，其中原因在于大量的土地被用于建设城市，而没有过多的空余土地来建设产业园、开发区等设施，因此造成上海在创新方面处于与中游省市同一等级的情况。

指数处于中下游的省市变化趋势各不相同，其中，安徽在 2010—2014 年出现上升现象，在 2014—2016 年出现小幅波动，2016 年后出现大幅度下降，但在 2020 年出现了小幅度上升，于 2021 年大幅度上升后又在 2022 年呈现出下降趋势。安徽因与江苏毗邻，受到江苏所带来的辐射效应，其前几年呈现出上升的趋势，但由于安徽在创新方面存在基础设施缺陷，科技资源共享不足，科技成果转化不力等因素，导致安徽在后几年出现下降，所以推动科技创新，不能急于求成，要结合实际，充分利用科技资源促进经济发展。但在2020年疫情防控常态化条件下，指数出现了上升，原因在于安徽在2020年加大了创新基金的投入，加强了对人工智能产业的投入，建立了人工智能产业的研究院，以及加大了对数据的开放共享，这些措施的实施使得发明授权数和R&D经费增加。

江西的指数在2010—2011年出现大幅度下降，而后整体呈现出上升的趋势。第一年的下降原因在于江西在科学研究、技术服务投资方面较2010年出现了下跌。江西在科技创新方面起步较晚，科技设施、研究所的数量较下游省市相比较少，导致其2011—2013年增长缓慢。由于在2013年年底江西颁布了《江西省科技创新促进条例》，大力推动了科技创新，使指数出现了上涨现象。“十三五”期间，江西持续推动创新升级，指数因此平稳发展。2020年，江西创新举措拓宽发展格局，创新思维聚力保护市场主体，创新应变深化全域开放，推动全省经济“在危机中育新机，于变局中开新局”，因此，2020年指数在疫情情况下出现了不减反增的现象。

湖北的指数在2010—2017年整体呈现出上涨的态势，于2017年达到顶峰，但在2017年之后持续走低，直到2022年才呈现回升趋势。湖北在中上游地区拥有较强的高校资源，这为科技创新提供了良好的基础，其次在“十二五”期间湖北省率先颁布的“科技十条”“新九条”等创新政策，使指数在“十二五”期间出现上升。但在2017—2022年，湖北出现了包括科技创新产出转化水平低、科技创新平台建设水平仍然不高、创新制度出现瓶颈、人才未充分转化为创新优势等问题，导致指数出现下降，再加之2020年的湖北受疫情影响，创新发展方面出现停滞，致使指数继续下跌，这就需要政府采取适当措施，对原先的一些政策做出改进，打造出创新发展新格局，将创新的瓶颈期突破，达到科技创新发展的新阶段。

湖南的指数整体趋势是上升的，除了2012年、2021年出现下降，其余年份都处于上升趋势，尤其在2017—2020年上涨幅度尤为突出。湖南创新指数的上升得益于政府的政策，2012年，湖南省出台《长株潭国家高新技术产业开发区企业股权和分红激励试点实施办法》《关于促进科技和金融结合加快创新型湖南建设的实施意见》《关于实施“企业科技特派员专家行动计划”的意见》等多个政策，这些政策加快了湖南在“十二五”期间科技创新的增长。随后的“十三五”期间，湖南陆续颁布《湖南省科技计划项目管理办法》《关于进一步完善科技人才评价机制的实施办法》《关于完善省级科研项目资金管理激发创新活力的若干政策措施》《湖南省创新型省份建设专项资金管理办法》等政策，其目的就是要扩大创新自主权、简化创新项目验收形式、建立创新容错机制等，这些政策无疑是为湖南科技创新发展提供了加速器。2020 年，湖南科技系统坚决贯彻党中央、国务院和省委省政府统筹疫情防控和经济社会发展、扎实做好“六稳”“六保”的各项部署，以创新型省份建设为总揽，加快推进以科技创新为核心的全面创新，着力打造具有核心竞争力的科技创新高地，不断增强高质量发展新动能，在医疗、重工、计算机、农业等领域焕发出强大生机。

四川和重庆在 2010—2022 年中指数都呈现出上下波动的态势，但四川的整体趋势是处于上升态势，而重庆的整体趋势是下降。经历汶川地震后，党中央高度重视四川的震后经济发展，坚持“自主创新、重点跨越、支撑发展、引领未来”的方针，深入实施“科教兴川”和“人才强省”战略，以加快转变经济发展方式为主线、提高自主创新能力为核心、建设创新型四川和西部科技创新高地为目标，以整合科技资源、提升创新能力、加速成果转化为取向，以实施国家技术创新工程四川省试点、重大科技成果转化工程、战略性新兴产品培育工程为抓手，突破一批具有自主知识产权的关键核心技术，加快科技成果向现实生产力的转化，推动经济社会发展走上创新驱动、内生增长的轨道，为加快建设西部经济发展高地，实现全面建设小康社会目标做出更大的贡献。重庆在这统计期出现指数下降的现象，原因可能在于高校数量的缺少、创新产出质量不高、企业主动创新意愿不强等。所以，重庆应当提高科技创新质量，与毗邻的四川加大科技创新合作以促进科技创新发展。

贵州的指数整体也处于上下波动态势但是波动的幅度不大，且整体是缓慢上升的。云南在 2010—2011 年出现上升，随后整体呈下降趋势。总体而言，贵州和云南的科技指数都非常低，这是因为两省的科学技术以及经济发展落后，两省仍有许多贫困城市，科技基础设施的缺乏致使先进的科学技术无法输送到两省。此外，高校数量、教育水平的不足导致先进的科学技术无法容易地传播给两省，再加之疫情影响，尤其是云南，由于与东南亚国家接壤导致境外疫情防控形势严峻，全省不断在封闭与半封闭之间转换，创新发展受到影响。因此，两省政府应首先从教育方面出发，提高教育水平，使得学生有能力充分学习这些先进技术以达到为两省作出贡献的目的，另外，进一步加强疫情防控力度，为创新发展提供良好的环境。相信在“十四五”时期，贵州与云南一定能够在科技创新方面取得巨大突破。

从表 7-1 中的均值可以看出，2010—2017 年的趋势大体是不断攀升的，虽然在 2018 年出现了下降，但 2019 年出现回升，由于疫情，2020 年指数值再度下降，但整体趋势呈现上升态势，从 2010 年的 26.344 增长到 2022 年的

32.700。

整体而言，长江经济带经济高质量发展的创新能力较强。其中，江苏创新方面发展状况较好，在2011—2022年始终名列前茅，对其他省市起到了一定的带动作用；相对而言，云南和贵州的创新状况较差，但贵州始终跟随着长江经济带高质量发展的总体趋势，其创新方面也在不断提高，而云南的创新能力有待提高，应当引进更多的先进技术和高新技术科技人才，在疫情防控常态化下打造创新发展新格局。

7.3.2 协调指数

要想实现经济的高质量发展，协调的位置至关重要，促进长江经济带经济协调发展，使各个省市的优势互补，充分利用经济资源，加强各个省市的经济联系，提升整体的竞争优势和经济效率，共同打造长江高质量发展经济带。本节继续使用测算长江经济带经济高质量发展指数中一级指标协调指数中的7个二级指标，使用熵值法测算出11个省市2010—2022年的协调指数并进行比较分析。协调指数的测算使用R软件，仍使用测算经济高质量发展指数时所编写的函数进行测算，将数据的范围缩小至一级指标中协调指标的相关数据，并附上正向指标、逆向指标情况，输入函数得出结果。测算的结果如表7-2所示。

表7-2 2010—2022年长江经济带协调指数

省市	年份												
	2010	2011	2012	2013	2014	2015	2016	2017	2018	2019	2020	2021	2022
上海	86.687	88.297	83.690	85.112	86.391	88.370	87.521	84.314	87.132	88.678	86.117	84.229	81.557
江苏	54.122	56.927	57.610	57.954	59.730	58.924	58.644	52.287	50.513	57.588	52.109	50.882	48.538
浙江	61.209	63.570	65.677	66.376	66.127	63.839	63.216	52.908	52.139	60.487	56.417	53.418	53.401
安徽	21.971	25.516	29.720	29.016	28.110	26.257	26.930	26.258	22.512	28.936	36.515	38.780	38.102
江西	23.910	28.520	30.876	28.829	27.112	25.755	26.412	19.712	19.306	26.491	28.483	29.752	30.150
湖北	37.170	39.587	43.901	45.056	42.801	39.727	39.163	38.565	42.768	39.020	34.660	37.035	35.875
湖南	26.195	29.819	32.080	33.704	31.352	29.515	30.231	36.310	37.842	30.363	25.951	27.177	27.161
重庆	39.523	41.904	44.874	44.699	44.315	43.121	42.811	48.393	47.202	40.842	45.474	47.839	47.106
四川	24.900	27.614	32.103	33.502	30.141	28.274	29.772	35.942	36.140	27.254	26.904	29.336	28.757
贵州	14.046	18.381	13.776	12.762	9.668	7.208	6.562	17.498	12.878	5.717	14.299	15.404	14.106
云南	11.888	14.048	12.756	12.023	12.331	12.048	12.868	13.246	14.783	11.564	11.877	10.801	11.454
均值	36.511	39.471	40.642	40.821	39.825	38.458	38.557	38.676	38.474	37.903	38.073	38.605	37.837

在表 7-2 的基础上，使用 Excel 绘制出 2010—2022 年长江经济带协调指数的折线图，如图 7-2 所示。

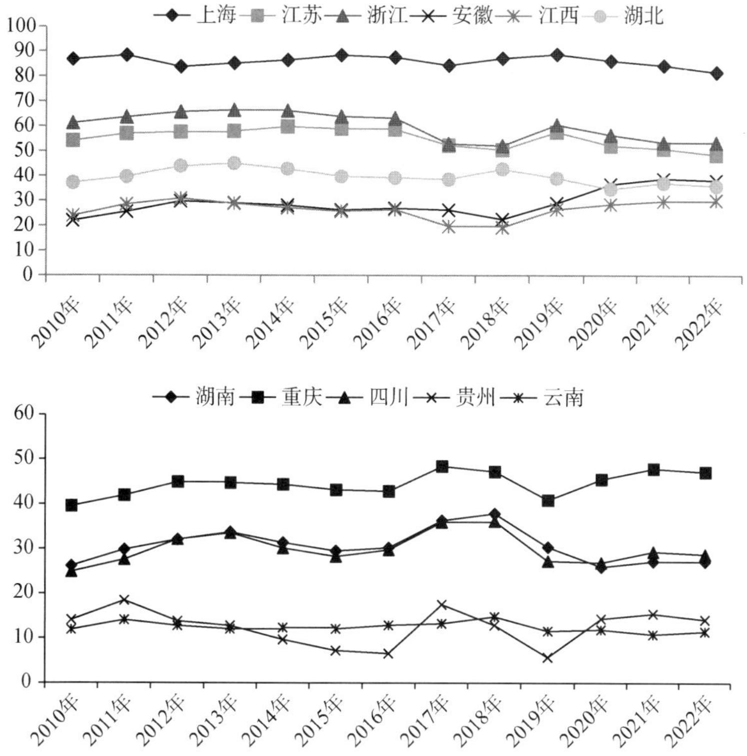

图 7-2　2010—2022 年长江经济带协调指数折线图

综合图表的数据，发现 2010—2022 年这 13 年里，长江经济带协调指数整体呈现 2010—2016 年平稳，2017—2022 年波动的态势。具体来看，下游上海、浙江、江苏 3 个省市仍然位居 11 省市的前三位。上海在协调方面排名第一，整体趋势平稳，说明在所设定的 7 个二级指标里，上海表现突出，经济协调发展能力较强；江苏和浙江均呈现 2010—2016 年平稳，在 2017 年出现下滑并经历一年平稳期，于 2019 年再度回升至 2017 年的水平，而后因疫情再度下跌；安徽的趋势在 2010—2019 年同江苏和浙江一样，但 2020—2022 年指数上升。由上海、江苏、浙江、安徽所组成的长三角地区，在近 13 年里颁布了一系列长三角区域协调发展的政策。长三角协调发展的规划由 2010 年 6 月开始，该规划的规划期为 2009—2015 年，展望到 2020 年，根据规划，长三角将形成以上海为核心的“一核九带”空间格局。2018 年 11 月 5 日，长江三角洲区域一体化发展上升为国家战略，着力落实新发展理念，构建现代化经济体系，推进更高起点的深化改革和更高层次的对外开放，同“一带一路”建设、京津冀协同发展、长江经济带发展、粤港澳大湾区建设相互配合，完善中国改革开放空间布局。2019 年 12 月 1 日，中共中央、国务院发布《长江三角洲区域一体化发展规划纲要》，该规划纲要是指导长三角地区当前和今后一个时期一体化发展的纲领性文件，是制定相关规划和政策的依据，规划期至 2025 年，展望到 2035 年。2020 年，一系列新政策再度出台，这对于长三角的一体化进程，特别是从修路架桥、推动人才流动、共建产业园区，到共同实施具体项目、共同推进行动纲领，再到进一步共同制定行为准则起到了积极的作用，对推进都市圈协调联动，推动上海与近沪区域及苏锡常都市圈联动发展，构建上海大都市圈奠定了坚实的基础。

中上游省市如重庆、四川、贵州均呈现出 2010—2016 年平稳，2016—2022 年先上升、后下降、再上升的态势；湖北、湖南在 2010—2019 年的趋势同重庆、四川、贵州几近相同，但 2020 年由于两地属于疫情较严重地区，因此指数出现下降趋势，2021 年后回升；江西的趋势同安徽相似；云南整体在这 13 年里趋于平稳。首先，对于中上游省市如此的变化趋势，国家应当加大推进中上游省市经济一体化协调发展建设，加紧赶上下游省市步伐，中上游省市应当高度衔接、深度融会中央决策，凸显协同发展的全局性；其次，应当对标对表、互为镜鉴，以国家级新区为“探路者”，展示协同发展的契合性；再次，应当分类施政，利益共享，明晰协同发展的匹配性；最后，应当以乡村振兴为抓手，在西部地区率先全面建成小康社会，增强协同发展的示范性。

从表中的均值可以看出，2010—2022 年均值的趋势是近似山坡形状的，于 2013 年达到峰值，随后呈现下降态势。均值的下降就说明长江经济带各个省市尤其是下游省市与中上游省市的差距正在扩大，未起到下游省市与中上游省市优势互补以达到经济协调发展的作用，经济协调发展方面有待提高。

整体来说，长江经济带经济高质量发展的协调能力中等。具体来看，上海在经济协调发展方面表现较好，而贵州和云南在经济协调发展方面表现较差。综合来看，长江经济带在经济协调发展方面不尽如人意，这也是政府相关部门需要特别注意的地方。

7.3.3 绿色指数

要想实现经济的高质量发展，绿色是必不可少的，促进长江流域生态文明建设，推动长江经济带经济绿色发展，以不破坏环境为代价来发展经济从而实现经济的高质量发展。保护长江生态环境是一项长期的系统性工程，需要长江沿岸的各省市协同配合，以实现在生态上协同发展的共同目标。本节仍使用测算长江经济带高质量发展指数中一级指标绿色指数中的6个二级指标，使用熵值法测算出11个省市2010—2022年的绿色指数并进行比较分析。绿色指数的测算使用R软件，仍使用测算经济高质量发展指数时所编写的函数进行测算，将数据的范围缩小至一级指标中绿色指标的相关数据，并附上正向指标，逆向指标情况，输入函数得出结果。测算的结果如表7-3所示。

表7-3　2010—2022年长江经济带绿色指数

省市	年份												
	2010	2011	2012	2013	2014	2015	2016	2017	2018	2019	2020	2021	2022
上海	58.446	57.486	67.073	65.407	79.341	78.813	80.152	77.315	54.115	70.435	66.321	65.755	70.424
江苏	68.966	67.854	68.108	72.835	72.756	74.560	73.669	71.535	66.662	64.059	62.407	58.565	68.478
浙江	85.387	84.855	86.997	87.150	83.881	81.535	82.466	78.378	71.517	81.470	77.005	71.012	74.407
安徽	48.244	49.711	49.537	55.317	51.028	51.425	59.619	59.069	52.791	62.720	55.425	65.771	54.962
江西	55.843	59.917	60.370	58.379	49.820	52.426	47.619	62.650	81.085	80.575	74.589	60.244	62.794
湖北	37.798	45.939	57.217	57.991	56.974	61.619	71.840	79.153	64.348	74.055	62.630	61.743	64.410
湖南	54.199	69.379	72.679	74.263	77.471	80.469	82.800	82.505	74.671	81.357	76.704	72.293	79.139
重庆	60.262	75.728	78.865	79.113	77.776	79.108	68.324	69.907	65.215	52.466	63.473	62.751	79.152
四川	61.373	66.477	68.725	65.883	56.499	60.671	59.995	60.285	63.666	68.880	62.945	49.772	50.729
贵州	49.280	42.311	35.947	37.228	27.648	34.882	37.082	29.411	37.517	28.306	35.483	27.054	23.981
云南	73.278	33.003	36.906	33.216	31.651	25.292	21.187	24.976	48.155	45.049	52.367	38.954	37.726
均值	59.371	59.333	62.039	62.435	60.440	61.891	62.250	63.199	61.795	64.488	62.668	57.629	60.564

在表7-3的基础上，使用Excel绘制出2010—2022年长江经济带绿色指数的折线图，如图7-3所示。

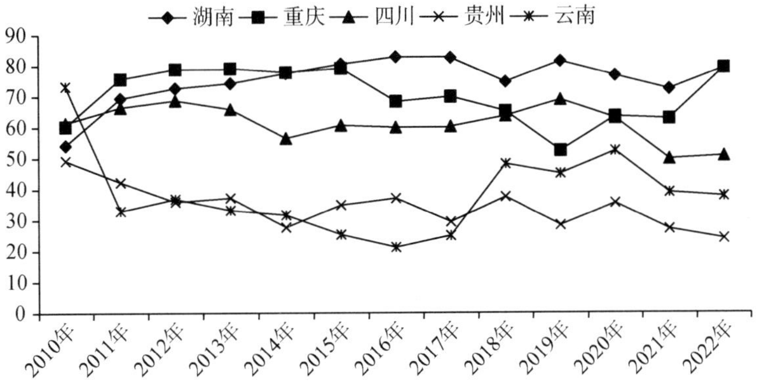

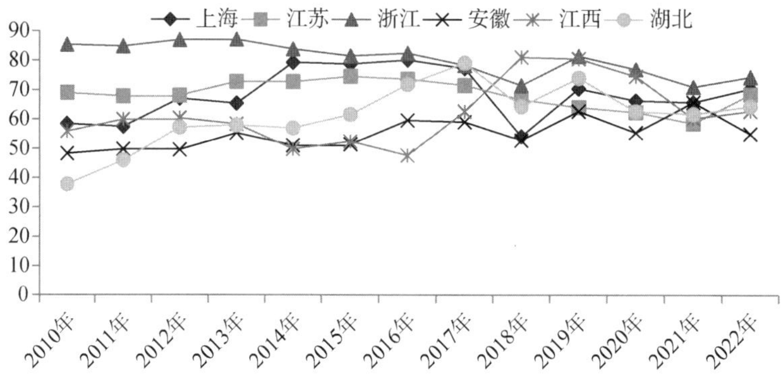

图 7-3 2010—2022 年长江经济带绿色指数折线图

综合图表的数据，发现 2010—2022 年，长江经济带绿色指数总体上呈现较大的变动趋势。具体来看，上海在 2010 年绿色指数并不高，在经历了一年的平稳期后于 2012 年完成上升，2012—2013 年再度平稳，在 2014 年二次上升，在 2014—2017 年近似平稳并于 2018 年下跌之后在 2019 年完成了反弹，但在 2020 年又再度下跌，直到 2022 年才有回升。究其原因，首先，上海在 2010—2020 年已连续滚动实施了四轮环保三年行动计划，取得了明显的成效。其次，在 2018 年，上海发布《上海市城市总体规划(2017—2035 年)》，规划指出，上海将全面推动绿色低碳发展，优化能源结构，降低产业和建筑能耗，引导绿色交通出行，全面降低碳排放。再次，上海是全国最先实施垃圾分类的城市，这对绿色发展也起到了推动作用。但是在 2018 年指数出现了下跌，说明上海在绿色保护方面监管不足，仍有不法企业以破坏环境的代价攫取暴利。而 2020 年的小幅度下跌可能是疫情原因导致。

江苏的指数整体呈现出先上升、后下降的趋势。具体来看，江苏在 2010—2015 年上升，2015—2021 年下降，2022 年上升。“十二五”期间，江苏严格控制环境污染，深入实施六大战略、全面推进八项工程，扎实推进工业绿色发展，取得明显成效。具体在工业污染防治、资源利用、废弃物绿色化和再利用以及绿色制造技术创新方面取得成效，这些成效通过指数的上升体现出来。“十三五”期间，按照“生态优先，绿色发展”总要求，全省上下聚焦工业节能和绿色发展主战场，加快产业结构转型升级，大力实施绿色制造工程，着力构建高效、清洁、低碳、循环的绿色制造体系，加强资源综合利用，培育壮大绿色产业，在工业绿色发展方面取得阶段性成就，具体在产业结构优化、绿色生态体系形成、资源综合利用水平提升和节能降耗方面大幅提高，较“十二五”期间获得了进一步发展。但是,或许由于这些举措在2015—2020年并未完全贯彻落实,出现了同上海情况相似的政府机关未严格管控以及企业人员未履行企业绿色发展应尽的义务的现象,使得江苏在2015—2022年里指数总体出现下降的态势。针对这样的问题,政府部门应加强自身对政策措施的贯彻落实,同时加大对企业以及环境保护的管理力度。

浙江的指数呈现出下降态势,于2018年降至最低点,在2019年完成上升,2020到2022年呈山谷状,从它的指数可以看出,浙江在环境保护和能源使用方面表现不佳,每况愈下,但在2018年之后,浙江严守红线,打造碧水蓝天,推进污染防治攻坚战,积极持续优化能源结构、产业结构,推动产业生态化和生态产业化,同时积极引领垃圾分类"新时尚",使得在2019年整体绿色指数出现了反弹。但在2020年同样是因为疫情,医院为救治患者导致用电量上升,致使指数出现了些许下降。

安徽的指数整体趋势呈现上升,虽然出现了上下波动,但不影响整体趋势。"十二五"以来,安徽涌动绿色发展热潮,生态文明建设在改革发展大局中的战略地位日益凸显。从实施《安徽省生态强省建设实施纲要》到出台《安徽省主体功能区规划》,从打响呼吸"保卫战"到江河湖泊治理,从美好乡村建设到新安江畔生态补偿机制试点,绿色发展成为安徽的生动实践。"十三五"以来,随着《安徽省绿色发展行动实施方案》《"三河一湖一园一区"生态文明示范创建工程施工方案》等重要政策文件密集出台,绿色发展行动"千帆竞发",新形势下生态文明建设与环境保护工作的制度设计和政策体系日趋完善。

江西的指数2010—2013年近乎平稳,2014年出现下跌,2014—2016年经历小幅度上升和下跌,于2016—2018年完成飞升并保持平稳至2019年,但在2019—2021年出现了小幅度下降,这说明了江西在绿色发展方面表现良好。"十二五"期间,江西绿色发展存在"在绿色实践上,行动仍滞后于理念;在生态保护上,环境容量压力持续加大;在发展导向上,面临经济平稳增长压力;在产业层次上,绿色产业比重不高;在生态机制上,探索创新主动性不够"等障碍,这些因素导致其指数在2010—2015年呈平稳和下跌趋势,但2016年后,江西在健全绿色低碳循环发展的生产体系、绿色低碳循环发展的流通体系、绿色低碳循环发展的消费体系方面,加快基础设施绿色升级方面,构建市场导向的绿色技术创新体系方面和完善政策支持和法制保障体系等方面制定措施,取得卓越成效,致使指数出现大幅度上升。2020年,在疫情防控形势下,江西着力筑牢绿色屏障,着力创新绿色制度,着力壮大绿色经济,着力繁荣绿色文化,指数值没有出现较大的下滑。

湖北、湖南的指数均呈现出先上升后下降再上升再下降的波动态势，分别于 2017 年和 2016 年达到顶峰值，且均在 2018 年出现较大幅度下滑，并均于 2019 年完成反弹，但在 2019—2021 年都经历了下滑趋势，且湖北下滑幅度较大。湖北、湖南近十年来在发展绿色产业方面、构建综合立体绿色交通走廊方面、绿色宜居城镇建设方面、绿色金融发展方面、绿色交易平台发展方面取得重大进展，导致指数呈现出如此趋势。但 2020 年由于这两个省份疫情情况较严重，医疗用电巨大，用电量增加的幅度较其他省市高，尤其是湖北，除了医疗用电外，各个公共场所例如会展中心、室内体育馆等作为临时医院导致耗电量较大，致使出现湖北的绿色指数下降幅度较大的现象。

重庆的指数 2010—2011 年上升，2011—2015 年平稳，2015—2019 年整体下降，于 2020 年实现回弹，又于 2021 年下降，2022 年回弹。2015 年后重庆在绿色环境保护方面表现不佳，首先，由于绿色发展理念与技术脱节导致绿色发展水平不足，致使“三高两低”、产能过剩等问题仍较严重；其次，产业创新能力不足，绿色发展制度瓶颈明显，在产业人才吸引、创新人才扶持等诸多领域存在短板；再次，生产、生活、生态空间协调性较差，区域差异较大，由此带来的环境污染等问题突出，最终导致环境治理成本显著提高。对此，建议构建一套与山水林田湖草系统治理相匹配的复合生态系统管理体系，以引领重大制度改革创新和推动重庆绿色发展。2020 年，重庆进一步加大环境治理，产业结构布局持续优化，在 2020 年新冠疫情的特殊背景下，重庆产业结构不断优化并释放出巨大红利，成效尤为显著。此外，节能环保产业营业收入突破千亿大关，绿色金融市场快速创新发展，特色高效农业、生态旅游不断发展升级，导致 2020—2022 年指数整体呈上升态势。

四川的指数整体呈现出下降态势，2012 年其指数值达到顶峰，而后下降，于 2014 年达到最低点，自此之后至 2019 年呈现上升态势，但在 2020 年出现下跌，一直持续到 2022 年才有所回升。出现下降的原因在于乡村发展和保护方面出现了“两难”问题，出现了二者不可兼得的瓶颈难题，固有的乡村发展道路势必会相对造成对环境的破坏，至此，四川打破原始常规，真正从乡村本位出发，转变思想，探索出了一条乡村崛起的可持续路径，实施了以绿色发展为导向的乡村振兴战略并实现了突破，使得指数出现了攀升。2020 年，四川加大对环境的保护力度，重拳出击，每月对各市（州）突出问题暗查暗访暗拍，通过严格的举措加强生态环境问题整改，效果显著，但由于疫情和地质灾害的影响，指数出现了下滑，不过幅度并不巨大，2020 年指数值基本与 2018 年持平。但是 2021 年存在大幅下降。

贵州的指数整体呈现出下降态势，其在2010—2014年下降，于2014年达到谷底，随后至2016年上升，而后至2020年呈现出上下波动趋势，再到2022年一路下跌，贵州是石漠化较严重的省份，石漠化直接影响了贵州的经济发展，再加上人们的环境保护意识不强，不科学的土地开发利用以及大肆添加化肥农药种植农作物，导致森林严重破坏，水土流失，自然灾害频发，致使指数在前五年不容乐观。但是，"十三五"以来，贵州积极响应中央会议精神，大力发展绿色农业、绿色制造业、绿色服务业、绿色金融业，加快构建生态经济体系；大力推进千企引进、千企改造的"双千工程"；在"绿色轻工业"产业中，将"少数民族特需用品制造"列为其中。贵州扩大对绿色经济的理解，不仅仅是直接产生经济效益的传统产业、传统项目，还包含需要政府大量投入的公共文化项目、文化产业和文化项目，它们所产生的间接效益和社会影响等都被纳入绿色经济发展的门类。这些措施使得指数呈现出向好态势。2020年，贵州指数上升，得益于贵州构建绿色制造体系，培育创建了一批国家级、省级绿色制造体系建设单位（绿色园区、绿色工厂、绿色产品、绿色供应链）。

云南的指数整体趋势呈现出盆地状，其在2011年出现暴跌后在2011—2014年呈现极小幅度震荡，之后继续下降并于2018年出现猛增，但在2018—2019年出现下降，于2020年实现反弹，2021年和2022年都保持下跌。云南地势复杂，高原平原兼具，农村居多，粗放经营，技术落后，资源利用不充分，致使出现产业失衡、效率低下，进而反映出指数不佳的情况。在2017年后，云南加强对"三废"处理的收费机制，推动构建"绿色铝产业""绿色硅产业"生产以及精深加工及其应用的全产业链提法，为云南依托绿色能源优势打造绿色制造强省提供了政策机遇。这些措施推动了指数的上升，但是政策措施仍然还有响应不足、执行不当的问题，导致后面指数出现下降。2020年，云南正式施行全省生态文明建设首部综合性、统领性、倡导性、促进性的地方法规——《云南省创建生态文明建设排头兵促进条例》。条例旨在推进生态文明建设，筑牢国家西南生态安全屏障，维护生物安全和生态安全，践行绿水青山就是金山银山的理念，推动绿色循环低碳发展，实现人与自然和谐共生及满足人民日益增长的优美生态环境需要，努力把云南建设成为全国生态文明建设排头兵、中国最美丽的省份。条例实施后，云南各地积极响应，大力推行绿色创新发展，指数呈现上升趋势。

从表中的均值可以看出，2010—2022年长江经济带绿色指数的趋势总体在不断上升，虽然有几年出现稍小的下落，但不影响总体趋势，体现了随着时间的推移长江经济带11个省市在绿色发展方面效果逐年显著。

综上所述，长江经济带经济高质量发展的绿色保护能力较好。其中，浙江的生态发展状况在2010—2015年情况较好，后面趋于中上游水平，而湖南在2015年后情况较好。除贵州以外，其他省市在2020年呈现出差距缩小的现象。相比而言，上游省份贵州在绿色发展方面稍有不足，不过这在经济发展的过程中是必经之路，预计在未来整体的保护情况会不断完善。

7.3.4 开放指数

要想实现经济的高质量发展，对外开放、吸收外来的先进技术、进出口商品以获取利润、加强国际之间的金融贸易往来十分重要，因此长江经济带各省市应达到开放上协同，应从开放中获取先机，应从开放中获取技术，应从开放中获取利益，最终达到经济高质量发展。本节仍使用测算高质量发展指数中第四个指标开放指数中的四个二级指标，使用熵值法测算出11个省市2010—2022年的开放指数并进行比较分析。开放指数的测算使用R软件，仍使用测算经济高质量发展指数时所编写的函数进行测算，将数据的范围缩小至一级指标中开放指标的相关数据，并附上正向指标、逆向指标情况，输入函数得出结果。测算的结果如表7-4所示。

表7-4　2010—2022年长江经济带开放指数

省市	年份												
	2010	2011	2012	2013	2014	2015	2016	2017	2018	2019	2020	2021	2022
上海	99.600	99.600	96.807	99.054	99.058	96.996	99.600	99.600	99.600	99.600	99.600	99.600	99.600
江苏	55.076	58.813	58.636	45.085	45.420	41.897	42.953	41.747	40.492	41.216	41.614	33.539	41.903
浙江	48.264	51.592	49.144	49.849	47.448	44.299	32.762	32.590	31.104	33.292	22.500	20.130	20.933
安徽	7.824	8.983	10.309	10.560	12.339	14.708	12.062	12.056	12.657	13.566	12.181	7.971	7.636
江西	8.047	8.967	9.287	9.518	11.114	9.929	9.972	7.501	7.271	8.616	7.351	4.741	5.117
湖北	8.351	8.542	9.260	9.546	10.136	10.407	11.217	11.114	9.752	9.992	8.543	3.659	3.572
湖南	5.809	4.894	4.097	3.400	3.860	2.601	2.640	6.928	6.933	7.787	3.651	1.768	1.597
重庆	15.621	18.983	23.044	24.486	30.223	20.178	20.169	19.545	18.676	20.453	12.414	9.399	8.624
四川	8.288	8.909	11.650	11.659	11.318	10.258	12.187	12.266	8.771	15.853	8.826	4.367	4.652
贵州	5.217	5.129	4.642	4.091	2.797	2.479	2.590	1.832	2.545	2.866	3.307	1.919	7.882
云南	14.287	13.265	12.930	15.198	15.395	13.790	13.086	12.507	13.145	12.992	7.167	3.799	5.732
均值	25.126	26.152	26.346	25.677	26.283	24.322	23.567	23.426	22.813	24.203	20.650	17.354	18.841

在表 7-4 的基础上，使用 Excel 绘制出 2010—2022 年长江经济带开放指数的折线图，如图 7-4 所示。

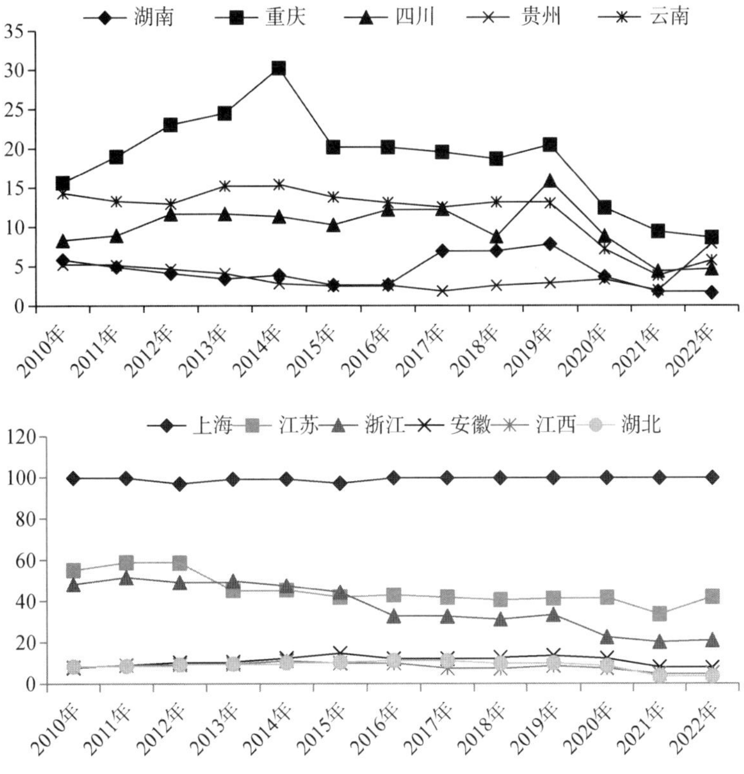

图 7-4　2010—2022 年长江经济带开放指数折线图

综合图表的数据，发现 2010—2022 年，长江经济带开放指数总体上呈现平稳兼小幅度下降的趋势。具体来看，下游城市上海在这 11 年里始终处于榜首位置且保持平稳态势。首先，上海拥有全国最大的金融中心，在对外经济贸易往来方面上海占据较大比重，同时在商品进出口买卖方面上海也具有较强的优势；其次对于外国人来说，一想到中国首先就会想到上海，上海是一个多元化的大都市，每年的客流量巨大，来自国外的游客众多，许多的大型国际活动都会选择在上海召开，致使对外旅游收入也很高，因此造就了上海的开放指数相较于其他省市的巨大领先优势。2020 年，新冠疫情全球蔓延，上海因我国防控疫情高效举办了许多世界大会如服贸会、进博会等，使得其指数在 2020 年没有下跌。

下游省市的另外两个省江苏和浙江虽然在整体排名中居于第二、三位，但是在这13年里江苏和浙江分别在2013年和2016年出现较大幅度下降现象并无法回到原先水平，其原因是开放指数中的对外旅游收入指标出现了下跌。首先，江苏在2013年下跌的原因是2013年的雾霾天气使得外国游客尤其是西方国家游客选择去他省旅游；其次，经济不景气，2013年的禽流感疫情、食品安全问题等都导致2013年旅游收入出现下跌，而之后的对外旅游收入始终处于2013年水平并增长缓慢，原因在于江苏对于外国游客来说，印象深刻的景点过少，著名景点莫过于南京的中山陵、夫子庙，苏州的拙政园等，而且由于上海与江苏相邻，外国游客首选会去上海而不是江苏，这就造成对外旅游收入长年增长缓慢甚至出现停滞现象，进而造成开放指数出现下滑。同样，浙江对外旅游收入的下降也是外国游客所熟知的景点数目较少、相邻上海等原因造成。2020年，江苏指数并未出现下滑，而浙江出现大幅度下滑，其中的原因在于江苏2020年新设立3 062个外商投资项目，实际使用外资235.2亿美元，规模位居全国首位。面对疫情强烈冲击，江苏力求改革创新，一系列新举措不断优化营商环境，助推外资发展逆势而上。同时，江苏在2020年大力开展线上国际大会，例如"江苏优品・畅行全球"20场系列线上国际展会、无锡宿迁举办外贸云展会等。此外，海关等部门也推出原产地证书自动审批等针对性服务，帮助企业享受融资、退税和简化申报等优惠。面对困境，政府部门主动应变，让江苏外贸表现出强大韧性。而浙江在2020年疫情条件下虽然在进出口贸易方面表现良好，但在国际旅游收入方面与江苏、上海的差距较大，出现了严重缩水，最终导致指数出现骤降。

中上游省市除重庆之外，整体呈现出近似平稳的态势。重庆在2010—2014年呈现出上升趋势，2014年达到顶峰，而后下降并持续平稳。重庆的开放在前几年表现较好但2014年后下降，可能是开放政策和力度出现了无法与时俱进的情况，所以重庆应当推动内陆开放高地建设迈上新台阶，具体从开放平台方面、外资利用方面、离岸金融中心建设方面以及外资企业准入机制简化方面进行提升。2020年，以旅游作为产业的重庆，由于新冠疫情，国际旅游收入大减，致使指数出现下降，好在重庆在进出口贸易方面较2019年呈现增长态势，没有使指数出现更大幅度下滑。

江西在2010—2022年整体趋于平稳，这说明了2010年后江西在对外开放方面表现良好。"十三五"期间，江西颁布了一系列扩大开放的政策，例如在扩大开放领域、招商引资方面，省财政对在江西投资的实体经济项目按核定的实际引资金额2%的比例进行一次性奖励，最高奖励5 000万元；在外贸进出口方面，提出支持优势产业和优势企业扩大出口，力争省产品出口比重年均提升5个百分点以上，每年重点扶持一批外贸产业集群；在“走出去”方面，提出推动对外承包工程高质量发展，推进海外江西工业园、境外经贸合作区建设；在开发区方面，提出促进开发区优化招商引资综合服务，制定开发区全链审批赋权清单；在营商环境方面，在全省推广“容缺审批＋承诺制”办理模式等举措，致使江西在开放方面处在向好态势。2020年，正因为上述的这些举措，使得江西弥补了国际旅游收入巨大的损失，使得指数没有出现明显的下滑。

从表7-4中的均值也可以看出，开放指数随着时间的推移总体呈现上升趋势，于2014年达到顶峰，在2015年之后出现下降，虽然在2019年几近回到2010年水平，但2020年又再次下降，2021年至2022年，除江苏省外，其他各省的开放指数都呈下降趋势。这体现了长江经济带因部分省市的开放程度不高导致整体的开放程度出现了下滑，这是有关政府部门需要高度重视的。

综合上述分析，长江经济带经济高质量发展的对外开放能力较好。其中，上海在2010—2022年始终名列前茅，并且大幅度领先于其他省市，中上游省市开放程度较低，随着时间推移整体在2022年几近汇聚于5～15的范围内，而且差距出现了些许缩小，这就体现了长江经济带中开放程度高的省市在一定程度上带动开放程度较低的中上游省市，使其加快开放的脚步以达到开放上的协同性。江苏和浙江虽然出现了波动，但总体能在长江经济带中排在前列。

7.3.5 共享指数

要想实现经济的高质量发展，共享是必不可少的。保证整个长江经济带的经济高质量发展就要使各个省市经济同时迈进，各个省市相互分享经验和技术成果，逐步形成长江流域经济共同体。本节继续使用测算高质量发展指数中第5个指标共享指数中的五个二级指标，使用熵值法测算出11个省市2010—2022年的共享指数并进行比较分析。共享指数的测算使用R软件，仍使用测算经济高质量发展指数时所编写的函数进行测算，将数据的范围缩小至一级指标中共享指标的相关数据，并附上正向指标、逆向指标情况，输入函数得出结果。测算的结果如表7-5所示。

表 7-5　2010—2022 年长江经济带共享指数

省市	年份												
	2010	2011	2012	2013	2014	2015	2016	2017	2018	2019	2020	2021	2022
上海	73.781	84.466	85.513	73.927	57.193	59.350	59.941	58.473	60.502	61.271	64.391	73.349	63.697
江苏	43.090	43.842	42.266	47.594	48.546	45.539	46.404	49.494	44.147	43.473	43.053	44.788	39.709
浙江	50.209	50.754	47.489	51.684	55.717	52.592	51.633	57.219	56.289	52.672	50.712	48.797	46.031
安徽	19.672	20.805	16.439	20.050	25.547	26.793	23.457	29.048	28.930	27.158	38.535	35.684	38.862
江西	26.422	34.753	27.197	30.273	33.776	26.356	24.910	27.781	20.090	26.891	35.704	36.645	38.478
湖北	18.654	18.107	25.774	30.076	41.612	47.591	47.830	46.073	44.201	38.043	34.888	36.307	39.223
湖南	17.849	15.476	20.330	20.767	26.450	24.634	26.043	24.554	23.594	34.059	39.936	42.411	42.274
重庆	13.154	17.664	19.646	22.559	26.601	27.356	28.685	31.131	36.289	35.639	24.780	33.411	32.255
四川	12.529	13.392	22.519	24.375	24.711	25.642	26.315	27.480	26.892	30.819	33.127	30.868	37.719
贵州	19.245	15.905	16.809	28.334	34.031	29.732	27.420	26.790	29.496	29.189	29.752	24.296	35.045
云南	17.584	15.636	15.151	14.055	13.151	12.731	18.349	21.178	16.275	15.702	20.471	18.054	26.053
均值	28.381	30.073	30.830	33.063	35.212	34.392	34.635	36.293	35.155	35.901	37.759	38.601	39.940

在表 7-5 的基础上，使用 Excel 绘制出 2010—2022 年长江经济带共享指数的折线图，如图 7-5 所示。

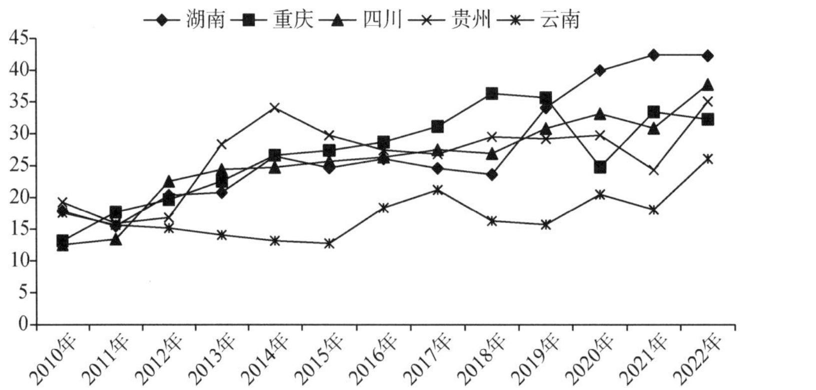

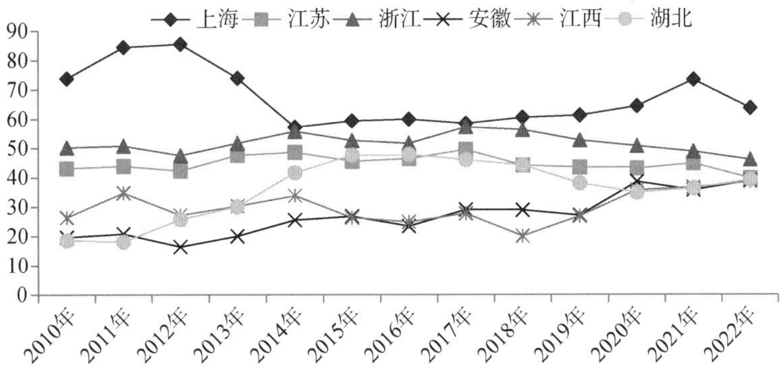

图 7-5　2010—2022 年长江经济带共享指数折线图

综合图表的数据，发现 2010—2022 年这 13 年里，长江经济带的共享指数总体上变化不一，具体来看，上海的指数在 2010—2012 年上涨后开始了两年的下降，之后在 2014—2021 年处于平稳上升的状态，虽然 2022 年经历了下降，但仍然排在 11 个省市里的第一位。上海虽然目前已成为共享经济发展的前沿阵地，但在发展过程中，法律法规不完善、数据开放共享难、统计监测体系亟待建立等共性问题依然存在，用户权益保护难题进一步凸显、新业态发展与传统的属地管理、城市管理以及理论研究滞后之间的矛盾更加突出。此外，与同领域传统业态间竞争的公平性问题、巨大资本投入可能带来的投资泡沫问题、无序发展对社会带来的负外部性问题等亟待解决，导致了指数出现下降。对此，在解决思路上一方面要加强顶层设计、规划引导，通过推动共享经济的快速发展逐步解决；另一方面要提升政府治理能力，优化制度供给；此外，要创新监管理念和方式，构筑开放竞争的商业环境；最后，发挥共享经济在解决城市问题中的积极作用，积极开展“共享城市”试点等。

浙江指数的变化趋势平缓，波动较小，基本在 50～60 波动，位居 11 省市第二。浙江在 13 年里坚持研发检测共享、制造服务共享、生产能力共享、智慧出行共享、医疗健康共享、全域旅游共享、智慧物流共享、知识技能共享、农村资源共享、农业服务共享，致使指数呈现出良好的态势。2020 年后，浙江加快发展数字经济，数字经济在浙江全面开花，共享发展机遇，疫情环境下成绩显著。

江苏指数的变化趋势与浙江相同，但在 2015 年后与湖北排名处于交替上升的状态。江苏在共享方面虽稍逊于浙江和上海，但仍有较大的潜力打造共享这一最新的经济共享源。首先，加强相关法律建设，降低公共数据的获取难度，加强互联网安全；其次，发展具有大规模行业市场，具有众多且分散的产业链下游企业，具有较强消费升级、技术升级需求的“独角兽”企业。通过这些措施，相信江苏在未来可以在经济共享方面走入全国最前列。2020 年往后，江苏切实保障和改善民生，坚持以百姓心为心，着力解民忧、纾民怨、暖民心。首先，全面落实就业优先政策，把稳就业作为重中之重，着力抓好重点群体就业；其次，深入开展职业技能提升行动，进一步提高就业质量；再次，大力推进农民工欠薪根治行动，织密扎牢社会保障网络；最后，构建服务全民终身学习的教育体系，努力办好人民满意的教育。以上措施使江苏 2020 年在疫情防控条件下指数与 2019 年几乎持平。

湖北的指数在经历 2010—2011 年的平稳期后，在 2012—2015 年大幅度上升，之后保持平稳一年后缓慢下降，湖北一度在 2015—2016 年超过江苏位居第三，而在 2016 年后不断下降且在 2020 年因疫情下降幅度较大，2021—2022 年回弹。首先，湖北在统计期里在医疗共享、知识共享等方面呈现增长；其次，湖北地处整个中部地区的中心地带，经济增长带动其居住的舒适性致使相邻省市有越来越多的人愿意常住湖北，使得城市化水平提高；最后，湖北加速推进乡村振兴建设，使得农村与城市居民的消费水平差距不断缩小。这些变化使得湖北在共享指数方面呈现出上升趋势。2020 年由于疫情，湖北整体关于共享发展的政策在 2020 年上半年未完全落实，但随着疫情逐步趋于常态化，湖北抓住机会，加强对人民生活的保障力度，加快落实全面建成小康社会的目标，致使指数未出现大幅度下滑。2020 年后，湖北受到政策扶持以及关怀，指数重新上升。

安徽的指数整体呈现上升趋势，虽然经历上下震荡波动，但不影响整体趋势。安徽通过共享经济发展增加了许多就业机会，在“十三五”期间就业人口增加了 300 万人以上，失业率控制在 4.5%以内，使得指数整体呈现上升趋势。2020 年，安徽省开展“抗疫情、补短板、促攻坚”专项行动，加大对受灾贫困群众救助帮扶政策支持，全面加强农村困难群体精准监测帮扶，帮助 179.1 万贫困劳动力返岗就业，帮销扶贫产品 209.6 亿元，防止了因疫因灾致贫返贫。另外，2020 年以来，面对突如其来的疫情和特大洪涝灾害影响，安徽省创新实施了 28 项突破性政策，政策出台数量、含金量历史未有；就业补助资金支出近 50 亿元、创业担保贷款破 100 亿元；惠企户数、惠民人数、线上线下招聘场数均创新高，打出了一套减负、稳岗、扩就业的政策组合拳，确保全省就业形势总体稳定。2020 年，全省城镇新增就业达 66.3 万人，完成省政府下达目标任务的 105.2%。2021 年一季度，全省城镇新增就业 19.5 万人，完成年度目标任务的 31%，超序时进度 6 个百分点。通过上述举措，安徽指数在 2020 年实现了飞跃，2021 年小幅度下降后，2022 年回弹。

江西同样在这 13 年里指数值上下震荡波动，2019 年几乎回到了 2010 年的状态，但 2020 年大幅度上升。江西在 13 年里经济共享方面表现不稳定，主要原因在于发展不足、经济总量不大、质量不高。对此，要牢固树立大民生观，保障好底线民生、基本民生和质量民生，不断提高人民生活质量。此外要盯着群众具体需求、关注群众切身感受，在文化教育、就业收入、社保医疗、住房环境、食品药品安全等方面，拿出实打实的举措，努力把一个个民生痛点变成撬动社会进步的支点。2020 年，江西如期完成了全面建成小康社会的目标，人民生活水平显著提高，实现城乡社会保障体系、医疗保障体系、公共就业服务等全覆盖，义务教育提前两年实现全省基本均衡，脱贫攻坚战取得全面胜利，现行标准下农村贫困人口全面脱贫，历史性解决了区域性整体贫困问题。再者，江西全面从严治党取得重大成果，党的建设全面加强，依法治省纵深推进，经济建设与国防建设协调发展，社会保持和谐稳定。“十三五”规划目标总体如期实现，近年来，江西发展已站在新的历史起点上。

湖南也经历了指数值上下波动，但在 2018—2022 年实现飞升，整体呈现出上升的态势。2018 年后，湖南首先着力扩量提质，增强服务贸易整体实力；其次，创新数字贸易模式，培育服务贸易新增长极；最后，完善制度保障，夯实服务贸易支撑体系。2020 年，湖南在疫情防控常态化条件下全方位提升教科文卫实力，加大了医疗、教育、就业、社会福利的保障力度，这些举措使得指数在 2018—2022 年总体实现飞升。

重庆整体上经历了指数先上涨后下跌的趋势，尤其在 2020 年下降明显。重庆作为中西部唯一直辖市，在东西部渗透融合中具有承东启西、左右传递的作用，先行先试发展共享经济，具备良好的基础和条件。自 2015 年我国首次提出发展“共享经济”以来，重庆市率先行动，顺势而为，大力推动共享经济发展，有效促进了传统经济模式创新升级。2017 年 1 月，重庆市政府办公厅率先在全国下发《重庆市人民政府办公厅关于培育和发展分享经济的意见》，明确了重庆市共享经济发展的基本思路、主要目标、重点领域、重点工程和政策措施。到 2020 年，打造 10 个以上国内知名、行业领先的共享经济平台，培育 20 个以上具有较强竞争力和影响力的共享经济企业，建设 8 个以上特色鲜明、配套完善的共享经济产业基地，使得规模以上工业企业产能利用率达到 85%，实现 1 000 名以上紧缺人才与企业合作，努力把重庆建成全国领先的共享经济高地，这些举措使重庆在共享指数方面实现上升。但是，2020 年疫情的到来，使得重庆乡村消费水平出现下滑，且失业率方面出现了上升，致使指数出现明显下滑，对此，重庆采取大力增加就业岗位、加大乡村振兴力度的举措，进一步提升了农村居民的服务保障水平。

四川的指数整体处于上涨趋势，经历了平稳、上涨、再平稳、再上涨的过程。四川充分利用互联网等现代信息技术整合、共享海量分散化闲置资源，推进供需资源链接、配置最优化，使得共享经济快速发展，致使四川在共享指数方面呈现出整体上涨的趋势。

贵州的指数整体是经历了先下降，再上升，后下降，最后平稳但整体处于上升的过程。13年来，随着“三变＋扶贫＋特色产业”“三变＋扶贫＋金融”等发展模式在贵州各地不断推进，贵州大大增加了农民务工机会，促进工资性收入增长，同时拉动农村居民人均财产净收入增长了55.8%，其中，转让承包土地经营权租金等红利收入增长了40%以上。经济共享发展使得农村居民整体水平不断提高，与城镇居民差距不断缩小，使得指数在“十三五”期间攀升至中上游水平。2020年，贵州全力以赴惠民生，扎实推进社会事业发展。城乡低保平均标准分别提高到每月615元、每年4 103元。新建改扩建公办幼儿园650所、普通高中学校项目280个，启动建设50所“强基工程”中等职业学校。新增三甲医院3家、儿童医院3家，53种谈判药品纳入医保支付范围，远程医疗服务总量突破60万例次。城镇保障性安居工程建成10.9万套。文化惠民工程加快推进，文化遗产保护进一步加强。全民健身蓬勃开展。民族团结局面不断巩固。

云南的指数在2010—2015年经历了缓慢下降后又经历了上升、下降、再上升的过程。云南指数整体处于末位，但其上升情况体现出云南在“十三五”期间在推动旅游业、农业和工业等方面正在努力使当地人民的城乡水平差距缩小。2020年，云南将改革目光紧紧锁定群众“急难愁盼”问题，通过一系列既有针对性、又有含金量的改革举措，为人民谋利，为民生解忧，切实给人民群众带来更多获得感、幸福感。相信不久的将来，云南在经济共享方面不再会是末位水准。

从表中的均值可以看出，2010—2022年共享指数整体上升。具体来看，共享指数均值在经历2010—2014年的上涨和2015—2016年的下降后，于2017—2022年实现再度上升，说明长江经济带2010—2022年在经济共享方面表现较好。

综上所述，长江经济带经济高质量发展的共享能力较好。其中，上海在经济共享方面仍然处于第一，浙江稳居第二，表现较好；反之，云南的表现较不尽如人意，但其整体处于上升阶段，说明下游省市的带动作用凸显。中上游省市在 2021 年与下游省市的差距正在减小，其中湖北、湖南、江西、安徽几近汇聚一点，这四个省市与江苏和浙江的差距在进一步缩小，说明在共享方面长江经济带表现突出，预计将来中上游省市会与下游省市实现共同富裕。

2022 年是全面建设社会主义现代化的关键之年，也是长江经济带在此过程中的关键节点。区域各省市坚持全民、全面、渐进共享的发展理念，通过加强合作、深化改革开放以及推动产业升级，取得了显著的经济和社会发展成就。这些成果不仅为“十四五”规划的实施提供了坚实基础，还为构建新发展格局奠定了基石，展现了区域协调发展的示范效应，并确保了民生福祉的提升与生态环境的持续改善。

08

第八章

长江经济带经济高质量发展协同分析

本章使用耦合度、耦合协调度和灰色关联度重点分析长江经济带经济高质量发展的协同效应。首先介绍耦合度、耦合协调度和灰色关联度的相关概念，接着根据第六章与第七章的数据测算耦合度、耦合协调度和灰色关联度并进行分析。本章作为测度分析实证研究的最后一章，为第九章政策与建议提供数据和实证结果支撑。

8.1 相关概念与理论基础

8.1.1 耦合度模型与耦合度的等级划分

耦合的概念来源于物理学，它是指在由两个或两个以上的电路构成的一个网络里，若其中某一电路中电流或电压发生变化，能影响到其他电路也发生类似的变化。上述的这种网络叫作耦合电路，耦合的作用就是把某一电路的能量输送到其他的电路中去。

耦合度是指在耦合系统中，各子系统之间以及组成系统的各元素之间相互作用，相互依赖，彼此影响的总强度。通过参考物理学中容量耦合概念和容量耦合系数模型，可以推广得到多个系统相互作用的耦合度模型。基本公式如式(8－1)所示。

$$C_t=\left[\frac{\prod_{i=1}^{n}U_i}{\left(\sum_{i=1}^{n}U_{ti}/n\right)^n}\right]^{\frac{1}{n}} \tag{8-1}$$

其中，C_t 代表耦合度；U_{ti} 代表运用熵值法计算出的各类型指数。从耦合度 C_t 的数值来看，其通常处于[0,1]，C_t 值越大则耦合程度越高；当 $C_t=0$ 时，表示耦合度最低；当 $C_t=1$ 时，表示耦合度最高；$C_t\in(0,0.3)$ 为低水平耦合；$C_t\in[0.3,0.5)$ 为拮抗耦合；$C_t\in[0.5,0.8)$ 为中度耦合；$C_t\in[0.8,1)$ 为高度耦合。

8.1.2 耦合协调度模型与耦合协调度等级划分标准

耦合度虽然能够判定系统间相互作用的强弱程度，但无法描述系统间的协调发展程度。所以在耦合度模型的基础上建立耦合协调度模型。基本公式如式(8-2)所示。

$$
\begin{cases} D_t = \sqrt{C_t \cdot T} \\ T_{ti} = \sum_{i=1}^{n} \alpha_i U_i \end{cases} \tag{8-2}
$$

其中，D_t 表示耦合协调度；T 表示综合调和指数；α_i 为参数。将所得到的结果进行判定，判定标准通过使用均匀分布函数法进行确定，具体如表 8-1 所示。

表 8-1　耦合协调度等级划分标准

耦合协调度 D_t 值区间	协调等级	耦合协调程度
(0,0.1)	1	极度失调
[0.1,0.2)	2	严重失调
[0.2,0.3)	3	中度失调
[0.3,0.4)	4	轻度失调
[0.4,0.5)	5	濒临失调
[0.5,0.6)	6	勉强协调
[0.6,0.7)	7	初级协调
[0.7,0.8)	8	中级协调
[0.8,0.9)	9	良好协调
[0.9,1)	10	优质协调

8.1.3　灰色关联度分析法与计算步骤

灰色关联分析法是指对于两个系统之间的因素，在系统发展过程中，若两个因素变化的趋势具有一致性，即同步变化程度较高，那么二者关联程度较高；反之，则较低。因此，灰色关联分析方法是根据因素之间发展趋势的相似或相异程度，亦即"灰色关联度"，作为衡量因素间关联程度的一种方法。

灰色关联分析法的具体步骤如下：

(1) 确定反映系统行为特征的参考数列和影响系统行为的比较数列

反映系统行为特征的数据序列，称为参考数列。影响系统行为的因素组成的数据序列，称为比较数列。

(2) 对参考数列和比较数列进行无量纲化处理

由于系统中各因素的物理意义不同，导致数据的量纲也不一定相同，不便于比较，或在比较时难以得到正确的结论。因此在进行灰色关联度分析时，一般都要进行无量纲化的数据处理。

(3) 求参考数列与比较数列的灰色关联系数 $\xi(X_i)$

所谓关联程度，实质上是曲线间几何形状的差别程度。因此曲线间差值大小可作为关联程度的衡量尺度。对于一个参考数列 X_0 有若干个比较数列 $X_1, X_2, \cdots, X_n$，各比较数列与参考数列在各个时刻(即曲线中的各点)的关联系数 $\xi(X_i)$ 可由式(8-3)算出。

$$\delta_i(k)=\frac{\min_i \min_k |X_0(k)-X_i(k)|+\rho \cdot \max_i \max_k |X_0(k)-X_i(k)|}{|X_0(k)-X_i(k)|+\rho \cdot \max_i \max_k |X_0(k)-X_i(k)|} \tag{8-3}$$

其中，ρ 为分辨系数，一般为 0～1，通常取 0.5；$\min_i \min_k |X_0(k)-X_i(k)|$ 是第二级最小差；$\max_i \max_k |X_0(k)-X_i(k)|$ 是两级最大差；$|X_0(k)-X_i(k)|$ 为各比较数列 X_i 曲线上的每一个点与参考数列 X_0 曲线上的每一个点的绝对差值；$\delta_i(k)$ 为比较数列 X_i 的第 k 个元素与参考数列 X_0 的第 k 个元素之间的关联系数。

(4) 求关联度

因为关联系数是比较数列与参考数列在各个时刻(即曲线中的各点)的关联程度值，所以它的数不止一个，而信息过于分散不便于进行整体性比较。因此有必要将各个时刻(即曲线中的各点)的关联系数集中为一个值，即求其平均值，作为比较数列与参考数列间关联程度的数量表示，关联度如式(8-4)所示。

$$\gamma_i=\frac{1}{n}\sum_{k=1}^{n}\delta_i(k) \tag{8-4}$$

其中，γ_i 为比较数列 X_1 对参考数列 X_0 的关联度，γ_i 值越接近 1，说明相关性越好。

(5) 关联度排序

因素之间的关联程度，主要是用关联度的大小次序描述，而不仅是关联度的大小。将 m 个子序列对同一母序列的关联度按大小顺序排列起来，便组成了关联序列，记为 $\{x\}$，它反映了对于母序列来说各子序列的“优劣”关系。若 $\gamma_{0i}>\gamma_{0j}$，则称 $\{x_i\}$ 对于同一母序列 $\{x_0\}$ 优于 $\{x_j\}$，记为 $\{x_i\}>\{x_j\}$；γ_{0i} 表示第 i 个子序列对母序列特征值。

8.2 长江经济带经济高质量发展的耦合协调分析

8.2.1 耦合协调综合发展状况

本节将使用上述公式进行分析，公式计算软件是 Excel 软件。首先将上述公式赋予实际意义，其中在耦合度模型公式中 U_{ti} 代表历年长江经济带 11 省市的各类指数，n 代表省市个数，记为 11。在耦合协调度模型中 t 的最大值定为 13，其代表着年份，α_i 在本节里定为 1/13，即认为同等重要。接着通过使用 Excel 软件得出耦合度以及耦合协调度并将它们绘成图形以供分析。

根据上述耦合度及耦合协调度模型计算所得的数据，绘制 2010—2022 年长江经济带耦合协调综合发展状况图，具体如图 8-1 所示。从演进态势看，2010—2022 年长江经济带经济高质量发展的耦合度整体呈波动上升态势，其中 2010—2011 年略微下降，2011—2013 年持续上升，2013—2015 年连续两年下降，2015—2018 年耦合度高速上升，2019 年大幅度下降，2020 年完成上升，2021 大幅度下降后 2022 大幅度反弹；观察期内耦合度由 2010 年的 0.869 上涨为 2022 年的 0.886，根据参照标准可知，2010—2022 年长江经济带经济高质量发展始终处于高度耦合阶段，这表明长江经济带的经济发展正朝着更加协

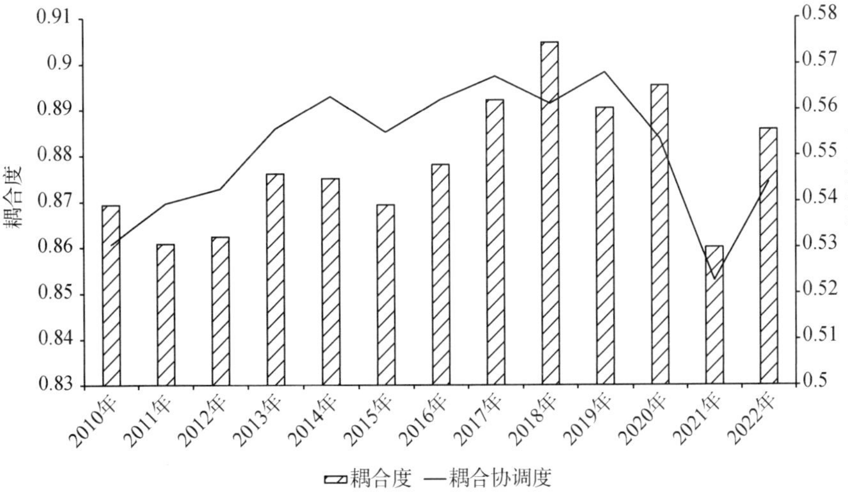

图 8-1　2010—2022 年长江经济带耦合协调综合发展状况

调和互助的方向发展，长江经济带多要素之间相互作用，共同促进了长江经济带的经济高质量发展。2010—2014 年长江经济带经济高质量发展的耦合协调度逐年上升，其中 2012—2013 年耦合协调度有较大幅度提升，2014 年后耦合协调度进入波动状态，2015 年耦合协调度小幅度下降，2015—2017 年持续上升，2018 年再次小幅度下降，2019 年恢复上升，2020—2021 年再度下降，2022 年大幅反弹。这 13 年里长江经济带经济高质量发展耦合协调度始终处于 0.5～0.6，由参照标准可知，长江经济带经济高质量发展始终处于勉强协调阶段，表明 13 年里长江经济带的经济保持稳定协调发展，但与高度协调发展还存在很大差距，耦合协调度有望进一步提高，各方需要更好地发挥联动效应，为经济高质量发展积蓄力量。

8.2.2 各维度耦合度发展状况

由图 8-2 可知，在五大发展维度中，长江经济带在绿色发展维度方面耦合度一直处于前列，并且发展比较稳定，13 年里长江经济带绿色发展维度耦合度始终处于 0.9～1 之间，并在 2020 年耦合度达到五大发展维度中最高，由参照标准可知，长江经济带绿色发展始终处于高度耦合阶段；长江经济带在共享发展维度方面耦合度整体呈缓慢上升趋势，由参照标准可知，长江经济带共享发展始终处于高度耦合阶段；长江经济带在协调发展维度方面耦合度整体呈现出多次上升、下降的波动趋势，但始终处于 0.8～0.9 之间，由参照标准可知，长江经济带协调发展始终处于高度耦合阶段；长江经济带在创新发展维度方面

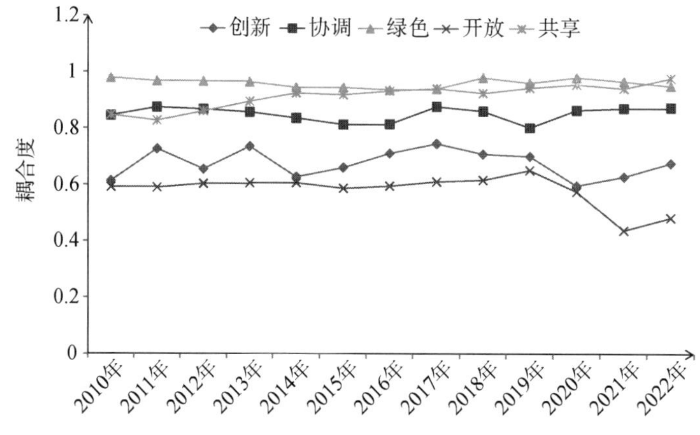

图 8-2　2010—2022 年长江经济带各维度耦合度发展状况

耦合度在0.6～0.8之间不断波动并在2020年跌破0.6后又回升到0.7，由参照标准可知，长江经济带创新发展在2010—2019年处于较高耦合阶段，而在2020年处于中度耦合阶段后在2021—2022回到高耦合阶段；在五大发展维度中，长江经济带11省市在开放发展维度方面耦合度最低，13年中长江经济带开放发展维度耦合度介于0.4～0.7，经历了中度耦合阶段，于2021年处于拮抗耦合阶段，但2022也立刻回升。整体来说长江经济带的开放发展正在朝着更加高级的阶段发展，但2020年新冠疫情的到来使得数值下跌，即便如此也未停止我国加大开放的力度，以线上方式加强开放合作，因此相比其他维度，开放发展的耦合度还有较大的提升空间。相信在不久的将来，开放发展的耦合度会进入高度耦合的阶段。

8.2.3 各维度耦合协调度发展状况

由图8-3可知，在五大发展维度中，长江经济带11省市在绿色发展维度方面耦合协调度最高，13年来长江经济带绿色发展维度耦合协调度始终处于0.7～0.8，由参照标准可知，长江经济带经济绿色发展始终处于中级协调阶段，这表明长江经济带以共抓大保护、不搞大开发为导向，以生态优先、绿色发展为引领，依托长江黄金水道，在推动长江经济带绿色发展上取得了显著成效；长江经济带在共享发展维度方面耦合协调度整体呈上升趋势，并在2020年超过0.6，由参照标准可知，长江经济带共享发展经历了从濒临失调到勉强协调再到初级协调的阶段，让我们目睹了长江经济带建设小康社会，人民生活水平不断提升，并在2020年全面建成小康社会这一过程，这从2020年往后年度共享发展耦合协调度的数值中完全体现出来，但共享发展仍然具有进步空间，在新发展格局和新的百年奋斗目标这一前提下持续共享发展，逐步实现社会主义现代化和实现中华民族的伟大复兴；长江经济带在协调发展维度方面耦合协调度在2010—2019年呈波动趋势，但在2020年完成上升，然而2021—2022年耦合协调度仍始终处于0.5～0.6，由参照标准可知，长江经济带协调发展始终处于勉强协调阶段；长江经济带在创新发展维度方面耦合协调度于0.4～0.5之间不断波动，于2017年达到峰值0.5，由参照标准可知，长江经济带创新发展始终处于濒临失调阶段，亟须改善；在五大发展维度中，长江经济带11省市在开放发展维度方面耦合协调度最低，13年中长江经济带开放发展维度耦合度基本介于0.3～0.4，由参照标准可知，长江经济带开放发展基本处于轻度失调阶段，整体变化较小，长江经济带的开放发展耦合协调度仍然处于较低水平，这表明长江经济带的开发开放格局需要进一步深化，对外通过“一带一路”

"陆海新通道"等，衔接广袤的欧亚内陆和南亚、东南亚等辽阔海洋，对内辐射京津冀、粤港澳大湾区，联动新一轮西部大开发。同时，在疫情常态化防控形势和新发展格局的大前提下，长江经济带应寻求对外开放新形式，通过疫情防控良好的优势，通过线上线下相结合的方式逐步加大对外开放。

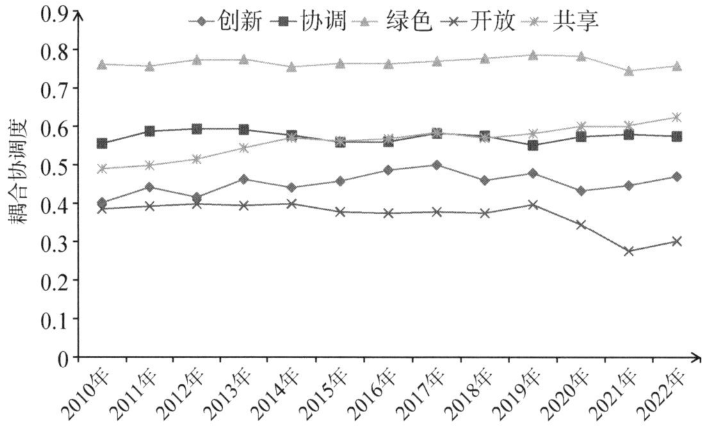

图 8-3　2010—2022 年长江经济带各维度耦合协调度发展状况

8.3　长江经济带经济高质量发展的灰色关联分析

8.3.1　经济高质量发展关联系数测算

根据上节所描述的灰色关联度分析方法，本节对长江经济带 11 省市 2010—2022 年的经济发展情况进行分析。首先选择母序列，即参考序列，由于在这 13 年里，上海的整体经济高质量发展指数最高，因此选择上海作为参考序列，其余省市作为子序列，即比较序列。接着将已经计算好的 11 省市的经济高质量发展指数使用 R 软件计算出关联系数。使用 R 软件依据关联系数的定义编写关联系数函数，函数内部包括检验数据是否为数值型，确定数据矩阵的行数，计算参考序列与比较序列差值的绝对值以及分辨系数的取值。编写完成的函数只需输入需要进行计算的数据即可得出结果。得出的长江经济带经济高质量发展的关联系数如表 8-2 所示。

表 8-2　2010—2022 年长江经济带省市与上海经济高质量发展关联系数

省市	年份												
	2010	2011	2012	2013	2014	2015	2016	2017	2018	2019	2020	2021	2022
江苏	1.000	0.885	0.833	0.823	0.734	0.855	0.870	0.873	0.994	0.943	0.984	0.753	0.847
浙江	1.000	0.983	0.943	0.813	0.761	0.865	0.920	0.982	0.988	0.851	0.867	0.665	0.705
安徽	1.000	0.936	0.795	0.654	0.517	0.529	0.522	0.536	0.651	0.602	0.538	0.588	0.580
江西	1.000	0.922	0.912	0.980	0.938	0.971	0.928	0.946	0.886	0.706	0.725	0.917	0.943
湖北	1.000	0.913	0.658	0.514	0.424	0.373	0.367	0.356	0.403	0.437	0.593	0.788	0.711
湖南	1.000	0.639	0.605	0.553	0.431	0.448	0.420	0.354	0.344	0.333	0.371	0.459	0.402
重庆	1.000	0.849	0.748	0.635	0.502	0.636	0.601	0.587	0.558	0.674	0.818	0.943	0.711
四川	1.000	0.922	0.607	0.583	0.561	0.510	0.515	0.471	0.432	0.417	0.560	0.890	0.753
贵州	1.000	0.780	0.641	0.960	0.849	0.777	0.798	0.942	0.855	0.832	0.962	0.597	0.910
云南	1.000	0.734	0.707	0.697	0.689	0.577	0.631	0.709	0.883	0.735	0.708	0.496	0.601

8.3.2　经济高质量发展灰色关联度测算

本节在关联系数基础上进行灰色关联度测算，通过使用 R 软件将关联系数矩阵行的总和除以 13 即可得出结果。得出的结果如表 8-3 所示。从各省市情况来看，长江经济带 10 省市与上海经济高质量发展灰色关联度由高到低排列依次为：贵州、浙江、江苏、江西、重庆、云南、安徽、四川、湖南、湖北，如表 8-3 所示。

表 8-3　2010—2022 年长江经济带经济高质量发展灰色关联度

排名	1	2	3	4	5	6	7	8	9	10
省市	贵州	浙江	江苏	江西	重庆	云南	安徽	四川	湖北	湖南
灰色关联度	0.991	1.031	1.036	1.070	0.842	0.833	0.768	0.747	0.685	0.578
与 1 作差后绝对值	0.009	0.031	0.036	0.070	0.158	0.167	0.232	0.253	0.315	0.422

总体而言，长江经济带各个省市的经济高质量发展指数关联度较强，整个长江经济带的政策协调较好。贵州在 10 省市中排名第一，说明贵州与上海在经济发展方面关联较强，经济基本达到协同发展；浙江、江苏能在关联度方面位居第二、第三，说明浙江、江苏与上海在经济发展方面关联也很好，在中下游省市中表现最好，与上海距离较近，更有机会形成协同发展关系伙伴；在前面计算指数时位于中游的江西能在关联度方面居第四位，稍逊浙江、江苏，说明与上海在经济发展方面关联也很好；而湖北、湖南需要改善，说明与上海这样的发达城市协同发展较差，整体的关联度排在最后两位，政府相关部门需要采取措施，致力于协调改善。

8.4 各维度的灰色关联分析

本节将从各维度进行灰色关联分析，灰色关联系数与灰色关联度的测算方法与上节相同，所使用软件仍为 R 软件。

8.4.1 创新维度灰色关联分析

本节对长江经济带 11 省市 2010—2022 年的创新发展情况进行分析。首先选择母序列，由于在这 13 年里，江苏的创新指数最高，因此选择江苏作为参考序列，其余省市作为子序列，接着将已经计算好的创新指数使用 R 软件计算关联系数，得出的长江经济带创新发展的关联系数如表 8-4 所示。

表 8-4　2010—2022 年长江经济带省市与江苏创新发展关联系数

省市	年份												
	2010	2011	2012	2013	2014	2015	2016	2017	2018	2019	2020	2021	2022
上海	1.000	0.986	0.974	0.975	0.971	0.981	0.978	0.972	0.984	0.971	0.964	0.987	0.975
浙江	1.000	1.000	0.982	0.974	0.973	0.979	0.963	0.962	0.966	0.941	0.939	0.922	0.948
安徽	1.000	0.987	0.983	0.979	0.964	0.968	0.956	0.964	0.985	0.988	0.976	0.943	0.964
江西	1.000	0.960	0.974	0.975	0.975	0.989	0.987	0.987	0.993	0.988	0.980	0.938	0.991
湖北	1.000	0.984	0.990	0.967	0.958	0.934	0.938	0.925	0.952	0.952	0.955	0.984	0.965
湖南	1.000	0.920	0.940	0.935	0.903	0.890	0.880	0.838	0.832	0.823	0.798	0.870	0.795
重庆	1.000	0.982	0.981	0.990	0.993	0.984	0.992	0.990	0.995	0.994	0.997	0.999	0.988
四川	1.000	0.993	0.986	0.994	0.969	0.935	0.954	0.953	0.925	0.917	0.942	0.951	0.962
贵州	1.000	0.968	0.959	0.994	0.957	0.972	0.987	0.966	0.970	0.925	0.940	0.985	0.983
云南	1.000	0.333	0.412	0.454	0.574	0.742	0.685	0.646	0.867	0.880	0.997	0.942	0.865

接下来计算灰色关联度，通过使用 R 软件将关联系数矩阵行的总和除以 13 即可得出结果。得出的结果如表 8-5 所示。从各省市情况来看，长江经济带 10 省市与江苏创新发展灰色关联度由高到低排列依次为：湖南、四川、湖北、浙江、云南、贵州、安徽、上海、江西、重庆。

表 8-5　2010—2022 年长江经济带经济创新发展灰色关联度

排名	1	2	3	4	5	6	7	8	9	10
省市	湖南	四川	湖北	浙江	云南	贵州	安徽	上海	江西	重庆
灰色关联度	1.039	1.135	1.137	1.141	0.854	1.146	1.151	1.156	1.158	1.171
与 1 作差后绝对值	0.039	0.135	0.137	0.141	0.146	0.146	0.151	0.156	0.158	0.171

总体而言，长江经济带各个省市创新发展指数关联度强，整个长江经济带创新发展协调程度较好。湖南位居 10 省市中的第一位，说明其与江苏在创新发展方面关联性较强，虽然在创新发展方面湖南极为欠缺，但其正在受到江苏的带动作用，相信未来湖南的创新发展能力能够随着江苏的带动作用而提升。中上游省市中四川、湖北、云南也位于中上水平，说明江苏创新发展的成果正通过“辐射效应”传递到其余省市，使其共同加强。中下游省市的安徽、上海、江西分别位列第七至第九位，说明与江苏创新协同发展较差，尤其是排在末位的重庆，政府部门需要通过措施加强创新发展方面的关联性。

8.4.2 协调维度灰色关联分析

本节对长江经济带 11 省市 2010—2022 年的协调发展情况进行分析。首先选择母序列，由于在这 13 年里，上海的协调指数最高，因此选择上海作为参考序列，其余省市作为子序列，接着将已经计算好的协调指数使用 R 软件计算关联系数，得出的长江经济带协调发展的关联系数如表 8-6 所示。

表 8-6　2010—2022 年长江经济带省市与上海协调发展关联系数

省市	年份												
	2010	2011	2012	2013	2014	2015	2016	2017	2018	2019	2020	2021	2022
江苏	1.000	0.923	0.800	0.817	0.788	0.851	0.843	0.984	0.847	0.906	0.928	0.926	0.900
浙江	1.000	0.952	0.787	0.795	0.826	0.944	0.945	0.786	0.721	0.919	0.847	0.800	0.853
安徽	1.000	0.735	0.506	0.539	0.584	0.693	0.647	0.641	0.953	0.574	0.372	0.333	0.333
江西	1.000	0.695	0.549	0.639	0.743	0.873	0.807	0.728	0.667	0.824	0.667	0.593	0.553
湖北	1.000	0.895	0.648	0.633	0.719	0.889	0.900	0.859	0.732	0.937	0.867	0.941	0.942
湖南	1.000	0.768	0.605	0.565	0.664	0.787	0.733	0.490	0.474	0.744	0.993	0.858	0.805
重庆	1.000	0.905	0.700	0.727	0.761	0.847	0.844	0.612	0.677	0.974	0.716	0.624	0.612
四川	1.000	0.814	0.551	0.522	0.650	0.774	0.681	0.457	0.471	0.847	0.820	0.658	0.649
贵州	1.000	0.578	0.963	0.844	0.563	0.439	0.422	0.592	0.818	0.392	0.942	0.760	0.862
云南	1.000	0.709	0.787	0.931	0.907	0.985	0.845	0.737	0.625	0.888	0.986	0.863	0.946

接下来计算灰色关联度，通过使用 R 软件将关联系数矩阵行的总和除以 13 即可得出结果。得出的结果如表 8-7 所示。从各省市情况来看，长江经济带 10 省市与上海协调发展灰色关联度由高到低排列依次为：湖北、浙江、云南、江苏、重庆、湖南、江西、贵州、四川、安徽。

表 8-7　2010—2022 年长江经济带协调发展灰色关联度

排名	1	2	3	4	5	6	7	8	9	10
省市	湖北	浙江	云南	江苏	重庆	湖南	江西	贵州	四川	安徽
灰色关联度	0.997	1.016	1.019	1.047	0.909	0.862	0.849	0.834	0.808	0.719
与 1 作差后绝对值	0.003	0.016	0.019	0.047	0.091	0.138	0.151	0.166	0.192	0.281

总体而言，长江经济带各个省市协调发展指数关联度较强，整体经济协调发展程度较好。具体来看，湖北位居 10 省市中的第一位，说明其与上海的协调关联性较强，得到来自上海的先进理念与技术。而毗邻上海的浙江位居第二位，说明浙江充分接受上海所带来的“辐射效应”。而在创新发展方面位居末位的重庆在协调发展方面位居第五，说明上海通过长江经济带的推动将自身优势不断地传递到重庆。湖南、江西排名位于中游，它们同位列第五的重庆一样，正在不断通过长江经济带的推动吸收来自上海的顶尖技术和理念。而位于下游的安徽在与上海协调发展关联性方面表现较差，应当在自身完成内部协调的基础上，同上海这样的发达城市形成强大的关系网。

8.4.3　绿色维度灰色关联分析

本节对长江经济带 11 省市 2010—2022 年的绿色发展情况进行分析。首先选择母序列，由于在这 13 年里，浙江的绿色指数最高，因此选择浙江作为参考序列，其余省市作为子序列，接着将已经计算好的绿色指数使用 R 软件计算关联系数，得出的长江经济带绿色发展的关联系数如表 8-8 所示。

表 8-8　2010—2022 年长江经济带省市与浙江绿色发展关联系数

省市	年份												
	2010	2011	2012	2013	2014	2015	2016	2017	2018	2019	2020	2021	2022
上海	1.000	0.999	0.772	0.896	0.641	0.669	0.641	0.655	0.930	0.662	0.702	0.662	0.718
江苏	1.000	0.981	0.808	0.846	0.591	0.579	0.572	0.572	0.860	0.683	0.699	0.648	0.619
安徽	1.000	0.920	0.817	0.952	0.643	0.657	0.800	0.846	0.763	0.851	0.975	0.694	0.892
江西	1.000	0.858	0.890	0.880	0.538	0.569	0.511	0.729	0.507	0.695	0.729	0.921	0.871
湖北	1.000	0.700	0.596	0.566	0.783	0.658	0.506	0.412	0.411	0.418	0.509	0.516	0.520
湖南	1.000	0.646	0.737	0.683	0.883	0.799	0.776	0.731	0.545	0.646	0.659	0.722	0.680
重庆	1.000	0.665	0.771	0.736	0.890	0.938	0.695	0.769	0.776	0.618	0.869	0.866	0.833
四川	1.000	0.845	0.951	0.922	0.553	0.601	0.579	0.614	0.829	0.867	0.832	0.633	0.589
贵州	1.000	0.812	0.564	0.598	0.405	0.458	0.466	0.427	0.767	0.462	0.566	0.484	0.430
云南	1.000	0.504	0.457	0.448	0.369	0.350	0.333	0.355	0.668	0.478	0.563	0.477	0.440

接下来计算灰色关联度，通过使用 R 软件将关联系数矩阵行的总和除以 13 即可得出结果。得出的结果如表 8-9 所示。从各省市情况来看，长江经济带 10 省市与浙江绿色发展灰色关联度由高到低排列依次为：安徽、重庆、上海、四川、江西、湖南、江苏、湖北、贵州、云南。

表 8-9　2010—2022 年长江经济带绿色发展灰色关联度

排名	1	2	3	4	5	6	7	8	9	10
省市	安徽	重庆	上海	四川	江西	湖南	江苏	湖北	贵州	云南
灰色关联度	0.983	0.948	0.904	0.892	0.882	0.864	0.860	0.690	0.676	0.586
与 1 作差后绝对值	0.017	0.052	0.096	0.108	0.118	0.136	0.140	0.310	0.324	0.414

总体而言，长江经济带各个省市绿色发展指数关联性较强，整体绿色发展情况较好。具体来看，安徽位于 10 省市中的第一位，说明安徽与浙江的绿色发展关联性显著，吸收了浙江在资源节约、环境保护等方面的先进技术，推动自身经济绿色发展。同为下游省市的上海和江苏分别排名第三和第七，说明江苏在经济绿色发展方面政策和措施实施力度不足，要将经济发展和绿色可持续发展“两手抓”。而位于上游的重庆和四川位于第二和第四位，它们充分吸收了浙江有关绿色发展的理念和技术，在自身拥有良好自然资源的基础上推动经济与绿色的双向发展。而剩余的中上游省市中，贵州和云南位于末位，与浙江的关联性较差，这些省市需要加强同浙江这样的绿色发展较好的省市之间的联系，深入研究浙江等省市的绿色发展理念，助推自身绿色发展。

8.4.4　开放维度灰色关联分析

本节对长江经济带 11 省市 2010—2022 年的开放发展情况进行分析。首先选择母序列，由于在这 13 年里，上海的开放指数最高，因此选择上海作为参考序列，其余省市作为子序列，接着将已经计算好的开放指数使用 R 软件计算关联系数，得出的长江经济带开放发展的关联系数如表 8-10 所示。

表 8-10　2010—2022 年长江经济带省市与上海经济开放发展关联系数

省市	年份												
	2010	2011	2012	2013	2014	2015	2016	2017	2018	2019	2020	2021	2022
江苏	1.000	0.874	0.835	0.728	0.735	0.688	0.681	0.660	0.640	0.651	0.658	0.546	0.663
浙江	1.000	0.872	0.910	0.925	0.976	0.894	0.594	0.591	0.569	0.602	0.468	0.446	0.454
安徽	1.000	0.760	0.576	0.570	0.447	0.342	0.465	0.465	0.432	0.390	0.458	0.961	0.952
江西	1.000	0.804	0.721	0.714	0.549	0.644	0.663	0.874	0.830	0.869	0.845	0.534	0.564

续表

省市	年份												
	2010	2011	2012	2013	2014	2015	2016	2017	2018	2019	2020	2021	2022
湖北	1.000	0.953	0.774	0.760	0.682	0.633	0.578	0.587	0.737	0.705	0.953	0.456	0.451
湖南	1.000	0.749	0.638	0.535	0.588	0.472	0.463	0.709	0.708	0.580	0.559	0.403	0.393
重庆	1.000	0.686	0.483	0.451	0.333	0.597	0.618	0.652	0.706	0.603	0.696	0.541	0.512
四川	1.000	0.863	0.520	0.533	0.559	0.640	0.500	0.495	0.890	0.340	0.879	0.498	0.517
贵州	1.000	0.965	0.851	0.691	0.506	0.485	0.483	0.420	0.479	0.510	0.562	0.426	0.479
云南	1.000	0.868	0.875	0.872	0.850	0.982	0.848	0.790	0.855	0.838	0.485	0.390	0.440

接下来计算灰色关联度，通过使用 R 软件将关联系数矩阵行的总和除以 13 即可得出结果。得出的结果如表 8-11 所示。从各省市情况来看，长江经济带 10 省市与上海开放发展灰色关联度由高到低排列依次为：云南、江西、江苏、浙江、湖北、四川、重庆、贵州、安徽、湖南。

表 8-11　2010—2022 年长江经济带经济开放发展灰色关联度

排名	1	2	3	4	5	6	7	8	9	10
省市	云南	江西	江苏	浙江	湖北	四川	重庆	贵州	安徽	湖南
灰色关联度	0.918	0.874	0.851	0.846	0.843	0.748	0.716	0.714	0.711	0.709
与 1 作差后的绝对值	0.082	0.126	0.149	0.154	0.157	0.252	0.284	0.286	0.289	0.291

总体而言，长江经济带各个省市开放发展指数关联度较高，整体开放发展关联性强。具体来看，云南位于 10 省市的第一位，说明其与上海的开放发展关联性显著。云南虽然开放指数位于 11 省市的中下游，但其与东南亚接壤，力求同上海这样的开放大都市一样扩大开放。而下游的浙江和江苏由于自身拥有自贸区、通商口岸等对外开放设施，它们与上海之间的关联性排名居于第三和第四位。中上游省市中江西和湖北与上海的关联性较强，排名靠前，而其他省市皆位于排名下游，虽然它们位于内陆地区，但自身在实现对外开放的同时，也要强化同上海这样的国际大都市间构建的关系网，进一步扩大对外开放。

8.4.5　共享维度灰色关联分析

本节对长江经济带 11 省市 2010—2022 年的共享发展情况进行分析。首先选择母序列，由于在这 13 年里，上海的共享指数最高，因此选择上海作为参考序列，其余省市作为子序列，接着将已经计算好的共享指数使用 R 软件计算关联系数，得出的长江经济带共享发展的关联系数如表 8-12 所示。

表 8-12　2010—2022 年长江经济带省市与上海共享发展关联系数

省市	年份												
	2010	2011	2012	2013	2014	2015	2016	2017	2018	2019	2020	2021	2022
江苏	1.000	0.894	0.858	0.913	0.753	0.810	0.802	0.751	0.840	0.857	0.895	0.960	0.949
浙江	1.000	0.889	0.834	0.975	0.762	0.815	0.833	0.756	0.781	0.831	0.887	0.980	0.953
安徽	1.000	0.925	0.769	0.984	0.672	0.658	0.739	0.611	0.623	0.661	0.497	0.567	0.491
江西	1.000	0.863	0.892	0.882	0.681	0.848	0.892	0.806	0.947	0.851	0.692	0.732	0.644
湖北	1.000	0.860	0.828	0.638	0.424	0.381	0.380	0.390	0.409	0.470	0.518	0.530	0.464
湖南	1.000	0.794	0.982	0.869	0.603	0.651	0.624	0.648	0.681	0.499	0.440	0.437	0.416
重庆	1.000	0.844	0.762	0.601	0.463	0.457	0.440	0.405	0.356	0.364	0.515	0.410	0.403
四川	1.000	0.934	0.627	0.532	0.473	0.464	0.455	0.434	0.447	0.397	0.377	0.422	0.333
贵州	1.000	0.771	0.790	0.695	0.519	0.592	0.637	0.642	0.601	0.610	0.615	0.800	0.529
云南	1.000	0.808	0.783	0.841	0.975	0.930	0.823	0.723	0.911	0.945	0.787	0.971	0.635

接下来计算灰色关联度，通过使用 R 软件将关联系数矩阵行的总和除以 13 即可得出结果。得出的结果如表 8-13 所示。从各省市情况来看，长江经济带 10 省市与上海共享发展灰色关联度由高到低排列依次为：云南、江西、江苏、浙江、安徽、贵州、湖南、湖北、重庆、四川。

表 8-13　2010—2022 年长江经济带共享发展灰色关联度

排名	1	2	3	4	5	6	7	8	9	10
省市	云南	江西	江苏	浙江	安徽	贵州	湖南	湖北	重庆	四川
灰色关联度	1.012	0.975	1.026	1.027	0.836	0.800	0.786	0.663	0.638	0.627
与 1 作差后绝对值	0.012	0.025	0.026	0.027	0.164	0.200	0.214	0.337	0.362	0.373

总体而言，长江经济带各个省市共享发展指数关联度较高，整体共享发展关联性较强。具体来看，云南位居 10 个省市第一位，同上海关联性显著。云南在实现全面小康的道路上研究上海脱贫致富方法，并将其与自身实际相结合，全力实现云南全面脱贫。江苏和浙江分列第三和第四位，它们在自身推动共享发展的同时，与毗邻的上海加强沟通，共同寻找实现城乡生活水平相接近的道路。除云南、江西、安徽外的中上游省份位于排名下游，它们应当加强同上海等发达省市的联系，寻找一条与自身发展相适应的共享发展道路。

09

第九章

推进长江经济带经济高质量发展的政策建议

前文以五大新发展理念创新、协调、绿色、开放和共享五个层面构建长江经济带经济高质量发展评价指标体系，对长江经济带沿线11个省市2010—2022年的经济高质量发展水平进行量化分析。根据得出的一系列研究发现，为了更好地推进长江经济带经济高质量发展，本章提出相关政策建议。

9.1 实施创新驱动，加快动能转换

当前，我国科技的发展正面临着由量变到质变、点的覆盖到全面提升的关键阶段，应加快实现核心技术的自主创新，向世界发展的前沿看齐，抓好基础研究和应用研究，取得前瞻性基础研究的重大突破，把创新发展的主动权牢牢掌握在自己手中，为经济社会发展打造新引擎。此外，也要借鉴和利用好其他国家的创新资源，加强与科学技术相关的机构合作及创新能力建设，使我国的自主创新有一个更高的平台。逐步丰富和完善国家创新体系构建，培养企业家精神和企业文化，坚定创新发展和人才发展理念。深度推进创新发展战略，以促进科技、产业、市场等多维度的创新发展，实现以创新为主要支撑的经济体系以及新的发展模式。

根据上文分析可以看出，长江经济带下游省市与中上游省市的创新指数差距较大，针对这一问题，要进一步完善创新体系，充分发挥创新优势，加快动能转换，通过创新使长江经济带的综合优势变为经济优势。对于提高创新的具体建议如下。

(1) 加大科技研发投入力度

实施创新驱动发展战略，离不开国家对科技研发的投入力度。强化企业在产品创新、工艺创新、市场创新方面的能力，不断增强产品中的科技因素以提升其附加值；提高物质生产过程和生产服务、生活服务领域的劳动生产率，并利用大数据、云计算、物联网等关键技术改造提升旧动能、培育壮大新动能，提供满足公众需求的高技术含量、高附加值、高质量的中高端产品和服务。以此塑造更多依靠创新驱动、更多发挥先发优势的引领型发展。

(2) 完善创新区域体系

首先，长江经济带有关地区应加快推动区域创新资源引进和整合，促进创新资源流动和创新成果交流。其次，各地区应加强合作，统筹协调各区域的技术创新主体，建立共同参与、利益共享、风险共担的产学研用协同创新机制。再次，创建具有国际竞争力的创新资源集聚区，推动研究国家自主创新示范区布局。最后，

建设一批高新技术产业开发区、创新型(试点)城市和创新型省市,进一步发挥国家高新技术产业基地的集聚与引领作用,大力推动上海发展,使其加快建设成为具有全球影响力的科技创新中心,并发挥其对长江经济带创新发展的龙头带动作用。

(3) 推动产业技术创新平台建设

首先,长江经济带应加强统筹规划、共建共享,布局一批面向长远、技术先进的国家创新平台。其次,地区应完善和新建一批工程(技术)研究中心、工程实验室、国家(部门)重点实验室,同时支持建设一批国家地方联合创新平台。再次,优先布局一批区域制造业创新中心,推动有条件的地方建立长江经济带工业技术研究院,并建设和完善一批面向企业的公共技术服务平台。最后,加强企业技术中心建设,继续培育和认定一批企业技术中心和技术创新示范企业,实施创新企业百强工程试点,增强面向重点行业和领域的骨干企业创新能力。共同促进国家重大科技基础设施和大型科研仪器向社会开放,实现跨机构、跨地区开放运行和共享。

(4) 加快科技创新成果转移转化

首先,地区应支持骨干企业联合高校、科研机构、行业协会组建产业技术创新战略联盟,共建科技成果产业化试验平台,面向产业需求开展中试和技术熟化,加快新技术、新工艺、新产品的示范应用。其次,在产业基础较好的地区,探索建立长江经济带技术交易网络平台、技术转移中心和知识产权交易中心。再次,选择有条件的高校、科研机构试点建设专业化的技术转移机构和职业化人才队伍,促进创新成果与市场需求对接。最后,完善创新成果转化资金保障机制,加强科技成果转化引导基金、新兴产业创业投资基金联动,引导金融和社会资本投资区域创新创业;同时开展重点产业专利导航试点,制定知识产权布局导向目录,引导产业创新方向和专利战略布局,最终实现科技成果深化使用、处置和收益权深化改革、创新成果转化的外部环境加速形成。

9.2 推动区域协同,促进协调发展

制约中国经济高质量发展的因素之一是东西部发展的不平衡,习近平总书记在党的二十届三中全会上强调:要“深入实施区域协调发展战略、区域重大战略、主体功能区战略、新型城镇化战略,优化重大生产力布局,构建优势互补、高质量发展的区域经济布局和国土空间体系。”这为在新征程上进一步推动东西部地区协调发展指明了方向。东部沿海发达地区是我国改革开放的前沿阵地,也

是推进高水平对外开放的“排头兵”，其高质量发展具有坚实基础和强大动力。但同时我们必须清醒认识到，我国仍处于并将长期处于社会主义初级阶段，各地区发展差距仍然存在。西部地区虽然在经济社会发展方面取得巨大成就，但仍面临一些突出问题。全面建设社会主义现代化国家是一个长期过程，实现共同富裕任重道远。促进东西部协调发展是一项系统工程，既要有顶层设计又需久久为功。由于长江经济带省级、区级产业发展各自为营，产业之间关联度较低，一些中心城市的协调或协作不顺畅，中上游与下游之间经济高质量发展水平存在明显差距，应强化上中下游联动发展机制，促进长江经济带流域交通设施互通互联，协同打造综合立体式交通走廊。对于加强协调发展的具体建议如下。

(1) 重视城市协同发展的顶层设计

要实行长江经济带合作一体化，避免各个城市重复建设、浪费资源，必须统一规划思路，制定一个长江经济带的统一规划，形成统一的协同发展战略。世界大江大河的开发实践都表明，沿岸产业带的建设必须从整体利益的角度制定各种规划，并付诸实施。同时航运、水电、灌溉、交通、通信等基础设施建设要协调一致。对城市发展、产业布局和经济发展以及生态环境的治理和保护要统筹安排。在统一规划的同时，也可以选择一些发展条件较好、发展潜力较大、能够支持和带动地区经济发展的核心地区作为重点，培育成为带动地区经济发展的增长极和增长带。要做到这一点，需要从经济带内各省市之间历史形成的联合协作关系实际出发，通过制定合理的地区梯度政策推进，用区域联合来推动区域经济一体化，为区域协同发展提供有力的保证。

长江经济带合作协同机制的形成，首先必须有一个整体统一的战略规划。各省市都应当共同参与长江沿江经济带协同发展统一规划的制定，避免行政割据带来的盲目发展。其次，要充分发挥跨地区的流域发展协调组织在市场建设中的作用，促进流域经济联系与协同合作等方面的工作。

(2) 建设城市间产业协同发展机制

协同发展是区域经济发展的必要阶段，虽然不同发展时间段及发展阶段的跨区域协作表现出的特征有所差异，但其是经济发展的普遍现象。相似经济水平的区域，由于地理邻近、地缘关系等因素的影响，会出现区域间的产业集群及产业集群间的技术合作。处于不同发展阶段及发展层级的区域，产业集群及合作的方式等也各不相同。长江经济带建设需要突破固有思维框架，实现跨区域的协调发展。具体来看，首先通过建立长江经济带技术产业联盟以加强产业技术研发资源共享。如以上海市为技术研发中心来进行地域上或空间上的技术扩散。通过核心城市主导技术形成，向周边地区通过产业联盟的组织形态进行核心技术和外围技术的扩散与渗透，促进核心产业链发展，最终实现整体创新力和综合经济效益的提升。同时鼓励企业与企业、企业与科研院所之间建立技术联盟，采取联合出资、共同委托等方式进行合作研究开发，加快科研院所与企业之间的流动，促进产业共性技术的发展和共享，提升产业技术水平。各重点区域的核心领域创建产业创新联盟，带动长江经济带跨区域的产业标准制订、产学研合作、关键技术攻关等领域整体提升。

（3）积极推动城乡区域协调发展

城乡区域协调发展和新型城镇化是经济发展的重要动力，我们要积极推动城乡区域协调发展，加快公共服务一体化发展，加大力度推动乡村振兴战略的实施，不断建构并健全城乡互为融合的发展体制及相应政策。从整体出发，考虑城市与乡村发展，一体联动制定发展规划，统筹谋划产业发展、基础设施建设、公共服务提升、资源能源配置和生态环境保护等主要方面的部署安排。通过统一规划，不仅对推动城乡协调发展形成强有力的正向约束，同时也促进美丽乡村与现代化城镇各具特色、完美结合、交相辉映的发展格局的形成和发展。继续坚持工业反哺农业和城市支持农村的政策，促进城乡公共资源均衡配置，开辟多元化农民收入增长的渠道，不断缩小城乡发展差距。推进农村一二三产业融合发展，这是培育新的产业形态、打造新的增长点、推进农业农村现代化建设的重要举措。要通过深化改革，推动城市各类优势主体进入农村，建立以城带乡、以工促农、以企兴村的机制，带动各类产业加快发展和融合创新，不断提高产业发展水平和附加值。要探索建立多元化的联结机制和承载平台，包括建立城乡信息沟通机制、共建产业园区和田园综合体等，实现城乡生产与消费的多层次对接。

（4）发挥中心城市的辐射带动作用

长江经济带区域协同发展从空间角度呈现多城市子群并存的特点，每个子群有自己的核心辐射城市。从长江经济带协调发展能力来看，上海在长江经济带中的地位十分突出，是长江经济带与“一带一路”的交汇点。因此，需要利用其独特优势，积极搭建起长江经济带区域合作的多机制、多层次合作平台，从根本上获得内在和外在驱动力，以提升长江经济带的整体能力和影响力。除了上海以外，苏州、杭州、南京等长三角城市群的总体协同水平都很高，三个子群之间的联系相对较为紧密。因此，在长江经济带未来发展中要充分发挥长三角地区的协同能力及其对其他地区的辐射带动能力，如充分发挥上海在长江经济带中的引擎作用，加强其对长三角北部及南部城市群的辐射，发挥其国际经济中心、航运中心的优势，通过对长三角其他城市群的辐射来加强与长江中游、上游城市群的联系。同时加强长三角都市连绵带一体化建设，形成中心明确、沟通无碍、协同合作的网络式区域体系。

长江中游城市群以武汉、长沙、南昌为主要的协同核心城市，整个中游城市群在长江经济带中起到东西承接作用。中心城市又与自己周围的城市形成各自的子群，未来中游城市群的发展方向一方面要继续加强中游子群间的一体化，减弱多核子群间的不平衡，使子群形成更为密切的协同关系，才能更广泛地对接来自下游的经济辐射并更好地辐射上游区域。武汉要进一步发挥其在长江的枢纽作用，通过搭建长江经济带物流服务相关信息平台，为长江经济联动提供畅通无阻的通道。

上游地区与成渝城市群为主要的组团，另外昆明、贵阳的协同指数也较高，但是该区域整体上看呈现以重庆为中心的“一心多核”空间结构特征，核心城市之间以及对中下游城市群的辐射作用并未充分发挥。因此，未来发展中，一方面在上游城市子群间建立更强的协同关系，建设上游内部的联系通道，实现上游区域的区域协同一体化。另一方面，成渝子群本身要积极通过与武汉子群及南昌子群等建立更为广泛的联系，进一步推进长江经济带的区域一体化发展。

9.3 加强环境保护，发展绿色经济

绿色发展理念反映了人民群众对美好生活环境的强烈愿望，是促进经济实现转型并不断升级的新的力量源泉，也是实现人与自然和谐共生的重要要素。在发展中要坚定不移地坚守新发展理念，如果没有绿色发展理念的指引，就难以形成绿色发展方式和绿色生活方式，而且人民群众生活在更加干净、安全、适宜的环境中，有利于增强工作的积极性，从而推动经济高效发展。我国经济在由高速向高质量过渡的关键时期，特别需要做好防治污染与治理环境的两手工作，必须坚定生态环境保护以及资源的可持续供给理念，走出一条以生态优先、绿色发展为战略定位的高质量发展新路子。

根据上文所进行的分析可以看出，长江经济带的部分省市仍然面临着经济发展与环境恶化并存的问题。针对这一问题，首先应当加强环境相关法律法规的制定，进一步完善长江水资源的管理体系，实施严格的水资源管理制度，完善共抓大保护体制机制，健全综合管控、生态补偿机制，强化舆论监督，严惩破坏长江生态环境的违法行为。其次，长江经济带上游地区应该坚守生态绿色屏障，促进资源利用转换，减少“三废”排放，汲取先进省市的先进技术，

实现“三废”高效率处理，将其对环境的破坏降到最低。再次，增加森林覆盖率，实现退耕还林，进一步加强生态大保护。最后，提高垃圾处理效率，尽快推行整个长江经济带省市实现垃圾分类，进而实现可回收垃圾经处理后再度利用，厨余垃圾经处理后用于农业肥料、饲料，有毒有害垃圾经安全处理后不再污染环境，下游省市应起到带头作用，将垃圾分类的理念分享到还未实行垃圾分类的省市，在广大居民中进行普及使其养成垃圾分类的习惯。通过以上措施进而实现对长江流域生态的保护。对于绿色发展的具体建议如下。

(1) 发展环保技术，改变发展方式

从技术和能源支撑来看，建立完善的绿色供给体系，不断健全低碳可循环利用的发展体系，大力发展绿色经济、循环经济和低碳技术。没有传统能源的清洁改造以及新能源的资源节约，就没有节能环保型的产品服务，因而要从源头上改变粗放型经济发展方式，加快制定和完善引导绿色发展的政策，使产业政策向绿色产业发展体系转变，打赢污染防治攻坚战，推动形成人与自然和谐共生的现代化建设新格局。

(2) 坚持绿色发展理念

人类的生产和再生产活动需要良好的生态环境作为基础，任何严重破坏和损害环境的经济发展项目都是不可持续的，要实现经济高质量发展就必须保持人类生产活动与自然生态环境良好的互动关系，加快生态文明建设，坚持绿水青山就是金山银山的发展理念，以形成更加绿色的生产和生活方式。由此观之，绿色发展理念有利于优化发展方式，只有对物质产品进行合理的节制性消费，摒弃“越多越好、用过即丢”的消费观念，才能控制人对物质资源的需求，进而形成合理的生产力，催生绿色健康的生产和生活方式，从而有效地纠正错误的消费观念，避免肆意浪费对环境造成的压力，保障中国经济高质量发展的实现。

(3) 统筹条块分割的生态环境机构，建设天地一体的生态环境监测系统

首先，将现有生态环保类国家重点实验室、省部级重点实验室纳入统一的合作网络之中，由国家发展改革委统筹、生态环境部主要负责。其次，按照世界最高、最新生态环境监测技术规范，建设天地一体、包含水土气生(生物)多要素的长江生态环境监测系统，实现长江生态环境质量的统一标准、统一监测、统一处理、统一发布，彻底改变当前长江环境监测碎片化、多元化的混乱局面。

(4) 优化排放权交易市场，建设生态补偿长效机制

首先，以上海环境能源交易所、湖北碳排放权交易中心、重庆碳排放权交易中心为基础，依据中央要求以及各地经济社会发展水平和生态环境保护目标，建立可信、可查、可测的大气污染物排放量清单。其次，允许减排补贴进入市场，鼓

励社会资本投资异地减排工程，从而调动社会各方面积极性，彻底改变中国当前生态环境保护下中央积极、地方消极、跨地区生态补偿资金来源不足的困境。

(5) 高标准制定长江经济带绿色发展标准

长江经济带工业企业密集，部分企业清洁生产水平不高，产业结构和布局不合理，这些隐患会造成极高的累积性、叠加性、潜在性生态环境风险。针对这一问题，首先应优化企业水耗、能耗、环境、质量、安全标准，鼓励企业以开发绿色产品、建设绿色工厂、打造绿色园区、完善绿色供应链为抓手，建立绿色GDP政绩考评体系，完善生态环境事件责任人追溯制度，探索领导干部自然资源资产离任审计制，加大支持绿色技术产学研一体化发展力度，为长江经济带企业绿色发展提供可靠的体制机制保障。其次，充分发挥绿色标准化工作的引领和规范作用，加快构建并完善长江经济带区域绿色发展标准体系，实现长江流域各省市在碳排放、资源投入等方面的标准化，引导科技研发资金流向城镇污水垃圾处理、化工污染、农业面源污染、船舶污染和尾矿库治理等领域，推动长江流域科技驱动绿色转型发展。

9.4 扩大对外开放，加强国际合作

改革开放四十多年的实践和历史探索告诉我们，只有坚持对内、对外的开放才能实现进步，闭关自守只能使我们与世界他国的差距越来越大。习近平曾强调，我们现在问题的核心已经不再是单纯地是否要对外开放，而应该是怎样更好地提升对外开放的水平和质量，以实现经济发展内部与外部的互相联动。以"一带一路"建设为重点，实施高质量的"引进来"和"走出去"战略，形成全面开放新格局，构建具有人类命运共同体意识的全球开放型经济。以"一带一路"为契机，不断创建"引进来"及"走出去"的新的发展格局。

根据上文所进行的分析可以看出，中上游省市与下游省市之间存在差距，尤其上海远远领先其余省市。针对这一问题，首先，国家应当鼓励长江经济带的企业通过投资、兼并、收购、参股等方式"走出去"，大力发展铁路、公路、水路、航空运输、电信、电网等行业，长江经济带的省市应积极加入"一带一路"的基础设施建设，加强对外经济贸易往来，汲取外国的先进技术和加大商品进出口。其次，加大推进上海、四川、重庆、浙江、湖北等省市的自贸试验区建设，积极发挥模范带头作用，以全方位联动开放为抓手，打造自贸试验区协同网络。最后，加快推进开放门户中心城市建设，以上海、武汉、重庆、成都等国际性交

通枢纽为中心，推进毗邻省份就近对接集群发展、交通设施跨省发展，促进城市群的绿色低碳融合发展。进一步完善长江经济带流域协同发展体制机制创新，加快完善开放型经济体制机制。充分利用自由贸易区和贸易港口等优势积极扩大对外开放水平和质量，以点带面，带动长江经济带的经济高质量发展。对于扩大开放的具体建议如下。

（1）加强长江经济带“双循环”发展

“双循环”是经济大国进一步发展的必然选择，但以国内大循环为主体，绝不是关起门来封闭运行，而是通过发挥内需潜力，使国内市场和国际市场更好联通，更好利用国际国内两个市场、两种资源，更好争取开放发展中的战略主动。构建新发展格局，绝不意味着对外开放地位的下降，而是在更高水平下的双循环。新发展格局不是封闭的国内循环，而是开放的国内国际双循环。要优化升级生产、分配、流通、消费体系，深化对内经济联系，增加经济纵深，增强畅通国内大循环和联通国内国际双循环的功能，加快推进规则标准等制度型开放，率先建设更高水平的开放型经济新体制。要在内外贸易、投融资、财政税务、金融创新、出入境等方面，探索更加灵活的政策体系，更加科学的管理制度，加强同“一带一路”沿线国家和地区开展多层次、多领域的务实合作。

在构建开放型“双循环”的新发展格局中，长江经济带各省市及上中下游要围绕自身优势，调整产业结构，完善产业和价值链分工，探索有利于推进畅通国内大循环的有效途径，加快培育更多的内陆开放高地，形成全方位的沿海、内地、沿边和对内对外开放的格局，推动长江经济带高质量发展。

（2）培育内陆开放高地，全方位提升对外开放水平

长江经济带要统筹沿海沿江沿边和内陆开放，加快培育更多内陆开放高地，提升沿边开放水平，实现高质量的“引进来”和高水平的“走出去”，推动贸易创新发展，更高质量利用外资。要把握好开放和安全的关系，织密织牢开放安全网，以有效应对全球经贸格局新变化引发的潜在经济、产业和金融风险。沿江省市要在国内国际双循环相互促进的新发展格局中找准各自定位，主动向全球开放市场。要推动长江经济带发展和共建“一带一路”的融合，加快长江经济带上的“一带一路”倡议支点建设，扩大投资和贸易，促进人文交流和民心相通。

（3）推动长江经济带发展与共建“一带一路”深度融合，构建对外开放新格局

长江经济带和“一带一路”涵盖着共同省份，存在着交汇点。积极推进“一带一路”建设同国内区域重大发展战略对接，强化国内外空间发展联动，有利于统筹对外开放与国内发展的关系。近些年来，长江经济带沿线省市都在积极探索有效共建“一带一路”的新范式。推动长江经济带与“一带一路”融合无

疑将改变过去主要面向环太平洋和欧美发达国家的沿海开放格局，强化面向东南亚地区、南亚次大陆和中亚地区的对外开放方向，深化与东盟的交流合作。共建“一带一路”不仅可以促进发展中国家加快发展，为全球经济增长增添新动力，而且可以带动中国中高端产品出口和价值链重塑。

（4）拓展对外贸易新局面

推进国际与国内科技合作的新局面，充分发挥好国际和国内的两种资源，这就要求我们既不依附于其他国家，又不能闭门造车，既要独立自主，又要开展国际交流合作，开拓国际合作新空间和新领域，以扩大开放带动创新、推动改革、促进发展；通过“一带一路”周边的互联互通，以及“一带一路”沿线产业布局的优化，促使中国西部地区转化为前沿地区，形成开放发展新的增长极；发展以服务贸易为重点的外贸新格局，引导加工贸易转型升级，充分利用贸易区等载体，拓展对外贸易，加快海内外联系，促进东西部双向互动，促成创新要素、人才的引进和流动，随着“一带一路”发展战略的不断推进与开展，以实现海内外、中东西部地区等多项互助的开放式新格局；培育和推出一批更高质量的企业和行业，以逐渐实现由要素、资源等配置到向技术含量更高些的产业部门转移，使产品中的科技有机构成能进一步提升，加大高科技产品、高附加值产品和服务贸易的出口，重点优化对农业、服务业的进出口比例，提高优质农产品、现代化服务业的进出口比重，补齐我国开放型经济质量短板。

9.5 坚持共享发展，实现成果普惠

共享发展是新发展理念的核心和归宿，它揭示了人类对社会公平正义的诉求，实质是坚持以人民为中心的发展思想，逐步实现共同富裕。共享发展理念是一个由全民共享各方面建设成果、全民共同参与建设、从不均衡到均衡的渐进实现过程。只有坚持共享发展，才能实现发展成果的普惠性，体现了中国经济高质量发展的核心要求，即公平正义。首先，坚持共享发展，要加大对基础设施的投入，提高便利性；完善社会保障制度，优化收入分配机制，促进社会成果的共享，从而增加人民的获得感、幸福感。实现城乡发展联动，缩小收入差距，促进社会公平，缓解社会主要矛盾。其次，增加公共服务供给，提高公共服务质量，实现基本公共服务均等化，使全体居民在教育、医疗、养老等方面有更好的体验感和获得感。

从上文所分析的结果可以看出，中上游省市与下游省市在共享发展方面差距明显，下游省市带动中上游省市的效果并不明显，发达省市相关的共享发

展理念并没有深入到中上游省市中，协同效应不足。因此，下游省市应当在自身实现城乡区域一体化发展的基础上，有效同中上游省市联动，将推动乡村振兴、提升县城综合水平、推进城镇化建设水平、提高基础设施综合承载能力、增加工作岗位提高就业质量等政策措施和成功经验通过长江经济带传授给中上游省市，中上游省市同时应深入研究、灵活实践，将理念与自身实际相结合，不断推进共享发展，让人民老有所养、病有所医、学有所教、劳有所得，实现共同富裕。对于共享的具体建议如下。

(1) 补齐基础设施短板

基础设施建设为经济社会各项活动各个环节提供必需的公共资源。长江经济带的基础设施建设应以长江水道为依托，充分考虑区域间“铁公基”网络建设快慢不一、疏密不同和结构差异，按照“一盘棋”的思想打造立体化的交通组织，进一步推进跨省市交通基础设施互联互通、运输服务一体衔接、交通政策和管理协调创新，加快建设高质量一体化的现代综合交通运输体系。这些举措一方面借助我国在基础设施领域的优势，另一方面与新型基础设施和民生基础设施相融相长、耦合共生。

(2) 改善分配制度

人民收入差距仍旧过大，是我们亟须解决的首要难题，其中最为重要的是配套相应的制度和政策保障，形成以满足最广大人民群众提升生活质量需要为核心内容的收入分配制度，完善初次分配和再分配机制，提高劳动报酬在初次分配中的比重，多渠道缩小城乡、区域、行业收入差距，构建合理的收入分配格局。

(3) 完善社会保障制度

在共享发展理念指引下，动员全社会的力量一起加大非基本公共服务的供给，建立一套关涉城乡、公平有序、更为适用的基本公共服务体系，改善公共服务质量，发展更加公平、更有质量的教育，丰富人民群众精神文化生活，使公共服务符合发展需要，并真正惠及全体人民，满足群众多层次、多样化的需求，为中国实现经济高质量发展夯实基础。

(4) 均衡化建设民生基础设施

城乡差距、区域差距和贫富差距是我国经济发展不平衡、不充分的具体体现，更是长江经济带平衡、发展的难点，要弥补这三大差距，必须均衡化扩大民生基础设施建设，不断满足人民对美好生活的需求。居住、环境领域的民生基础设施投资，不但能直接增强投资需求、优化投资结构，而且能通过改善民生释放消费需求，促进消费升级。教育、医疗卫生领域的民生基础设施投资，长期来看可以提高居民教育和健康水平，促进人力资本的积累。

10

第十章

江苏化工产业转型升级的实践与经验

长江经济带是“中国经济的脊梁”，是我国空间经济格局极其重要的组成部分，长江经济带9省2市约占全国的21.39%，GDP贡献和人口规模占比均超过40%，是我国经济发展的重要增长极。2016年1月，习近平总书记在重庆召开的推动长江经济带发展座谈会上提出要“共抓大保护、不搞大开发”，走“生态优先、绿色发展”之路。同年9月《长江经济带发展规划纲要》正式印发，确立了长江经济带“一轴、两翼、三极、多点”的发展新格局；《长江岸线保护和开发利用总体规划》《长江经济带沿江取水口、排污口和应急水源布局规划》两项指导性管理规划陆续出台。2018年4月，习近平总书记在武汉座谈会上对长江经济带建设提出了更高、更新的要求，开启了长江经济带发展的新时代。2020年习近平总书记在南京主持召开全面推动长江经济带发展座谈会，提出长江经济带要成为我国生态优先绿色发展的主战场、畅通国内国际双循环的主动脉和引领经济高质量发展的主力军。2020年12月《中华人民共和国长江保护法》颁布，旨在加强长江流域生态环境保护和修复，促进资源合理高效利用，保障生态安全，实现人与自然和谐共生、中华民族永续发展。2023年10月，习近平总书记在南昌主持召开进一步推动长江经济带高质量发展座谈会强调，进一步推动长江经济带高质量发展，更好支撑和服务中国式现代化。

长江经济带11省市化工产业发达，长江沿线已形成超过600公里的岸边污染带，约60%的水体都受到不同程度的污染，多种重金属严重超标，长江流域开发与资源环境承载力之间矛盾尖锐。由于物流、排污等方面的便利，经济上的收益相对较为突出，江苏省形成了化工企业集聚长江沿岸地区的现象，污染物排放严重威胁长江经济带生态安全，化工行业整治与生态环境修复压力巨大。近年来，江苏省着力解决“化工围江”问题，在化工产业转型升级以及沿江生态环境质量提高方面取得一定成效。基于此，本章将分析和总结江苏省化工产业转型升级的实践与经验，试图为长江经济带其他地区化工产业高质量发展提供参考。

10.1 江苏化工产业的发展历程

10.1.1 江苏沿江化工产业发展现状与特征

作为我国工业大省，江苏省2021年实现工业增加值45 637.99亿元，占全国工业增加值的12.20%。江苏沿江八市中，除镇江外的其他地区从2010—

2021 年的工业增加值逐渐增加，且沿江八市在江苏省的工业增加值占比一直保持在 80%以上。其中，苏州工业增加值在沿江八市中一直处于遥遥领先的地位，其在沿江八市工业增加值总和中占比保持在 27%～31%，2021 年苏州工业增加值达到 9 962.52 亿元，是整个江苏省工业增加值的 21.83%；其次是无锡和南京两市工业增加值较高，2021 年工业增加值分别为 6 038.47 亿元和 4 991.39 亿元，苏州、无锡和南京三市 2021 年工业增加值之和在全省的占比为 46.0%；镇江、扬州和泰州三市工业增加值在沿江八市中占比最低。2010—2021 年江苏及沿江八市的工业增加值如表 10-1 所示。

表 10-1　2010—2021 年江苏及沿江八市工业增加值

（单位：亿元）

年份	江苏	沿江八市	无锡	常州	苏州
2010	19 277.65	16 102.98	2 986.52	1 530.86	4 916.49
2011	22 280.61	18 567.05	3 463.12	1 768.91	5 555.33
2012	23 908.47	20 305.35	3 717.88	1 900.55	6 055.10
2013	25 503.86	21 527.68	3 722.62	2 052.92	6 266.07
2014	26 962.97	22 299.60	3 747.59	2 170.19	6 360.14
2015	27 996.43	23 350.16	3 837.28	2 269.99	6 490.44
2016	30 455.15	24 663.97	3 977.58	2 428.84	6 709.02
2017	34 013.60	27 818.47	4 553.15	2 817.63	7 606.45
2018	36 111.64	29 746.02	5 009.33	2 951.35	8 240.37
2019	31 696.86	30 605.80	5 034.41	3 156.05	8 316.49
2020	37 744.90	31 148.13	5 126.15	3 231.84	8 514.39
2021	45 637.99	36 398.01	6 038.47	3 791.46	9 962.52
年份	南通	扬州	镇江	泰州	南京
2010	1 568.49	1 074.61	1 039.78	981.02	2 005.21
2011	1 840.41	1 240.87	1 175.63	1 132.27	2 390.51
2012	1 992.11	1 344.66	1 309.54	1 237.05	2 748.46
2013	2 192.64	1 486.46	1 433.04	1 376.30	2 997.63
2014	2 307.64	1 634.48	1 498.41	1 462.03	3 119.12
2015	2 453.38	1 749.58	1 588.95	1 565.28	3 395.26
2016	2 633.06	1 925.92	1 728.00	1 679.83	3 581.72
2017	3 042.25	2 170.55	1 820.66	1 954.39	3 853.39
2018	3 283.23	2 283.60	1 804.00	2 119.00	4 055.14
2019	3 849.70	2 261.96	1 799.32	1 972.11	4 215.76
2020	3 956.90	2 244.17	1 770.01	1 973.08	4 331.59
2021	4 538.90	2 662.89	2 105.95	2 306.43	4 991.39

数据来源：《江苏统计年鉴》

江苏省和沿江八市2021年工业增加值约为2010年工业增加值的2.37倍，沿江各市工业增加值也呈上升趋势。苏州不仅是在2010—2021年间工业增加值最高的地区，也是这几年间增长最多的地区；其次是无锡和南京，虽然无锡的工业增加值高于南京，但两市的增长幅度不相上下；紧随其后的是南通和常州，两市工业增加值绝对数和工业增加值增长幅度基本持平；最后是扬州、泰州和镇江，三市工业增加值在沿江八市中最低，且增长的数量也是最低的，与其他市有较大差距。2010—2021年间江苏省及沿江八市工业增加值变化见图10-1。

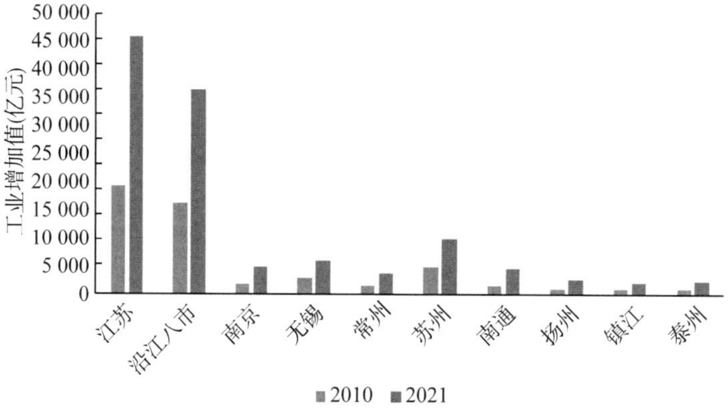

图10-1　2010年与2021年江苏省及沿江八市工业增加值

根据《国民经济行业分类》(GB/T 4754—2017)，把化工产业界定为如下行业：石油加工、炼焦及核燃料加工业；化学原料及化学制品制造业；橡胶和塑料制品业。从2007年开始，按照国家统计局的规定，规模以上工业的统计范围为年主营业务收入达到500万元及以上的工业法人企业；2011年经国务院批准，纳入规模以上工业统计范围的工业企业起点标准从年主营业务收入500万元提高到2 000万元。江苏省及沿江八市整体工业产值在2013—2016年间均逐年递增，沿江工业总产值在全省工业总产值中所占比例虽逐渐下降，但一直保持在73%以上的比例。其中，苏州市的工业总产值超3万亿元，遥遥领先于其他各地区；其次，无锡市工业总产值处于较高水平，南通市2015年规模以上工业总产值超过南京；其余四市中镇江和扬州处于劣势，工业总产值均未超过1万亿元；泰州规模以上工业总产值四年间一直保持着较高增速。

由于江苏省统计局自2018年起不再统计工业总产值，且考虑到各市工业分行业总产值数据的获取，2013—2016年间规模以上工业总产值及化工业总产值具体数据见表10-2。江苏省及沿江八市整体化工业产值在2013—2016

年间呈逐年递增的趋势，除了南京市有明显的下降趋势，沿江其余各市整体工业产值均呈上升趋势；沿江工业总产值在全省工业总产值中所占比例虽逐渐下降，但一直保持在72%以上的比例。其中，南京和苏州两市的化工业产值明显高于其他各市，扬州化工业产值最低；其余各市中，泰州、南通、常州和镇江四市化工业产值在2013—2016年间逐年增加，南通和常州的化工业产值略高。综合各市工业生产总值和化工业产值来看，南京和镇江的化工业产值在工业生产总值中占的比例较大，在20%左右；而苏州的化工业生产总值占工业生产总值的比例最小，在10%以下。2013—2016年沿江八市规模以上工业及化工业产值情况见图10-2。

表10-2　2013—2016年江苏省及沿江八市规模以上工业及化工业产值

（单位：亿元）

		2013年	2014年	2015年	2016年
江苏	工业	134 648.91	143 016.94	149 841.41	157 640.23
	化工业	19 766.10	21 241.33	21 999.78	23 120.84
沿江八市	工业	102 857.81	108 482.67	111 611.16	116 359.00
	化工业	14 579.10	15 815.37	16 215.88	16 752.59
苏州	工业	30 276.29	30 322.17	30 249.25	30 713.99
	化工业	2 383.13	2 631.72	2 622.44	2 815.59
南京	工业	12 563.09	13 199.67	12 905.13	12 945.02
	化工业	3 047.46	3 031.29	2 658.73	2 567.89
扬州	工业	8 499.39	9 457.17	9 822.98	10 099.55
	化工业	1 209.75	1 272.94	1 338.42	1 243.16
镇江	工业	7 178.79	8 084.48	8 403.82	8 722.84
	化工业	1 528.37	1 827.40	1 902.73	1 936.92
常州	工业	10 067.88	11 037.46	11 101.64	12 096.82
	化工业	1 635.19	1 835.29	2 061.39	2 278.12
泰州	工业	8 142.08	9 456.36	11 063.14	12 170.8
	化工业	1 277.11	1 552.86	1 835.55	1 910.01
无锡	工业	14 876.33	14 425.66	14 549.87	15 084.26
	化工业	1 714.48	1 688.70	1 697.07	1 855.73
南通	工业	11 253.96	12 499.70	13 515.33	14 525.72
	化工业	1 783.61	1 975.17	2 099.55	2 145.16

数据来源：相关省市统计年鉴

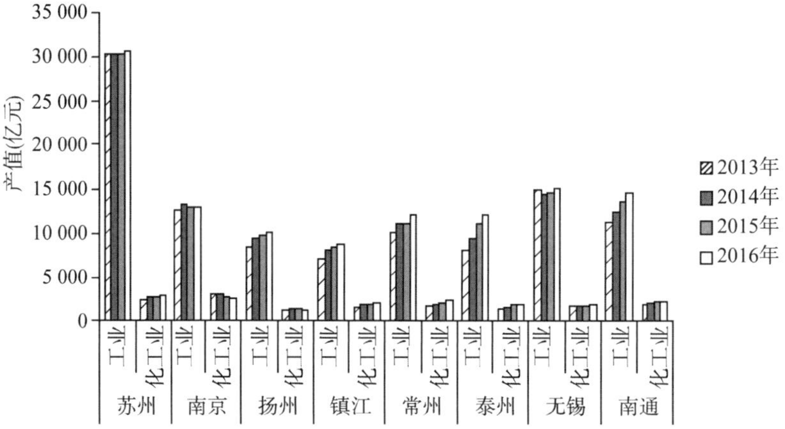

图 10-2　2013—2016 年沿江八市规模以上工业及化工业产值

10.1.2　江苏沿江化工产业对地区发展的贡献

化工产业是江苏支柱产业之一，长江三角洲的沿江地带是我国重要的化工生产基地。沿江化工产业大大带动沿江八市的工业从而拉动地区经济发展及产业发展，江苏沿江化工产业对地区经济发展、产业发展作出了重大的贡献。

(1) 江苏沿江化工产业对地区经济发展的贡献

江苏省沿江化工产业带不仅带动了沿江八市的地区经济，同时在全省国民经济快速发展过程中也发挥着积极的作用。2019 年江苏省规模以上工业企业实现化工营业收入 13 552.92 亿元，利润总额 954.39 亿元，占全省规模以上工业企业的比例为 12.5%，平均用工人数达到 70 多万，为全省经济社会发展作出了重要贡献。

根据国家统计局数据，江苏省 2010 年以来的地区生产总值逐年增加。从 2010 年 41 425.48 亿元到 2022 年 122 875.6 亿元，江苏省的地区生产总值翻了一番，且江苏省 12 年间地区生产总值在国内生产总值中的占比一直保持在 10%以上，沿江八市工业增加值在各地区生产总值中占比较高，平均在 40%～50%。苏州、镇江、无锡和常州工业增加值占比均在 40%以上，并且都在早些年份出现了占比超过 50%的情况；其次南通、泰州和扬州，南通工业增加值占比略低于其余两市，且在 2015—2018 这四年的占比跌出了 40%，到 2019 年才有所回升；南京工业增加值在地区生产总值中的占比最低，且占比逐年下降，2020 年工业增加值在地区生产总值中占比仅为 29.23%。2010—2021 年沿江八市工业增加值在各市地区生产总值中的占比情况见表 10-3。

表 10-3　2010—2021 年沿江各市工业增加值占全市 GDP 的比重

（单位：%）

年份	无锡	常州	苏州	南通	扬州	镇江	泰州	南京
2010	51.55	50.28	53.27	45.26	48.20	52.31	47.88	38.58
2011	50.33	49.40	51.84	45.11	47.18	50.86	46.74	38.37
2012	49.13	47.87	50.41	43.70	45.84	49.78	45.79	37.62
2013	47.91	46.13	48.31	42.58	44.77	48.17	44.90	36.56
2014	45.67	44.27	46.22	40.82	44.20	46.07	43.37	34.83
2015	45.05	43.05	44.75	39.90	43.56	45.37	42.44	33.93
2016	43.19	42.07	43.35	38.90	43.29	45.07	40.95	33.10
2017	43.31	42.57	43.92	39.33	42.85	45.40	41.19	32.42
2018	43.79	41.86	44.31	38.96	41.78	44.54	41.49	31.17
2019	42.48	42.64	43.23	41.03	38.67	43.60	38.42	30.05
2020	41.44	41.41	42.21	39.43	37.10	41.94	37.14	29.23
2021	43.12	43.05	43.85	41.16	39.77	44.21	38.28	30.52

数据来源：相关省市统计年鉴

通过对 2010—2021 年间沿江八市工业增加值进行汇总，计算出沿江八市全部工业增加值在整个江苏省地区生产总值的占比，详见表 10-4。沿江八市工业增加值之和以及全省地区生产总值均逐年增加，沿江八市工业增加值之和在整个江苏省的地区生产总值中所占的比值虽呈下降趋势，但依然保持着 30%以上的较高比例，为江苏省经济增长发挥了重要作用。

表 10-4　2010—2021 年沿江八市工业增加值之和占江苏省 GDP 的比重

年份	沿江八市工业增加值之和（亿元）	江苏省 GDP（亿元）	占比（%）
2010	16 102.98	41 425.48	38.87
2011	18 567.05	49 110.27	37.81
2012	20 305.35	54 058.22	37.56
2013	21 527.68	59 753.37	36.03
2014	22 299.60	65 088.32	34.26
2015	23 350.16	70 116.38	33.30

续表

年份	沿江八市工业增加值之和(亿元)	江苏省 GDP(亿元)	占比(%)
2016	24 663.97	77 388.28	31.87
2017	27 818.47	85 869.76	32.40
2018	29 746.02	93 207.55	31.91
2019	30 605.80	99 631.52	30.72
2020	31 148.13	102 718.98	30.32
2021	36 398.01	116 364.20	31.28

数据来源:相关省市统计年鉴

化工产业为江苏省提供了多个就业岗位。江苏省 2019 年规模以上工业企业平均用工人数为 856.32 万人,其中化工业(石油、煤炭及其他燃料加工业,化学原料和化学制品制造业,橡胶和塑料制品业)平均用工人数为 71.01 万人,占比为 8.29%。2015—2017 年工业企业平均用工人数超过 1 000 万,化工行业 2015—2016 年度也提供了 100 多万个就业岗位。从数据走势来看,工业及化工业平均用工人数均因某种原因呈下降趋势,且化工业用工人数占工业用工人数的比例也在下降,说明化工业所提供的就业岗位下降速度快于整体工业企业所用工人数。即使如此,2019 年化工业所用工人数在工业企业平均用工人数中仍占有 8.29%的较高比例。2015—2019 年江苏省规模以上工业企业及化工行业平均用工人数情况如图 10-3 所示。

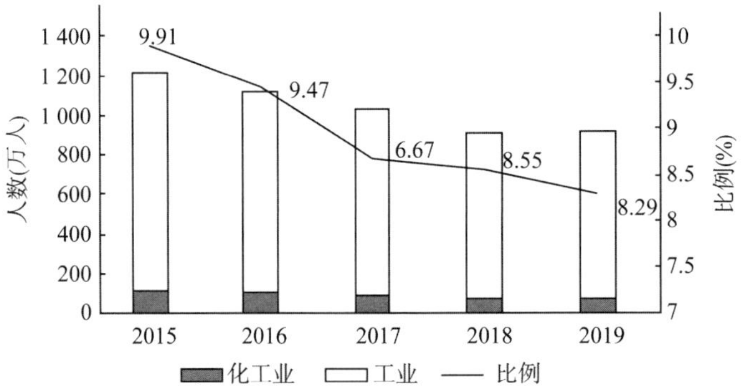

图 10-3　2015—2019 年江苏省规模以上工业企业及化工业平均用工人数

(2) 江苏沿江化工产业对地区产业发展的贡献

江苏沿江化工产业不仅拉动了沿江八市以及整个江苏的经济增长，对沿江八市和全省产业结构的优化也起到较大作用。虽然伴随着化工企业整顿，沿江八市第二产业增加值在各市地区生产总值中的占比呈下降趋势，但是沿江八市地区生产总值却在不断增加，这说明沿江八市产业结构也在不断优化。沿江八市第二产业增加值结构总体趋势都呈明显下降趋势，扬州和南京的第二产业增加值在全市地区生产总值中所占比例在逐年下降，而其余 6 市在 2016—2021 年占比虽有波动，但 2010—2021 年第二产业增加值在全市地区生产总值中的占比整体上仍呈下降趋势。根据 2010—2021 年沿江八市的第二产业增加值以及各市的地区生产总值数据，计算沿江各市第二产业增加值在全市地区生产总值中所占的比值见表 10-5。2010—2021 年沿江八市第二产业结构变化见图 10-4。

表 10-5　2010—2021 年沿江各市第二产业占 GDP 的比重

(单位:%)

年份	无锡	常州	苏州	南通	扬州	镇江	泰州	南京
2010	55.40	55.30	56.90	55.10	55.10	56.40	55.00	45.40
2011	54.20	54.50	55.60	54.40	54.30	55.00	54.00	44.90
2012	53.00	52.90	54.10	53.00	53.00	54.00	53.10	44.00
2013	52.10	51.10	52.10	51.60	51.70	52.30	52.00	42.90
2014	49.90	49.10	50.10	49.80	51.00	50.20	50.40	41.10
2015	49.30	47.70	48.60	48.40	50.10	49.30	49.10	40.30
2016	47.20	46.46	47.03	46.84	49.39	48.79	47.15	39.20
2017	47.23	46.53	47.55	47.06	48.88	49.47	47.17	38.00
2018	47.77	46.29	48.03	46.85	47.99	48.80	47.65	36.83
2019	47.48	47.70	47.31	49.00	47.49	48.57	49.20	35.93
2020	46.49	46.32	46.53	47.49	46.07	47.12	47.83	35.19
2021	47.92	47.67	47.86	48.59	47.90	48.70	48.44	36.09

数据来源:相关省市统计年鉴

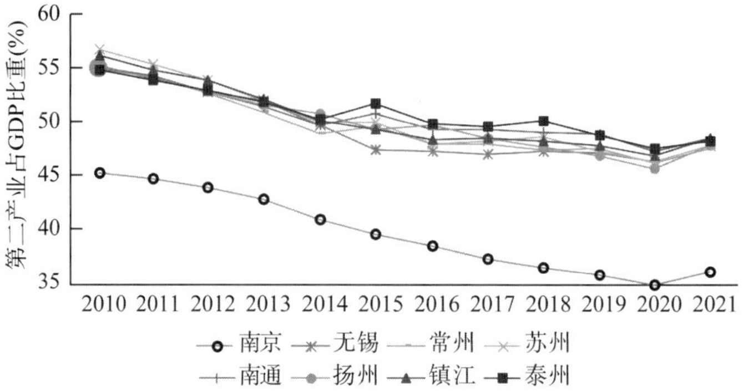

图 10-4　2010—2021 年沿江八市第二产业结构变化

沿江八市地区生产总值在 2010—2021 年呈现明显增长趋势。苏州经济体量大、增长速度快，其次是南京和扬州，略低于苏州，镇江体量相对较小，且增速缓慢。虽然随着化工企业的缩减，2010—2021 年沿江八市第二产业增加值在全市地区生产总值中所占比值呈现下降趋势，但各市地区生产总值却仍在以不低的速度逐年增长。这可以说明，沿江八市的产业结构和经济结构是在不断优化的。沿江八市 2010—2021 年的地区生产总值具体数据见表 10-6，基于此数据绘制出 2010—2021 年沿江八市地区生产总值变化折线图 10-5。

表 10-6　2010—2021 年沿江八市地区生产总值

（单位：亿元）

年份	无锡	常州	苏州	南通	扬州	镇江	泰州	南京
2010	5 793.30	3 044.89	9 228.91	3 465.67	2 229.49	1 987.64	2 048.72	5 198.20
2011	6 880.15	3 580.99	10 716.99	4 080.22	2 630.30	2 311.45	2 422.61	6 230.20
2012	7 568.15	3 969.87	12 011.65	4 558.67	2 933.20	2 630.42	2 701.67	7 306.54
2013	7 770.23	4 450.00	12 970.00	5 150.01	3 320.00	2 975.06	3 064.97	8 199.49
2014	8 205.31	4 901.87	13 760.89	5 652.69	3 697.91	3 252.44	3 370.89	8 956.05
2015	8 518.26	5 273.15	14 504.07	6 148.40	4 016.84	3 502.48	3 687.90	10 006.29
2016	9 210.02	5 773.86	15 475.09	6 768.20	4 449.38	3 833.84	4 101.78	10 820.75
2017	10 511.80	6 618.42	17 319.51	7 734.64	5 064.92	4 010.36	4 744.53	11 886.57
2018	11 438.62	7 050.27	18 597.47	8 427.00	5 466.17	4 050.00	5 107.63	13 009.17

续表

年份	无锡	常州	苏州	南通	扬州	镇江	泰州	南京
2019	11 852.32	7 400.90	19 235.80	9 383.40	5 850.08	4 127.32	5 133.36	14 030.15
2020	12 370.48	7 805.32	20 170.45	10 036.31	6 048.33	4 220.09	5 312.77	14 817.95
2021	14 003.24	8 807.58	22 718.34	11 026.94	6 696.43	4 763.42	6 025.26	16 355.33

数据来源:Wind 数据库

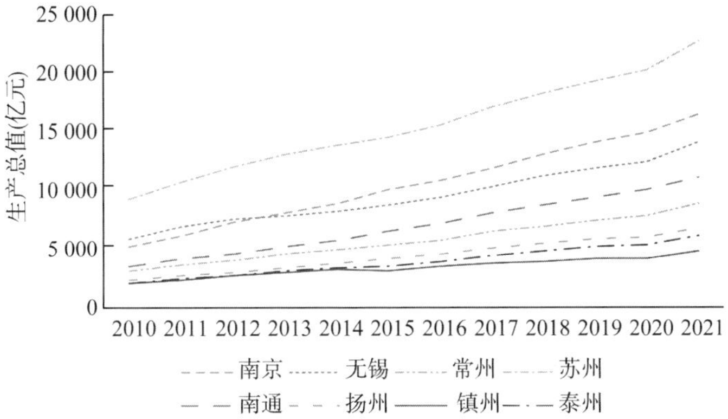

图 10-5 2010—2021 年沿江八市地区生产总值变化

2010—2021 年沿江八市第二产业增加值虽呈上升趋势,但整体上看,2010—2021 年沿江八市第二产业增加值在沿江八市地区生产总值中所占的比例在逐步降低。通过将 2010—2021 年沿江八市各地区的第二产业增加值和地区生产总值进行加总,计算出其中沿江八市第二产业全部增加值的占比(见表 10-7),并由此绘制出比值的折线图(见图 10-6)。

表 10-7 2010—2021 年沿江八市第二产业增加值占 GDP 的比重

年份	沿江八市第二产业增加值(亿元)	沿江八市 GDP(亿元)	占比(%)
2010	17 858.52	32 996.82	54.12
2011	20 627.49	38 852.91	53.09
2012	22 608.46	43 680.17	51.76
2013	24 062.00	47 899.76	50.23
2014	25 047.10	51 798.05	48.36
2015	26 202.99	55 657.39	47.08

续表

年份	沿江八市第二产业增加值(亿元)	沿江八市 GDP(亿元)	占比(%)
2016	27 596.24	60 432.92	45.66
2017	31 085.67	67 890.75	45.79
2018	33 363.92	73 146.33	45.61
2019	35 239.69	77 013.33	45.76
2020	36 049.27	80 781.70	44.63
2021	41 488.51	90 396.54	45.90

数据来源:相关省市统计年鉴

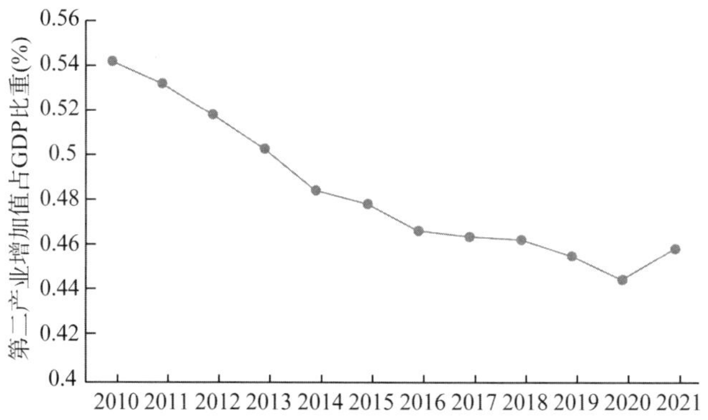

图 10-6　2010—2021 年沿江八市第二产业增加值结构变化

江苏省 2010—2021 年地区生产总值以较快速度增长。2010—2013 年江苏省地区生产总值增长的速度较快,2013—2015 年间增长速度稍有放缓,2015 年后地区生产总值增长的速度更快。虽然随着沿江化工产业的整改,沿江八市第二产业全部增加值在沿江八市全部地区生产总值中所占的比值呈现下降趋势,但是江苏省地区生产总值不减反增,经济发展向好。江苏作为工业大省,前期依托工业全省的经济发展较快,但产业结构比较单一;目前随着化工企业的不断减少,江苏省地区生产总值并没有像想象中在减少,反而以较快的速度在增长,这从侧面说明江苏省的产业结构在不断优化。据江苏省 2012—2022 年统计年鉴得到全省 2011—2021 年的地区生产总值变化,如图 10-7 所示。

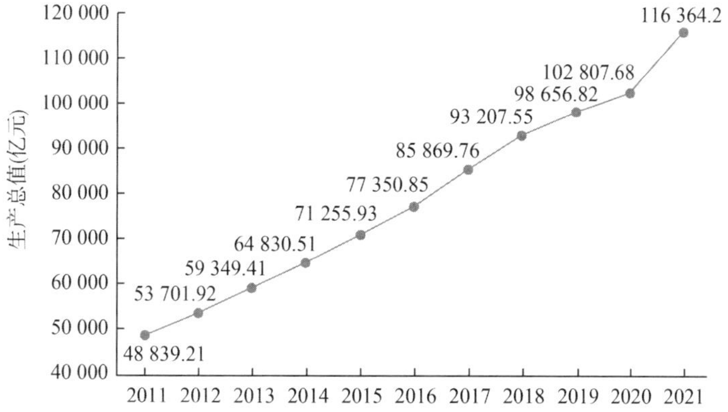

图 10-7　2011—2021 年江苏省地区生产总值变化

10.1.3　江苏沿江化工产业污染排放情况

长江流域集中了我国 40%的可利用淡水资源和超过 20%的湿地资源，沿江区域化工园区和相关企业所排放的污染物及带来的生态环境影响，已在不同区域超出了环境承载力，这也是当前全面推进长江经济带生态环境保护的一个重要原因。由于物流、排污等方面的便利，经济上的收益相对较为突出，江苏省形成了化工企业集聚长江沿岸地区的现象。2011—2023 年江苏省化工业"三废"排放情况见表 10-8，其中，化工业包括化学原料和化学制品制造业、橡胶和塑料制品业以及石油、炼焦和核燃料加工业；废水污染物排放量包括化学需氧量、氨氮、石油类、挥发酚、氰化物、砷、铅、镉、汞和总铬排放量；废气污染物排放量包括二氧化硫、氮氧化物和烟(粉)尘排放量。

首先，废水排放方面，2011—2023 年江苏省化工业废水排放量整体大幅减少。十三年间排放量约减少了 87%，只有在 2015、2021 年出现了微微增加，而在其他年份出现不同程度的减少；其次，废气处理方面，经过近几年的沿江化工治理，2020 年江苏省化工业二氧化硫排放 0.58 万吨、氮氧化物废气排放 1.43 万吨、颗粒物排放 0.36 万吨，总计达 2.37 万吨。由表 10-8 可知，2011—2023 年江苏省和沿江八市的化工业废气排放量整体呈减少趋势，十三年间排放量减少了 94%左右。最后，化工业固体废物排放方面，根据生态环境部发布的《2023 中国生态环境状况公报》，2023 年一般工业固体废物产生量江苏省排在第十二位。2011—2023 年江苏省化工业一般固废产生量整体变化趋势呈波动减少，产生量在 2015—2016 年有较大增加，而在 2019 年出现最大幅度的减少。总体而言，2011—2023年间江苏省及沿江八市的化工业废水排放和废气排放呈明显减少趋势，而一般化工业固体废物产生量的减少幅度较小，固体废物有待于进一步的解决。

表10-8　2011—2023年江苏化工业“三废”排放情况

（单位：万吨）

年份	废水	废气	一般工业固体废物
2011	5.98	26.41	753.16
2012	5.77	24.95	721.34
2013	5.32	26.43	716.36
2014	4.57	25.73	663.55
2015	4.69	25.73	699.97
2016	3.06	16.35	782.38
2017	2.35	11.32	765.83
2018	1.51	7.53	735.50
2019	1.19	5.44	627.24
2020	0.99	2.37	591.78
2021	1.08	1.97	595.66
2022	0.85	1.63	564.89
2023	0.79	1.69	566.14

数据来源：江苏省生态环境厅

10.2　江苏破解“化工围江”促进化工产业转型升级的典型实践

10.2.1　江苏化工产业转型升级存在的问题

化工产业是规模经济、链式发展的产业，从前面数据的分析中我们可以看到，化工业的集聚发展可以拉动江苏省经济的增长，但是化工业的高耗水、高污染特征也是不可忽视的。另外，江苏省沿江化工产业在区域布局、产业结构、安全生产等方面也存在着一些问题。

(1) 产业结构亟须调整,区域布局有待优化

规模以下企业占比较高,产业结构亟须调整。截至 2018 年底江苏省共有化工企业 4 280 家,其中规模以上 2 642 家,规模以下 1 638 家,规模以下企业数量占比高达 38.3%,产业组织结构有待提升。当前江苏沿江化工企业的能源和资源利用效率普遍较低,技术和设备工艺简单,生产、储存、运输等环节安全和环保隐患突出,部分企业违规排放,威胁水体环境和饮用水安全,生态环境压力较大;高端化工产品、先进化工材料所占比重仍然偏低,多种化工产品仍然依赖进口。江苏沿江化工产业经过多年的发展,产品供应已由“整体数量短缺”转变为“结构性短缺”。我国化工产品结构性短缺的原因主要包括:原料供应受到国外的多重制约,行业集中度仍然较低,落后产能仍占有较大比重,产业竞争力不强;部分行业缺乏有力的监督和引导,产业盲目发展,产能过剩严重;产业布局仍存在原料与生产分割、产品与市场分割不合理之处等。

化工企业入园率低,区域布局有待优化。江苏沿江南北两岸化工产业缺乏统筹谋划,化工企业数量南多北少,南岸分布密集且发展较快,北岸分布散乱且发展滞后,亟须对沿江化工产业进行统筹规划布局。江苏中小化工企业半数以上都散布在化工园区之外。截至 2018 年底江苏省共有化工企业 4 280 家,江苏化工企业约 70%仍分布在沿江地区,其中有 288 家企业位于长江干流和主要支流岸线 1 公里范围内;沿江八市中建有 36 家化工园区或集中区,但沿海三市化工企业主营业务收入只占全省化工行业的 23.9%,区域分布不合理。全省仍有 55%的化工生产企业散布在园区(集中区)外,其中沿江地区未入园企业占比达 68.2%,苏北地区未入园企业占比 39.2%,沿海地区未入园企业有 38.1%,大量不合规化工企业面临较大关停压减压力。这些零散布局的化工企业普遍面临能源、用地和公用工程等要素供应方面的刚性约束,面临环境容量指标日益收紧、安全生产措施要求日益提升的压力,面临企业技术更新改造及新增和扩建产能需求受到政策制约的窘境。

自 2019 年起,随着经济发展、产业分布格局改变,江苏启动了大批项目转移、退出的整治行动,化工园区、企业大幅削减。江苏经过五年对化工企业进行转移、升级、重组等行动,截至 2022 年,江苏化工企业剩余不足 1 000 家、相关园区 20 个,形成“两带两极”(沿海石化工业带、沿江优化带,连云港和南京两极)的产业格局。

(2) 化工企业数量庞大,行业安全问题突出

作为传统的化工大省,江苏省化工行业的生产技术水平和安全管理水平

整体处于国内先进水平，2018 年每百家危险化学品生产企业的事故死亡率为 0.76，远低于 1.46 的全国平均水平。但是由于江苏省危化品生产企业数量基数较高，2018 年危化品生产企业 1 968 家，在全国排名第一，所以从化工事故和致死人数的绝对数量来看，江苏省一直是国内化工行业安全事故频发的重灾区。由于化工产品种类多、工艺复杂，生产过程中高温高压、易燃易爆，部分化工企业仍未建立并有效运行安全生产管理机制，本质安全水平偏低，生产安全面临严峻挑战。比如，2019 年 3 月 21 日，江苏响水县陈家港化工园区天嘉宜化工厂发生爆炸事故；同年 4 月 3 日江苏中丹技术化工有限公司污水车间废水储罐发生一起火灾事故。

目前，全省化工园区从原有的 50 个压减至 20 个左右，重点分布在连云港、南京、泰兴等地。例如，连云港徐圩新区定位为世界级石化产业基地；南京江北新材料科技园通过改造升级形成高端化工集群；泰兴经济开发区入选全国化工园区 30 强。江苏省通过严格整治和产业升级，实现了化工企业数量和分布的显著优化，从“数量扩张”转向“质量提升”。未来将继续以安全、环保为核心，推动高端化工产业集群发展。

（3）化工产业集聚发展，环境污染日趋严重

2018 年江苏省沿江八市工业废水排放总量 118 818.96 万吨，占全省的 83%；全省工业危险废物产生量将近 600 万吨，在全国排在首位，其中 200 个大、中城市中，苏州市的工业危险废物产生量为 156.4 万吨，排在第二位；在生态环境部公布的中央环境保护督察及其“回头看”专项督察整改中，涉及化工行业的问题位居各行业之首。

一是区域管控不统一，存在“搭便车”现象。环境污染的区域性外部不经济性让各地在污染防治上具有搭便车的心态。不同区域之间、不同省市之间，都希望利用长江的环境容量，但当所产生的污染物叠加在一起的时候，整体上就会给长江流域造成较大的环境影响，所以整治“重化工围江”问题，必须流域上下一盘棋，统一规划、统一标准、统一考核。二是固体废物监督机制不健全，工业固废治理待强化。2011—2020 年江苏省和沿江八市的一般工业固体废物产生量减少速度较慢，且仍有个别年份有增多的现象。而且其工业危险废物产生量形势更是严峻，2019 年各省（区、市）工业危险废物产生量中江苏省排在第二位，全国 196 个大、中城市中，苏州市排在第三位。近年来，国家和地方政府出台了一系列关于固废污染防治的政策文件和标准规范，全面启动编制“一市一策”“一企一策”方案，相关部门必须加强协作，强化监管机制。三是化工企业近江分布，污染排放形势严峻。截至 2018 年底江苏化工企业约 70%仍分布

在沿江地区，其中有288家企业位于长江干流和主要支流岸线1公里范围内；沿江建有36家化工园区或集中区，其中沿长江干支流两侧1公里范围内的化工园区(集中区)就有13家，沿江八市10家；全省仍有55%的化工生产企业散布在园区(集中区)外，其中沿江地区未入园企业占比达68.2%，苏北地区未入园企业占比39.2%。近江分布的化工园区和企业数量仍需压减，以加大工业污染治理力度。

10.2.2 江苏破解“化工围江”的实践

在国家长江大保护、长江经济带高质量转型的要求下，江苏省十分重视化工行业结构性转型升级以及绿色发展，在宏观层面上出台了关于化工产业结构升级以及绿色发展的总体规划，在产业层面聚焦去产能工作及化工园区建设，在化工业绿色发展方面聚焦安全生产、资源回收利用和绿色科技发展。

(1) 优化空间开发格局，推进化工园区建设

江苏省作为传统的化工大省，早在“十三五”期间就开展化工行业发展规划工作，发布了《江苏省化学工业发展规划(2016—2020年)》，提出推动区域布局进一步优化，提升化工园区发展水平和石化产业高质量发展，并通过化工生产企业专项整治，关闭了2 000余家生产规模较小、安全与环保风险较高的化工生产企业。

化工产业区域布局方面，江苏省积极推动化工园区的建设。一是大幅度缩减化工企业及化工园区数量。禁止在长江干支流1公里范围内新建、扩建化工园区和化工项目；禁止在合规园区外新建、扩建钢铁、石化、化工、焦化、建材、有色等高污染项目；禁止新建、扩建不符合国家石化、现代煤化工等产业布局规划的项目。另外，在全国环保督察的背景下，江苏省积极推进化工行业的供给侧改革，将园区由原来63家缩减至2018年底的53家；《关于江苏省化工园区(集中区)环境治理工程的实施意见》《江苏省化工园区(集中区)环境绩效评价体系》对此53家园区提出了更为严格的要求，明确提出“对2019年9月底前未达到80分的沿海化工园区(集中区)，取消化工定位”；2020年省政府进一步规范和加强对符合要求的化工园区和化工集中区的管理，稳妥做好取消化工定位园区(集中区)的后续工作，推进全省化工产业环保提升，加快推动化工产业高质量发展。二是科学量化化工园区评价标准，出台了《全省沿海化工园区(集中区)整治工作方案》《江苏省化工园区规范发展综合评价指标体系》《〈长江经济带发展负面清单指南〉江苏省实施细则(试行)》等，明确提出对沿江化工

产业园区内化工企业的评价指标体系。对沿海地区南通、连云港、盐城三市辖区内所有化工园区及园区内所有化工生产企业进行整治，且对全省化工园区再一次全面梳理，并计划根据评价结果对园区进行分类整合、改造提升、压减淘汰。

化工产业发展布局方面，江苏省大力发展化工产业链。一是发布《江苏省“产业强链”三年行动计划(2021—2023年)》，聚焦13个先进制造业集群和战略性新兴产业，实施531产业链递进培育工程，提升产业链关键环节控制力，增强产业链细分领域主导能力，促进产业链上下游联动发展。二是通过《江苏省“十四五”化工产业高端发展规划》定位2021年之后化工产业的布局应该以连云港石化产业基地和28个化工园(集中)区为主体的“1＋N”化工产业发展格局以及将产业布局总体划分为沿江/沿湖产业区、沿海产业区、苏北产业区三大部分，以缓解“化工围江”的布局。三是关注各个化工产业园区自身的禀赋优势，找准产业链定位，比如沿江/沿湖产业区、沿海产业区重点发展石化下游深加工、新领域精细化工、化工新材料等位于产业链下游和价值链高端的产业，苏北产业区着重发展原材料生产与下游新材料、专用化学品。此外，2022年省政府着重加强循环经济的建设，促进工业绿色升级、提升产业园区和产业集群循环化水平的同时，促进资源的有效利用，构建绿色循环经济。省政府在化工产业园区实施循环化改造工程，大力发展一体化循环经济，强化化工园区化工企业产业链配套，促进产业链向上下游延伸，加强能源高效阶梯使用、水资源充分回用、工业固体废物综合利用，培育一批循环经济化工企业，着力打造化工产业绿色发展样板区。“十三五”以来江苏省化工产业布局优化政策文件如表10-9所示。

表10-9 “十三五”以来江苏省化工产业布局优化政策文件

日期	政策文件	江苏化工产业布局优化重点
2016.9.29	《江苏省化学工业发展规划(2016—2020年)》	加快实施“调整存量，提升增量，优化总量”联动发展战略，将淘汰落后产能与培育战略性新兴产业结合起来
2017.1.7	《关于开展全省化工企业“四个一批”专项行动的通知》	开展“四个一批”(关停一批、转移一批、升级一批和重组一批)专项行动
2018.6.16	《全省沿海化工园区(集中区)整治工作方案》	加快江苏省沿海地区化工产业布局优化、结构升级和污染防治，制定了沿海化工园区(集中区)整治标准和沿海化工园区企业整治标准

续表

日期	政策文件	江苏化工产业布局优化重点
2018.9.6	《江苏省化工园区规范发展综合评价指标体系》	从规划发展、规范管理、安全生产、环境保护、基础设施等方面对园区进行综合考评、量化打分
2018.9.6	《关于加快全省化工钢铁煤电行业转型升级高质量发展的实施意见》	积极适应经济发展新常态和石化产业发展新趋势,全面实施区域协调江海联动发展,全面提质增效转型升级
2019.2.6	《关于江苏省化工园区(集中区)环境治理工程的实施意见》	提升环境治理能力,有效改善环境质量
2019.2.26	《江苏省化工园区(集中区)环境绩效评价体系》	构建高标准环境准入门槛,严格污染物处置标准
2020.10.30	《关于加强全省化工园区化工集中区规范化管理的通知》	将实施封闭化管理和建成城市消防站的14家沿江园区定位为化工园区,15家园区定位为化工集中区
2020.12.19	《江苏省"产业强链"三年行动计划(2021—2023年)》	提升产业链供应链稳定性、安全性和竞争力,加快推动制造强省建设,促进制造业高质量发展
2021.9.3	《江苏省"十四五"化工产业高端发展规划》	整体将形成以连云港石化产业基地和28个化工园(集中)区为主体的"1+N"化工产业发展格局
2023.4.17	《江苏省"无废园区"(化工园区)建设工作方案(试行)》	推动工业固体废物在企业内、企业间和区域内高效配置,促进工业固体废物就地就近利用处置

数据来源:根据公开资料整理

(2) 强化产业结构升级,促进化工产业数字化

产业结构转型升级方面,2018年省政府规范提升化工园区发展水平,对全省54家化工园区进行全面梳理,建立化工园区退出机制,取消不达标化工园区,并提出调整优化产业结构,着力发展大型一体化石油化工、化工新材料、高端专用化学品、化工节能环保等高端产能,严格限制过剩产能,坚持淘汰落后产能,严格执行产业政策,提高行业准入门槛,严格化工项目审批,严格安全生产管理。通过限制和淘汰不符合要求的化工技术、化学工艺、落后产品,并禁止设立新的化工园区和园区外化工企业。2020年省政府印发《关于推进绿色产业发展的意见》指出优化产业空间布局,推动沿江钢铁、石化等重工业向沿海地区有序升级转移,着力破解"重化围江"等突出问题,深入实施污染治理"4+1"工程,建成长江经济带(江苏段)绿色产业发展高质量典范。推动传统产业绿色化转型升级,促进石化、建材、印染等重点行业清洁生产和园区化发展,

推进化工企业全面开展清洁生产，推动化工产业向集中化、大型化、特色化、基地化转变，打造绿色化、循环化产业体系，控制基础原材料和能源重化工产业规模，加强节能环保产业发展。

促进化工产业数字化。2021 年省政府制定《江苏省"十四五"工业绿色发展规划》《江苏省制造业智能化改造和数字化转型三年行动计划(2022—2024 年)》等，指出需构建绿色产业结构，多措并举加快产业结构调整，培育壮大现代制造业集群，深入实施数字化转型和智能化升级，促进产业整体向中高端迈进。全省制造业数字化、网络化、智能化水平需要显著提升，新业态、新模式、新动能显著壮大，率先建成全国制造业高质量发展示范区。到 2024 年底，全省规模以上工业企业全面实施智能化改造和数字化转型；重点企业关键工序数控化率达 65%，经营管理数字化普及率超过 80%，数字化研发设计工具普及率接近 90%。"十三五"以来江苏省化工产业结构转型升级相关的政策文件如表 10-10 所示。

表 10-10 "十三五"以来江苏省化工产业结构升级相关的政策文件

日期	政策文件	江苏化工产业结构升级重点
2020.3.27	《关于推进绿色产业发展的意见》	坚定践行绿色发展理念，大力推进产业转型升级，加快新旧动能转换，着力构建现代化经济体系
2020.5.10	《江苏省化工产业结构调整限制、淘汰和禁止目录(2020 年本)》	建立严格的标准，限制和淘汰不符合要求的化工技术、化学工艺、落后产品，并禁止设立新的化工园区和园区外化工企业
2021.8.25	《江苏省"十四五"工业绿色发展规划》	目标到 2025 年，制造业产业结构明显优化，绿色低碳技术装备普遍应用，数字化、智能化助推绿色发展水平快速提升
2021.12.30	《江苏省制造业智能化改造和数字化转型三年行动计划(2022—2024 年)》	加快推进数字产业化、产业数字化，深化实施先进制造业集群培育和产业强链行动计划，全面推动全省制造业智能化改造和数字化转型
2022.1.24	《关于加快建立健全绿色低碳循环发展经济体系的实施意见》	建立健全绿色低碳循环发展经济体系，全面提升能源资源利用效率和产出效益
2023.12.8	《江苏省化工园区管理办法》	规范化工园区管理、优化产业布局，推动产业转型升级、提质增效，实现安全绿色高质量发展

数据来源：根据公开资料整理

(3) 加快产业绿色转型，提高安全生产水平

党和国家大力推动长江经济带绿色发展，对长江生态环境保护问题日益重视。江苏省化工行业整治提升方案的主要几点在于：坚决贯彻长江经济带

“共抓大保护、不搞大开发”要求，大幅压减沿长江干支流两侧1公里范围内、环境敏感区域、城镇人口密集区、化工园区外和规模以下化工生产企业。关闭安全和环保不达标、风险隐患突出的化工生产企业，限期取缔和关闭列入国家淘汰目录内的工艺技术落后的化工企业或生产装置，加快退出或转型产能过剩和市场低迷的一般化工品生产加工能力。取消安全环保基础设施差和管理不到位的化工园区（集中区），大幅压减低端落后化工产能。

江苏省政府自从“十三五”以来，制定了《江苏省“十三五”生态环境保护规划》《江苏省生态空间管控区域规划》等规划文件，一是淘汰化工行业落后产能，基本完成长江沿岸重点规划区域沿岸两侧1公里范围内化工企业的关停并转迁任务。实施“江海联动”，推动沿江、环太湖绿色化工企业搬迁进入沿海化工园区，并且协同控制资源能源消耗，构建绿色低碳循环发展产业体系，着重深化工业领域全行业、全要素污染治理，强化挥发性有机物排放控制。二是保护生态环境安全，划定生态保护红线。坚定不移走“绿水青山就是金山银山”之路，以改善生态环境质量为核心，以保护优先、合理布局、控管结合、统筹协调、动态优化为基本原则，保障和维护生态功能为主线，实行最严格的生态空间管控制度，确保全省生态功能不降低、面积不减少、性质不改变，切实维护生态安全。三是促进完善生态环境共保联治机制，推进绿色低碳发展，以“三线一单”为基础优化绿色发展格局，强化沿江沿海绿色发展，推进能源结构优化，共筑生态安全格局，加强生态空间保障，加强重要生态系统修复，着力打造美丽中国建设的先行示范区。“十四五”对长江经济带生态环境保护提出了新要求，锚定2035年建成美丽中国示范省份目标，协同推进经济高质量发展和生态环境高水平保护。省政府要求开展二氧化碳排放达峰行动，加快能源绿色低碳转型，健全绿色低碳循环产业体系，在钢铁、石化、印染等重点行业培育一批绿色龙头企业，精准实施政府补贴、税收优惠、绿色金融、信用保护等激励政策，推动企业主动开展生产工艺、清洁用能、污染治理设施改造，引领带动各行业绿色发展水平提升。

在化工行业安全生产方面实施的政策。2019年省委办公厅、省政府办公厅颁布《江苏省化工产业安全环保整治提升方案》对于化工生产企业安全生产的标准和环境管理提出了具体要求，将对所有化工生产企业进行评估，不达标的立即停产、限期整改，不具备整改条件和逾期整改不到位的予以关闭，严格停产整改企业复产验收程序。沿江1公里生产企业、太湖等环境敏感区域生产企业、园区外生产企业和城镇人口密集区危化品企业作为压减的重要目标，将压减存量化工园区（集中区）同样作为整治提升的重点目标，今后化工园区（集中区）将无法作为不合规企业的庇护所。2020年《江苏省民爆行业安全生产监督管理办法(试行)》指出全省民爆行业安全生产在生产环节、销售环节、仓储环节、装卸环节、安全管理环节安全监管的具体要求。2021年《江苏省"十四五"安全生产规划》指出深化化工及危险化学品专项整治,提升化工产业基础能力和产业链水平,促进化工产业安全绿色高质量发展。实施化工园区(集中区)安全风险管控能力提升工程,推进化工园区(集中区)安全生产信息化智能化平台建设和封闭化建设,实现化工园区(集中区)内企业、重点场所、重大危险源安全风险监控预警。推进有条件的化工园区(集中区)建立实训基地,提升化工(危化品)生产企业从业人员的技能水平。提升"两重点一重大"危险化学品生产企业的本质安全水平,推进化工生产企业建成集重大危险源监控信息、可燃有毒气体检测报警信息、企业安全风险分区信息、生产人员在岗在位信息以及企业生产全流程管理信息系统建设并投入使用。推进危险化学品行业专项整治,实施"一企一策"差别化整治提升。持续开展危险化学品使用安全专项治理,强化危险化学品使用环节安全风险分级管控和隐患排查治理。完善危险化学品生产企业关停并转、退城入园的风险管控和政策支持等措施。2022年《江苏省强化危险废物监管和利用处置能力改革实施方案》要求到2025年底,源头严防、过程严管、后果严惩的危险废物监管体系基本建成,危险废物利用处置能力充分保障、技术水平国内领先,初步建立规范有序的危险废物处置市场化体系。

在无废城市方面实施的政策。国家和地方政府出台了一系列关于固废污染防治的政策文件和标准规范,2018年国务院发布的《关于印发"无废城市"建设试点工作方案的通知》,强调实施绿色开采,减少矿业固体废物产生和贮存处置量,推动大宗工业固体废物资源化利用,以煤炭、有色金属、黄金、冶金、化工非金属矿等行业为重点,因矿制宜采用充填采矿技术,推动利用矿业固体废物生产建筑材料或治理采空区和塌陷区。《江苏省工业固体废物资源综合利用评价管理实施细则(暂行)》《限期淘汰产生严重污染环境的工业固体废物的落后生产工艺设备名录》进一步规范了工业固体废物资源综合利用评价制度,加快淘汰石化化工、钢铁、有色金属、黄金、医药、轻工等产生严重污染环境的工业固体废物的落后生产工艺、设备。2022年省政府办公厅出台了《江苏省全域"无废城市"建设工作方案》持续推进化工等产废密集型产业园区提档升级,大幅压减沿长江干支流两侧1公里范围内、环境敏感区域、城镇人口密集区、化工园区外和规模以下化工生产企业;建立完善网格化的固体废物巡查机制,以"一园一策""一企一策"模式推动建立重点环境风险源防控体系;创新化工、医药等行业固体废物治理模式;对沿江、沿海化工园区、化工集中区开展在产及取消化工定位园区固体废物综合整治试点，强化源头治理，开展“无废园区”建设，鼓励园区企业内、企业间和产业间物料闭路循环，实现固体废物循环利用。到 2030 年，所有设区市均达到国家“无废城市”建设要求。

在绿色创新方面实施的政策。构建绿色技术创新体系，加快绿色技术的转化与应用。一是出台《关于促进首台(套)重大技术装备发展的实施意见》，以促进首台(套)重大技术装备的发展，推动首台(套)市场化、规模化、产业化应用，有助于绿色低碳转型所需的低碳设备的开发创造，促进重大绿色科技成果市场化应用和规模化推广。二是颁布《江苏省化工中试基地和中试项目管理办法(试行)》，促动化工行业科技创新，解决科技成果转化中试环节“断链”问题，规范化工中试基地、中试项目的建设和管理。三是印发《关于推进绿色产业发展的意见》，指出增强绿色产业发展新动能，着力创新绿色产业发展路径，拓展绿色产业发展新空间。加大绿色技术攻关力度，强化绿色技术创新载体培育，促进绿色技术创新成果转化。加大绿色低碳技术研发、加快成果转化和推广应用。充分发挥省科技成果转化专项资金以及创业投资等各类基金作用，积极争取国家相关专项资金和基金，支持绿色技术创新成果转化和推广应用。加大绿色低碳循环项目孵化力度，积极打造绿色低碳循环专业孵化器。积极参与全国绿色技术市场建设和交易，拓展完善现有技术市场服务功能，加大绿色技术需求和成果信息征集发布力度。“十三五”以来江苏省化工产业绿色发展相关的政策文件如表 10-11 所示。

表 10-11 “十三五”以来江苏省化工产业绿色发展相关的政策文件

日期	政策文件	江苏化工产业绿色发展重点
2017.1.5	《江苏省“十三五”生态环境保护规划》	强化生态监管、完善制度体系，促使生态空间得到保障、生态质量稳中有升、生态功能逐步改善
2017.4.28	《江苏省“十三五”能源发展规划》	推动体制机制改革、能源结构优化、能源效率提高、发展模式创新，构建清洁低碳安全高效的现代能源体系
2018.6.9	《江苏省国家级生态保护红线规划》	生态保护红线是指在生态空间范围内具有特殊重要生态功能、必须强制性严格保护的区域，是保障和维护区域生态安全的底线和生命线
2018.10.24	《江苏省工业固体废物资源综合利用评价管理实施细则(暂行)》	对江苏省境内开展工业固体废物资源综合利用评价

续表

日期	政策文件	江苏化工产业绿色发展重点
2018.12.19	《国务院办公厅关于印发〈"无废城市"建设试点工作方案〉的通知》	"无废城市"以创新、协调、绿色、开放、共享为新发展理念，持续推进固废源头减量和资源化利用
2019.2.25	《〈长江经济带发展负面清单指南〉江苏省实施细则(试行)》	坚持修复长江生态环境，进一步建立完善长江经济带生态环境修复保护硬约束机制
2019.3.26	《关于促进首台(套)重大技术装备发展的实施意见》	促进首台(套)重大技术装备研发应用，推动江苏制造业高质量发展
2019.4.27	《江苏省化工产业安全环保整治提升方案》	建设符合产业发展规律、循环发展和产业链完善的绿色安全、现代高端化工产业
2019.6.2	《江苏省长江保护修复攻坚战行动计划实施方案》	以改善长江生态环境质量为核心，强化生态环境空间管控，严守生态保护红线
2020.1.8	《江苏省生态空间管控区域规划》	实行最严格的生态空间管控制度，切实保护生态安全
2020.3.27	《关于推进绿色产业发展的意见》	构建绿色技术创新体系，增强绿色产业发展新动能；创新绿色产业发展路径，拓展绿色产业发展新空间
2020.12.17	《江苏省民爆行业安全生产监督管理办法(试行)》	加强全省民用爆炸物品行业安全生产监督管理工作
2021.1.14	《长江三角洲区域生态环境共同保护规划》	加强生态空间共保，推动环境协同治理夯实绿色发展生态本底，努力建设绿色美丽长三角
2021.9.23	《限期淘汰产生严重污染环境的工业固体废物的落后生产工艺设备名录》	加快淘汰产生严重污染环境的工业固体废物的落后生产工艺、设备
2021.9.24	《江苏省化工中试基地和中试项目管理办法(试行)》	推动化工行业科技创新，解决科技成果转化中试环节"断链"问题，规范化工中试基地、中试项目的建设和管理
2021.9.28	《江苏省"十四五"生态环境保护规划》	以持续增强绿色发展动力、明显改善生态环境质量、有效管控环境风险、不断增强生态系统服务功能、更加完善生态环境治理体系为目标，建成美丽中国示范省份
2021.10.14	《江苏省"十四五"安全生产规划》	全面提升安全生产治理体系和治理能力现代化水平，切实维护人民群众生命财产安全和社会稳定
2022.1.9	《江苏省全域"无废城市"建设工作方案》	全域推进"无废城市"建设，全面提升城市发展与固体废物统筹管理水平

续表

日期	政策文件	江苏化工产业绿色发展重点
2022.1.24	《关于加快建立健全绿色低碳循环发展经济体系的实施意见》	推动能源供给清洁低碳、能源消费节约高效,构建市场导向的绿色技术创新体系
2022.1.30	《江苏省强化危险废物监管和利用处置能力改革实施方案》	切实提升危险废物监管和利用处置能力,有效防控危险废物环境与安全风险
2023.1.12	《江苏省工业领域及重点行业碳达峰实施方案》	深入贯彻落实省委、省政府关于碳达峰、碳中和重大战略决策,加快推进工业绿色低碳转型发展

10.2.3 江苏破解"化工围江"的成效

在长江大保护和长江经济带高质量发展的战略背景下,针对化工产业转型升级中所面临的问题,江苏省采取了化工园区建设、化工产业数字化及产业绿色转型等一系列措施,在产业布局和结构升级、生态修复、安全生产等方面取得一定成效。

(1) 产业空间布局科学合理,产业结构升级稳步推进

随着破解"化工围江"难题工作不断深入,省政府限期取缔和关闭列入国家淘汰目录内的工艺技术落后的化工企业或生产装置,加快退出或转型产能过剩和市场低迷的一般化工品生产加工企业,江苏省化工产业区域布局逐渐完善,产业结构升级初见成效。一是实现化工企业减量化发展。2017 年,江苏省关停化工企业 1 421 家,转移化工企业 16 家,升级化工企业 461 家,重组化工企业 99 家;2018 年,关停化工企业 750 家,转移化工企业 54 家,升级化工企业 950 家,重组化工企业 174 家;2019 年,关停化工企业 579 家,取消化工定位园区 9 家。二是化工园区发展水平不断提升。2019 年,全省化工企业入园率为 50%,提前实现 2020 年入园率为 50%的目标;化工园区对化工行业主营业务收入总额贡献率为 65%,提前实现 2020 年贡献率达 65%的目标;全省 53 家化工园区中年销售收入 1 000 亿元以上的有 5 家,占比为 9.43%,年销售收入 500 亿元以上的有 20 家,占比为 37.74%,在中国石油和化学工业联合会公布的 2019 年中国化工园区 30 强名单中,江苏省占据 8 席。截至 2020 年,累计依法关闭退出低端落后化工生产企业 4 454 家,化工生产企业数量下降 64.9%,将实施封闭化管理和建成城市消防站的 14 家沿江园区定位为化工园区,15 家园区定位为化工集中区,且化工园区(集中区)数量下降 46.3%。

(2) 污染防治取得重大突破，生态保护修复扎实推进

污染防治攻坚战取得重大突破，全省环境质量明显好转。一是加大重点行业、工业炉窑、燃煤锅炉和扬尘治理力度，实行大气"点位长制"，开展夏季臭氧污染管控和秋冬季治气攻坚，全省城市环境空气质量优良天数比率达到 81.0%，细颗粒物($PM_{2.5}$)年均浓度为 38 微克/米^3，较 2015 年下降 30.9%，南京、无锡、苏州、南通、盐城等 5 个设区市首次达到国家环境空气质量二级标准。二是深入推进"河(湖)长制""断面长制"，创新实施上游无过错举证制度，完成生态河湖三年行动计划工作任务，104 个国考断面优Ⅲ类比例达到 87.5%，380 个省考断面优Ⅲ类比例达到 91.5%，全面消除劣Ⅴ类。长江干流江苏段水质总体为优，10 个断面均为Ⅱ类，41 条主要入江支流的 45 个断面优Ⅲ类比例达到 97.8%。太湖湖体水质稳定在Ⅳ类，连续 13 年实现"两个确保"目标。完成入海排污口排查，实现"湾(滩)长制"全覆盖，近岸海域优良(Ⅰ、Ⅱ类)水质面积比例范围 45.5%～83.3%，平均为 58.1%，整体呈波动趋好态势，公众对生态环境满意率实现逐年提升。

生态保护与修复工作扎实推进，促进生态文明示范区建设。积极推进长江干流违法违规岸线利用项目清理整治，累计腾退长江岸线 60.3 公里，岸线利用强度下降至 37.9%，生态型岸线占比上升至 62.1%，纳入国家考核的长江干流及保护区渔船全部完成退捕。完成太湖沿岸 3 公里范围内的 9.5 万亩渔业养殖整治，太湖 4.5 万亩和滆湖 2.3 万亩网围养殖实现清零。全省生态环境状况指数保持在 65 以上。累计建成国家生态文明建设示范区(县)22 个、国家生态工业示范园区 21 个，徐州市荣膺"联合国人居环境奖"，南京、苏州市获得"美丽山水城市"称号，泗洪县、徐州市贾汪区、溧阳市、盐城市盐都区等被评为全国"绿水青山就是金山银山"实践创新基地。

(3) 安全生产监管体制优化，安全环保生产初见成效

省委、省政府全面推动安全生产领域改革发展，把安全生产纳入经济社会发展总体战略同步部署与推进，深入开展安全生产专项整治，出台《关于推进安全生产领域改革发展的实施意见》，落实《江苏省机构改革方案》。一是组建省应急厅，相继建立地方各级应急管理部门，明确 14 个负有安全生产监督管理职责的省级部门，设置 18 个行业安全生产监管内设机构，截至 2020 年，省、市、县三级应急管理部门配备监管执法人员 4 985 人。二是建立省、市、县三级安全生产巡查制度，实现各级安全生产委员会办公室实体化运行，安全生产监管效能得到提升，安全风险防控能力进一步提升。建立完善安全风险分级管控和隐患排查治理双重预防机制，深化企业安全生产标准化建设，开展化工产业

安全环保整治提升行动。三是设立省、市、县三级的安全生产专项资金，“十三五”时期省级层面共投入 54 880 万元，保障安全生产的工作落地。

“十三五”时期，关闭大量安全和环保不达标、风险隐患突出的化工生产企业，取消安全环保基础设施差和管理不到位的化工园区（集中区），关闭大量低端落后化工产业，生产安全事故防控取得明显实效。危险化学品生产企业数量下降 42.1%。加强危险化学品、煤矿、非煤矿山、道路运输等领域安全生产风险监测预警，风险管控和隐患处置能力显著增强；重点行业领域专项整治进一步深化。按照“两个不放松”和“务必整出成效”的总要求，2020 年在危险化学品、矿山、道路运输、建筑施工、城镇燃气、冶金等工贸、危险废物等 27 个领域开展安全生产专项整治。13 个设区市和工矿商贸、道路运输、水上交通、农业机械、渔业船舶等重点行业领域事故降幅均超过 50%，烟花爆竹、内河交通等未发生人员死亡事故，防范化解了一大批风险，重点行业领域安全生产形势稳定好转。2020 年较 2016 年，亿元国内生产总值生产安全事故死亡率下降 81.0%，生产安全事故起数下降 74.8%，生产安全事故死亡人数下降 74.4%，如图 10-8 至图 10-10 所示。

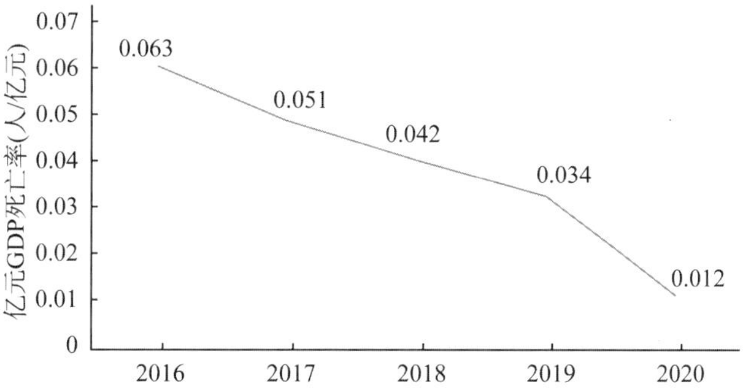

图 10-8　2016—2020 年亿元 GDP 死亡率

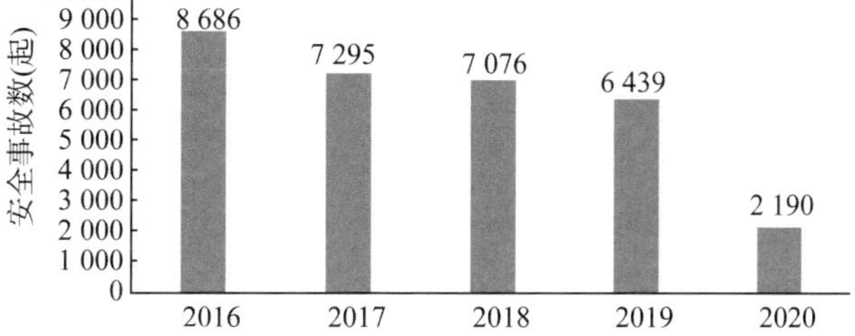

图 10-9　2016—2020 年生产安全事故数

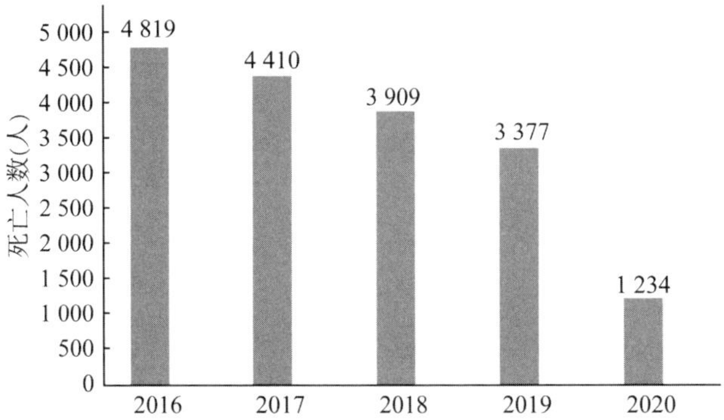

图 10-10　2016—2020 年生产安全事故死亡人数

10.3　经验总结与启示

基于江苏省化工产业转型升级的实践与取得的成效，长江经济带其他地区可以借鉴该省的化工产业发展经验，从当地化工产业的实际发展情况出发，不断优化产业结构，逐步推动化工产业转型升级及高质量发展。

10.3.1　理念引导加快化工产业绿色发展

江苏省从"十三五"期间《江苏省化学工业发展规划(2016—2020 年)》颁布开始，针对化工园区出台了一系列政策，杜绝"一关了之""一搬了之""一律关停"等"一刀切"现象，在积极推动供给侧改革、推动化工行业转型生产的前提下，对化工园区及园区内所有化工生产企业进行分类整合、改造提升、压减淘汰。同时制定了如《江苏省化工园区规范发展综合评价指标体系》等量化的考核评价体系，对化工园区、化工企业开展全面的、科学的评价，落实"一园一档""一企一策"，针对各个园区自身禀赋优势进行科学的规划，重视园区内企业的合理发展需求，给予帮扶指导。另外，注重提高化工行业安全生产标准。贯彻落实《长江经济带发展负面清单指南(试行)》，对沿江化工企业实施最严格的资源能源消耗、环境保护标准、污染排放标准，加大环境隐患排查和集中治理力度，对化工企业污染和偷排行为零容忍，倒逼不符合安全环保条件、存在环境污染风险的化工企业关闭停产或改造升级；禁止新建污染严重、产能过剩、工艺落后的化工项目，严禁在长江干流及重要支流岸线新建化工园区和化工企业；从全流域尺度统筹规划并加强各地区、各部门间的协调联动。

10.3.2 规划先行推动化工产业创新发展

良好的规划对江苏破解“化工围江”难题以及长江保护和绿色发展实践具有指导和规范作用，具有顶层设计意义。首先，产业整体规划布局。以“一盘棋”思维统筹化工产业空间布局，规避产能过剩、同质化竞争等问题，形成价值链分工合作的协同创新格局。长江经济带上游地区要根据环境容量和产业承接力，提高承接化工项目的标准，找准化工产业发展定位，促进化工产业链条式、配套式、集群化发展；中游地区要加快化工产业转型升级和集聚发展，建成具有区域特色的化工产业体系；下游地区要发挥创新资源优势，着力推动化工产业向高端、高效、高附加值环节延伸。其次，化工产业结构转型。提高化工产业准入门槛，明确化工产业退出产能和重点发展产能清单，依法淘汰落后产能，严控产能过剩行业投资，为新兴产业腾出发展空间。利用数字化、网络化、智能化技术改造提升传统化工产业，加快化工企业生产工艺和装备改造升级；培育化工新材料产业，加强化工核心产业链建设，加快发展化工新材料、新型专用化学品等高端产品，加快基础原材料与化工新材料一体化发展。最后，企业创新水平提高。支持沿江地区龙头企业联合高校科研院所、行业协会共同搭建产学研协同创新基地，围绕绿色化工的源头技术创新和主要应用领域，突破共性关键技术，加强原始创新、集成创新和引进吸收再创新，加快新技术、新工艺、新产品的示范应用，培育一批拥有关键核心技术、质量效益优良的化工“专精特新”企业。

11

第十一章

浙江共同富裕示范区建设的实践与经验

党的十九届五中全会向着更远的目标谋划共同富裕，提出了“全体人民共同富裕取得更为明显的实质性进展”的目标。习近平总书记指出：“共同富裕本身就是社会主义现代化的一个重要目标。我们不能等实现了现代化再来解决共同富裕问题，而是要始终把满足人民对美好生活的新期待作为发展的出发点和落脚点，在实现现代化过程中不断地、逐步地解决好这个问题。”当前，我国发展不平衡不充分问题仍然突出，城乡区域发展和收入分配差距较大，各地区推动共同富裕的基础和条件不尽相同。促进全体人民共同富裕是一项长期艰巨的任务，需要选取部分地区先行先试、做出示范。

国家“十四五”规划和2035年远景目标纲要提出，支持浙江高质量发展建设共同富裕示范区。首先，浙江具备开展示范区建设的代表性。从规模看，浙江面积、人口具有一定规模，且农村户籍人口占了一半；从地理区划看，浙江有“七山一水二分田”，行政区划上有2个副省级城市、9个地级市和53个县(市)，代表性较强。其次，浙江具备开展示范区建设的基础和优势。一是富裕程度较高。2022年浙江居民人均可支配收入6.03万元，仅次于上海和北京，城、乡居民收入分别连续22年和38年居全国各省区第一位。二是发展均衡性较好。城、乡居民收入倍差为1.90，远低于全国的2.45，城乡收入比连续10年呈缩小态势，是全国唯一一个所有设区市居民收入都超过全国平均水平的省份。三是改革创新意识较为浓烈。浙江探索创造了“最多跑一次”等多项改革先进经验，创造和持续发展了“依靠群众就地化解矛盾”的“枫桥经验”，各地普遍具有比较强烈的改革和创新意识，便于大胆探索和及时总结提炼共同富裕示范区建设的成功经验和制度模式。同时，浙江在市场经济、现代法治、富民惠民、绿色发展等多个领域也取得了一些显著成果。最后，浙江开展示范区建设的空间和潜力较大。浙江在优化支撑共同富裕的经济结构，完善城乡融合、区域协调的体制机制，实现包容性增长的有效路径方面都还有较大的探索空间。

2021年7月19日，《浙江高质量发展建设共同富裕示范区实施方案(2021—2025年)》公布，方案提出牢牢把握坚持党的全面领导、以人民为中心、共建共享、改革创新、系统观念“五大工作原则”，紧紧围绕高质量发展高品质生活先行区、城乡区域协调发展引领区、收入分配制度改革试验区、文明和谐美丽家园展示区“四大战略定位”，按照到2025年、2035年“两阶段发展目标”，坚持国家所需、浙江所能、群众所盼、未来所向，脚踏实地、久久为功，不吊“高胃口”、不搞“过头事”，尽力而为、量力而行，创造性系统性落实示范区建设各项目标任务，率先探索建设共同富裕美好社会，为实现共同富裕提供浙江示范。基于此，本章将对浙江推进共同富裕发展实践进行分析，包括浙江实现共同富裕的优势条件、制约因素以及共同富裕示范区的建设经验，试图为长江经济带其他地区及全国实现共同富裕提供参考。

11.1　浙江共同富裕发展背景

11.1.1　中国共同富裕的目标内涵

共同富裕是全体人民通过辛勤劳动和相互帮助最终达到丰衣足食的生活水平，也就是消除两极分化和贫穷基础上的普遍富裕。从政治内涵角度看，共同富裕是党为中国人民谋幸福、为中华民族谋复兴这一初心的真实表达，是共产党执政的奋斗目标。国强民共富，从政治哲学角度看，就是与资本主义社会契约相对应的中国特色社会主义社会契约。从经济内涵角度看，共同富裕以中国特色社会主义基本经济制度为保障，是基本经济制度的自然逻辑延伸。共同富裕建立在不断发展的生产力、不断增强的综合国力基础上，进步较慢的甚至停滞的生产力，无法支撑新时代面向现代化的共同富裕。这不仅意味着纵向比较意义上的生产力进步，还意味着横向比较意义上较资本主义国家更快的生产力进步，以满足人民群众对美好生活日益提高、丰富和多样化的需求。新时代的共同富裕包含"富裕"与"共同"两个维度。"富裕"是从量上反映生产力的发展水平，既指物质层面的富裕，也指精神层面的富裕。这要求我们既要实现人民"仓廪实衣食足"的物质富裕，也要实现人人"知礼节明荣辱"的精神富裕。"共同"则是从质上反映社会成员对财富的占有情况，意味着全体人民共同富裕、共享发展成果、共同过上幸福美好生活，而不是意味着同等程度的富裕，不意味着平均主义。从社会内涵角度看，共同富裕意味着中等收入阶层在数量上占主体。这是一种和谐而稳定的橄榄形社会结构，大部分人民有体面、稳定、高质量的工作，有较高的收入和消费水平，享有良好的社会保障。城乡区域差距基本消失，人口流动基本上限于一定比例的更换就业岗位者，不再有大比例人口常态化的易地迁徙和流动。

从发展目标角度看，共同富裕承载着全体人民美好生活的期盼，意味着人人享有平等参与、平等发展权利，财产权利得到公平保障；意味着人人拥有出彩的人生和实现梦想的机会；意味着人人得到全面发展，人人享有幸福安康、从容安定的生活，社会文明程度达到新高度；意味着人人享有均等的基本公共服务，城乡区域人群间收入水平、生活水平差距持续保持在适度范围；意味着人人放心拥有合法财富、安心持有合法财富，家庭家族财富代际传承流转良好、有序，人人乐享财富、乐享富裕。

11.1.2 浙江共同富裕示范区建设的优势条件

促进全体人民共同富裕是一项艰巨而长期的任务，也是一项现实任务，难以短时间内全面铺开，迫切需要选取部分条件相对具备的地区先行先试，发挥示范作用。浙江省富裕程度较高、发展均衡性较好，在探索解决发展不平衡不充分问题上取得了明显成效，具备开展共同富裕示范区建设的基础和优势条件。

(1) 经济发展水平较高

浙江经济发展水平较高，且经济运行总体平稳。一是，浙江经济总量和人均 GDP 处于国内较高水平，且呈持续增长趋势。浙江 GDP 总量从 2016 年的 4.73 万亿增长到 2022 年的 7.77 万亿，位居全国第四；人均 GDP 增长至 2022 年的 11.85 万元，位居全国第五，仅次于北京、上海、江苏和福建，且在长江经济带 11 个省市中位居第三，仅次于上海和江苏，明显高于湖北、重庆等省市。浙江人均 GDP 平均增幅也位于前列，2016—2022 年，浙江人均 GDP 年均增幅达到 7.13%，高于上海的 6.77%。二是，浙江物价水平呈稳定增长态势。2007—2009 年世界金融危机之后，浙江居民消费价格指数(CPI)出现短期快速增长，2012 年之后则呈平稳增长态势。三是，浙江城镇登记失业率稳定保持在低位。2007—2009 年世界金融危机时期，浙江城镇登记失业率出现小幅上升，达到 3.5%，2009—2019 年失业率逐渐下降，2020 年以来，受疫情等因素影响，浙江失业率小幅增加，但始终保持在 3%以下。

居民人均可支配收入和人均储蓄显著提升。“十三五”时期，浙江居民人均可支配收入从 2015 年的 35 537 万元稳步增长至 2020 年的 52 397 万元。2022 年，浙江全体居民人均可支配收入为 60 302 元，位居全国第三，仅次于上海和北京，比上年增加 2 761 元，名义增长 9.8%，增速较上年回升 4.8 个百分点；扣除价格上涨因素后实际增长 8.2%，增速较上年回升 5.6 个百分点。此外，浙江住户人均储蓄快速增长，由 2015 年的 6.28 万元增长至 2021 年的 10.39 万元。2012—2021 年浙江省居民人均可支配收入与人均储蓄如图 11-1 所示。

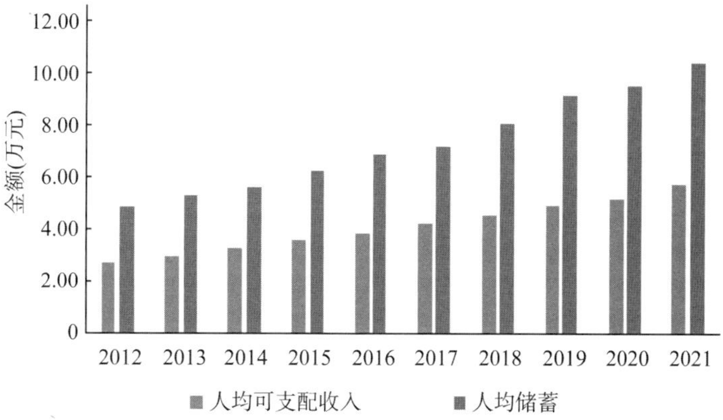

图 11-1　2012—2021 年浙江省居民人均可支配收入与人均储蓄

(2) 发展均衡性较好

城乡收入差距逐步缩小。城乡居民可支配收入同步增长,且农村居民人均可支配收入增速更为明显。2012 年浙江城镇居民人均可支配收入为 3.46 万元,同期农村居民人均可支配收入 1.46 万元。2012 至 2021 年间,浙江城镇居民可支配收入平均增速为 6.85%,农村居民可支配收入增速为 9.12%。随着城乡一体化融合发展和共同富裕示范区建设工作的稳步推进,2022 年,全省城乡居民收入比降至 1.90,比上年缩小 0.04,城乡居民收入比连续 10 年呈缩小态势,共同富裕三大核心目标之一的缩小城乡差距取得实质性成效。2012—2021 年浙江城乡居民可支配收入及城乡收入比如图 11-2 所示。

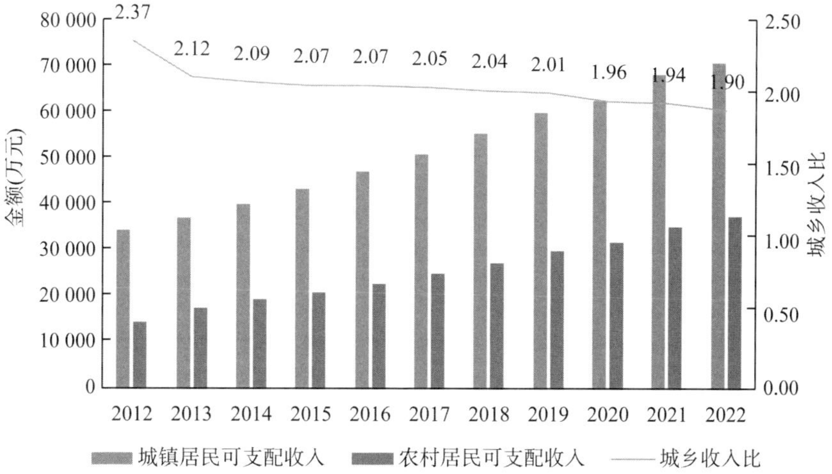

图 11-2　2012—2022 年浙江城乡居民收入及城乡收入比

浙江县(市、区)协调发展。浙江经济实力雄厚,以全国1%的面积贡献了全国6%的生产总值,在县域经济发展中也属于"头部阵营"。《2021中国县域经济百强研究》指出,2021年百强县以占全国不到2%的土地、7%的人口创造了全国9.8%的GDP。而全国百强县中,浙江便独占18席,仅次于江苏(25席),其中,慈溪、义乌、余姚、诸暨、海宁、乐清6个县级市的GDP排名均在百强县前20之列,慈溪更是位列全国第6位。在全国38个"千亿县"中,浙江独占9个席位,可见实力非同一般。县域经济的高度发达,使得浙江在均衡发展上相得益彰。

(3) 改革创新意识强

自改革开放以来,浙江省就奋力走在时代发展的前沿,积极主动推动改革与创新工作。我国很多的改革政策最早都出现在浙江省,之后才逐渐向全国其他省市进行发展,近年来浙江省更是加快推动共享经济、数字经济等新型经济生态。此外,浙江省的民营企业数量、整体规模与发展实力都相对较强,不仅能够解决就业问题保障居民收入,而且为省级地方政府提供更多财政收入资源,进而为保证民生和公共服务事业提供重要资金基础。由于浙江省改革与创新意识强,改革与创新经验丰富,主动性和积极性强,这些因素都是浙江省高质量建设发展共同富裕示范区的重要基础。

11.1.3 浙江共同富裕示范区建设的制约因素

共同富裕,首先需要做大经济蛋糕,为共同富裕示范区建设提供扎实的物质基础。而浙江目前面临的问题是如何推动产业现代化和产业结构优化,相比做大蛋糕,如何切好蛋糕是浙江省"先富带动后富"过程中更重要的任务。一方面,浙江城乡发展、区域发展、户籍与外来人口公共服务均等化水平之间的差距有待进一步缩小;另一方面,浙江产业结构也有待进一步优化。

(1) 城乡收入差距有待进一步缩小

从城乡居民收入比值来看,浙江省的城乡差距在全国来说属于相对较低的水平,但是与一些发达国家或地区相比仍然较高。部分发达国家城乡居民收入比是1∶1,城乡差距几乎为0,甚至一些发达国家农村居民的可支配收入还要高于城镇居民的可支配收入,这充分显示出该国或该地区在推动城乡发展平衡上取得了显著的成果。总而言之,缩小城乡差距是实现共同富裕目标的重要表现,也是未来浙江省在推动建设共同富裕示范区的过程中应当着力解决的问题。

(2) 公共服务均等化水平有待提高

共同富裕的本质是让所有的人都能够富裕起来，并不单纯指本地人的富裕。现如今我国人口流动的速度比较快，关于外来人口的社会保障问题在当前社会中较为突出。地区发展依赖人力，近年来浙江省始终保持较高的发展速度，对于劳动力的需求也持续增长。将外来人口与本地人口有效融合到一起，让他们能够享受到同等公平的社会公共服务是留住人和吸引人的关键。所以未来浙江省在推动建设共同富裕示范区的过程中应该努力实现公共服务均等化，无论本地人口还是外来人口都要能够享受到充分且平等的社会公共服务，比如子女教育、医疗和养老服务等。

(3) 区域经济均衡发展仍需加力

浙江省内各区域间发展均衡性仍然有很大进步空间，从图 11-3 中可以看出 2022 年杭州的 GDP 总量高达舟山的十倍左右。浙江 11 市中，衢州、舟山、丽水、金华、温州、台州等地仍存在“欠发达县”(统称为 26 县)。其中，丽水 9 县(市、区)经济总量与全省其他地区相比仍有较大差距。在浙江省 2021 年 GDP 排名最后 10 位的县域中，丽水占据 5 席，分别是遂昌县、松阳县、云和县、庆元县、景宁畲族自治县，且丽水经济发展较好的莲都区、青田县、缙云县，在全省也仅居于中下水平。

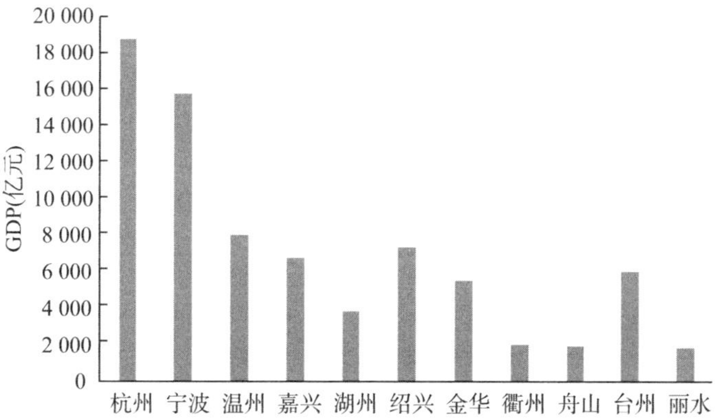

图 11-3　2022 年浙江省 11 市 GDP

(4) 产业结构调整有待深化

共同富裕包含两个主要的对象，一是富裕，二是共同，而前者是基础，只有在富裕的基础上才能够实现共享。因此未来我国要想能够达到发达国家的中游水平，仍然需要将 GDP 再翻一番或者两番，而支撑 GDP 实现上述目标的基础是健全的产业结构和高水平的创新能力。2022 年浙江省第一、二、三产业产值比重占比为 3∶42.7∶54.3，同年广东第一、二、三产业产值占比为 4.1∶40.9∶55.0，上海第三产业比重占比则将近四分之三，浙江省的三产结构与我国部分发达省市相比还有待进一步优化，需要在共同富裕的目标引领下，加快推动创新能力的提升进程，始终沿着高质量发展的路线进行改革和创新。2022 年浙江三产产值占比情况如图 11-4 所示。

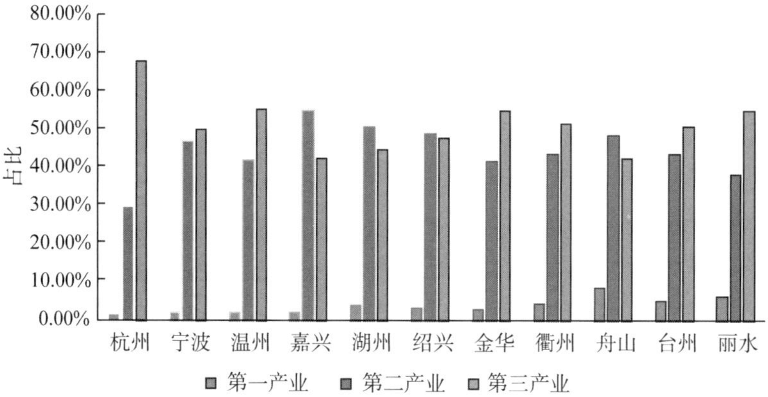

图 11-4　2022 年浙江省三产 GDP 占比

11.2　浙江共同富裕示范区建设实践

在“十四五”的开局、现代化新征程开启的历史性时刻，浙江肩负起为推动共同富裕提供省域范例的历史使命。根据中共中央的文件，浙江高质量发展建设共同示范区的战略定位是高质量发展高品质生活先行区、城乡区域协调发展引领区、收入分配制度改革试验区、文明和谐美丽家园展示区。2021 年 6 月以来，国家 32 部委、有关单位、金融机构以政策意见、试点批复、合作框架等形式支持共同富裕示范区建设，国家发展改革委、工业和信息化部还将陆续出台一批专项支持政策。同时，浙江省持续推进一批重大会议、重大活动、重大宣传，营造了示范区建设的浓厚氛围。浙江省级部门已出台 64 个专项政策，各市县结合自身发展实际出台实施方案，28 个试点单位出台三年行动计划。目前，示范区建设 48 个评价指标总体进展良好，33 个指标完成或超过年度目标。

11.2.1 高质量发展高品质生活先行区建设实践

浙江率先探索实现高质量发展的有效路径，促进城乡居民收入增长与经济增长更加协调，构建产业升级和消费升级协调共进、经济结构和社会结构优化互促的良性循环，更好满足人民群众品质化多样化的生活需求，在富民惠民安民方面走在全国前列。

一方面，打好服务构建新格局组合拳，推进高质量发展引领区建设。以高水平创新省份为抓手，将科技自立自强作为战略支撑，聚焦互联网、生命健康、新材料三大科创高地建设，通过实施关键核心技术、重大科研平台建设、高新技术产业发展助推千亿工程，打造以“科技大脑+未来实验室”为核心的重大应用场景；加快建设以“产业大脑+未来工厂”为核心的数字经济系统，加快形成数字安防、集成电路等具有全球影响力的数字产业集群；实施产业集群培育升级行动，加快建设未来产业先导区和国家制造业改造升级示范区，争创国家制造业高质量发展试验区和服务业扩大开放综合试点，推动现代服务业同先进制造业、现代农业深度融合；加快构建辐射全国、链接全球的技术要素体系，构建数智化区域金融运行体系，实施融资畅通工程升级版，构建金融服务共同富裕政策制度，构建数字化现代流通体系，打造全球要素引力市场。2021 年 9 月 2 日，浙江省经济和信息化厅印发《浙江省经济和信息化领域推动高质量发展建设共同富裕示范区实施方案(2021—2025 年)》，强调加快建设全球先进制造业基地，在高质量发展中扎实推动共同富裕。

另一方面，更好满足人民群众品质生活要求，推动建设高品质生活先行区。浙江开展数字生活新服务行动，引进培育数字生活开放平台，充实丰富在线教育、在线医疗、在线文体等线上消费业态，建成数字生活新服务强省，促进消费提质扩容，实现产业升级与消费升级协调共进；以促进共同富裕为导向实施新一轮扩大有效投资行动，扩大对公共服务、农业农村等领域多元化投入；探索数字经济、创新经济、生态经济、现代服务经济成为新时代老百姓经济的有效路径，同时坚持发展和规范并重，建立健全平台经济治理体系，推动平台经济为高质量发展和高品质生活服务。2021 年 8 月 26 日，浙江省住房和城乡建设厅发布《浙江省城乡住房工作协调委员会办公室关于推进高质量发展建设共同富裕示范区 打造“浙里安居”品牌的实施意见》，围绕“浙里安居”任务要求，聚焦研究解决当前住房工作中存在的不平衡不充分问题，着力推动住房工作的理论创新、实践创新和制度创新，形成“浙里安居”的标志性成果。

11.2.2 城乡区域协调发展引领区建设实践

浙江坚持城乡融合、陆海统筹、山海互济，形成主体功能明显、优势互补、高质量发展的国土空间开发保护新格局，健全城乡一体、区域协调发展体制机制，加快基本公共服务均等化，率先探索实现城乡区域协调发展的路径。

一是推进国土空间布局一体化。浙江省加强省域空间治理数字化平台建设，深化主体功能区政策，完善分级分类型、全域全要素、全程全方位的“多规合一”国土空间规划体系；加快四大都市区建设，形成空间规划“一张图”、轨道交通“一张网”、同城服务“一个圈”；完善城市地下空间管理制度，率先在地铁城市开展“隐形城市”建设试点，实施地下空间分层式、综合性开发，加强地下空间数字化管理，开展城市重大地质安全风险防控试点，切实提升城市地下空间感知能力和监测预警能力。二是推进基础设施一体化建设。浙江省交通运输厅于2021年12月29日印发《“四沿”美丽富裕干线路总体布局方案》，结合浙江省独特的海江湖山自然景观和人文脉络，统筹国省道公路建设和养护工程，融合数字公路发展要求，打造一批“四沿”标志性工程，推进陆海统筹、拓宽山海协作通道，助推美丽城镇、乡村振兴和构建新发展格局，同时加快高水平交通强省建设，构建现代化、高质量综合立体交通网，发展智慧化、均等化公共交通服务；深入推进快递业进村进厂出海“两进一出”工程，培育现代物流业，构建城乡贯通、内外融合的现代快递物流网；大力推进城乡水务一体化和规模化供水发展，城乡同质化供水覆盖率提高到98%，实现城乡供水同标、同质、同服务。三是推进公共服务一体化建设。大力建设共同富裕现代化基本单元，全省域推进城市未来建设，全域推进乡村新社区建设，推进农村基础设施、公共服务核心功能配套标准化建设，开展未来乡村建设试点；大力推进农业转移人口市民化集成改革，持续深化户籍制度改革，深化新型居住证制度，推进基本公共服务向常住人口全覆盖；强化村集体经济富民惠民功能，积极发挥支持带动低收入农户增收和推动养老、救助等公共服务普及普惠的作用。2021年7月16日，浙江省人力资源和社会保障厅印发《浙江省人社领域推进高质量发展建设共同富裕示范区实施方案(2021—2025年)》，强调以人社数字化改革为牵引，推动实现更加充分更高质量就业、更加公平更可持续的社会保障，筑牢共同富裕示范区建设的支撑和兜底作用。四是推进长三角一体化高质量发展。加快虹桥国际开放枢纽南向拓展带建设，规划建设省际毗邻区、省内一体化先行合作区，建设数字长三角，促进长三角全域一体共同富裕和现代化建设。

11.2.3 收入分配制度改革试验区建设实践

浙江坚持按劳分配为主体、多种分配方式并存，着重保护劳动所得，完善要素参与分配政策制度，在不断提高城乡居民收入水平的同时，缩小收入分配差距，率先在优化分配格局上取得积极进展。

一方面，完善要素分配政策，提高城乡居民收入水平。实施中等收入群体规模倍增计划，健全扶持中等收入群体后备军发展的政策体系，大力吸引人才到浙就业，优化人才顺畅流通的制度体系，规范招考选拔聘用制度，依法规范收入分配制度；强化就业优先政策，完善促进创业带动就业、多渠道灵活就业的保障制度，深化构建和谐劳动关系综合配套改革试点，推进构建和谐劳动关系综合试验区，推动实现更加充分更高质量的就业；实施居民收入十年倍增计划，健全工资合理增长机制，全面拓宽城乡居民财产性收入渠道，规范发展财富管理行业，实施农民致富增收行动，完善企业与农村利益联结机制，带动农民就近就地创业就业。另一方面，缩小收入分配差距，优化分配格局。完善创新要素参与分配机制，加快探索知识、技术、管理、数据要素价值的实现形式，提高科研人员科技成果转化收益分享比例；创新完善财政政策制度，加强财政预算绩效管理和中长期规划管理，提高各级财政对高质量发展建设共同富裕示范区的中长期保障能力；建立健全回报社会的激励机制，完善有利于慈善组织持续健康发展的体制机制，打造全省统一的慈善信息服务平台，完善慈善组织监管制度，全面打造“善行浙江”。

11.2.4 文明和谐美丽家园展示区建设实践

在推进建设文明和谐美丽家园展示区的过程中，浙江加强精神文明建设、推动生态文明建设先行示范，着力打造以社会主义核心价值观为引领、传承中国优秀文化、体现时代精神、具有江南特色的文化强省。奋力实现国民素质和社会文明程度明显提高、团结互助友爱蔚然成风、经济社会发展全面绿色转型，成为人民精神生活丰富、社会文明进步、人与自然和谐共生的美好家园。

一是加强精神文明建设。浙江持续巩固深化“不忘初心、牢记使命”主题教育成果，深入实施铸魂工程、溯源工程、浙江人民文学振兴工程、走心工程，实施传承红色基因薪火活动，构建浙江精神谱系，守好红色根脉；打造具有代表性的浙江文化符号和文化标识，实施百张文化金名片打造工程和文化研究工程，系统提升哲学品牌影响，传承弘扬中华优秀传统文化；实施文化产业数字化战略，打造具有国际影响力的影视创新中心和数字文化产业集群、国家文化与旅游融合示范区，建成全域旅游示范省；实施全域文明创建行动计划、“最美浙江人”品牌提升活动，建立完善关爱礼遇机制和常态化人文素养评估体系，高水平推进全域文明创建。二是建设国家生态文明试验区，推进生态文明建设先行示范区建设。构建数字化生态环保综合应用系统健全管控机制，全力打好生态环境巩固提升持久战；全面推进乡村全域土地综合治理与生态修复，开展八大水系和近岸海域生态保护与修复；加强跨省界水体协同治理和共建共保，建设具有长三角珍稀濒危野生动植物特色的标本馆和基因库，全面提升生物多样性保护水平；科学编制实施碳达峰总体方案和“6＋1”重点领域行动方案，在确保安全的前提下积极有序开展核电，构建清洁能源供应体系；全面推行生态产品价值实现机制，建立具有浙江特点的常态化生态系统生产总值(GEP)核算和考核制度，完善与生态产品质量和价值相挂钩的财政奖补机制；构建数字化和绿色发展相融合的生态经济体系，建立生态资源大数据库和生态产品价值转换平台，深化绿色金融改革创新试验区建设。2021 年 12 月 20 日，浙江省人民政府办公厅发布《浙江省人民政府办公厅关于深化环境准入制度改革助推高质量发展建设共同富裕示范区的指导意见》，指出要不断提升生态环境源头防控和智慧监管水平，助推生态环境质量持续改善，助力经济高质量绿色低碳发展，为高质量发展建设共同富裕示范区提供有力支撑。

浙江省推进共同富裕示范区相关政策文件如表 11-1 所示。

表 11-1　浙江推进共同富裕示范区建设相关政策文件

时间	政策名称	主要内容
2021.7.16	《浙江省人社领域推进高质量发展建设共同富裕示范区实施方案(2021—2025 年)》	深化人社数字化改革，为推进共同富裕示范区建设赋能加力；促进更加充分更高质量就业，夯实共同富裕示范区建设的民生根基；加大人才引育力度，强化共同富裕示范区建设的人才支撑；完善覆盖全民的社会保障体系，筑牢共同富裕示范区建设的兜底保障；优化收入分配格局，提升共同富裕示范区建设的幸福成色；构建和谐劳动关系，稳固共同富裕示范区建设的和谐基础；防范化解人社领域风险，擦亮共同富裕示范区建设的平安底色

续表

时间	政策名称	主要内容
2021.8.16	《关于推进高质量发展建设共同富裕示范区 打造“浙里安居”品牌的实施意见》	完善住房保障体系;完善住房市场体系;提升居住品质;强化住房管理;全面推进住房工作数字化改革
2021.12.13	《浙江省巩固拓展医疗保障脱贫攻坚成果 促进共同富裕 有效衔接乡村振兴战略实施意见》	规范医疗救助资助参保政策;强化基本医疗保险功能;完善大病保险政策;开展门诊医疗救助;加强住院医疗救助;鼓励家庭医生签约服务;支持参加商业补充医疗保险;健全防范化解因病致贫返贫长效机制;提升经办管理服务能力;合力降低看病就医成本;引导合理诊疗有序就医;增强农村医疗卫生服务供给
2021.12.20	《浙江省人民政府办公厅关于深化环境准入制度改革 助推高质量发展建设共同富裕示范区的指导意见》	坚持多跨协同,推进环境准入整体智治;实施“一图管控”,优化绿色发展格局;推进多评集成,健全源头预防体系;推行零跑服务,提升审批服务效能;加强“一证监管”,推动制度衔接融合
2021.12.21	《浙江省经济和信息化领域推动高质量发展 建设共同富裕示范区实施方案(2021—2025年)》	大力建设全球数字变革高地;加快建设具有国际竞争力的现代产业体系;培育更加活跃更有创造力的市场主体;推进制造业绿色低碳发展;推进山区26县跨越式高质量发展;实施新一轮制造业“腾笼换鸟、凤凰涅槃”攻坚行动
2021.12.22	《浙江省医疗保障领域推进共同富裕建设实施方案》	提升统筹层次,促进制度更公平可持续;优化支出结构,推进精准化结构性改革;增进制度供给,满足多元化医疗保障需求;增进制度供给,满足多样化医疗保障需求;深化数字化改革,优化医保服务便捷可及
2021.12.29	《“四沿”美丽富裕干线路总体布局方案》	支撑产业辐射联动,打造沿海干线公路轴;突出自然人类文明脉络,打造沿江干线公路带;强化文化旅游节融合,打造沿湖干线公路环;推动跨山统筹发展
2022.1.26	《关于推进民政事业高质量发展建设共同富裕示范区行动方案(2021—2025年)》	高标准打造“浙有众扶”金名片;高层次打造“浙里长寿”金名片;高质量打造“善行浙江”示范区;高水平打造“基层治理现代化”示范区

11.3 经验总结与启示

经过不断的探索与借鉴，浙江省在建设共同富裕示范区的过程中，形成了较为宝贵的经验。长江经济带其他省市应根据自身实际情况，借鉴浙江推进实现共同富裕的发展经验，不断“做大蛋糕”“分好蛋糕”，实现共同富裕。

11.3.1 聚焦“做大蛋糕”，探索高质量发展路径

高质量发展是实现共同富裕的基础条件，要坚定不移在高质量发展进程中推动共同富裕，持续扩大全社会财富总量。浙江是全国的先富典型，其GDP数值连续多年稳居全国第四，城镇居民人均可支配收入也连续多年位居全国各省区第一，这得益于浙江拥有良好的营商环境，并且注重发展民营经济，国有企业和民营企业相互协作，平等竞争。浙江以科技创新为动力，充分发挥数字经济、“互联网＋”等方面的优势实现高质量发展，如阿里巴巴、网易等在全国独树一帜；注重开拓国际市场，如今数字贸易实现“全球买，全球卖”，浙江的外向型经济风生水起，以新模式、新业态搞活内外市场、持续推动经济发展；充分发挥长三角一体化发展战略优势，利用周边地区的资本、人才和技术溢出，发展壮大独具浙江特色的产业。长江经济带其他省市可以借鉴浙江做法，探索高质量发展路径。

第一，大力发展数字经济。加快推进数字产业化、产业数字化，实现新产业、新业态和新模式迅速发展；以数字技术改造传统制造业，实现设计、生产和服务的智能化，打造工业4.0；将数字技术运用到改造传统的农林牧渔业，推动劳动密集型产业转变为资本、技术密集型产业；利用数字经济促进先进制造业和现代服务业的深度融合，实现价值链、创新链、资金链、人才链、信息链的整合，给创新创业创造良好的环境，激活更多的市场主体，创造更多的社会财富，奠定共同富裕的坚实基础。第二，学习浙商精神、企业家精神，打造创新创业升级版，培育更加活跃更有创造力的市场主体。探索数字经济、创新经济、生态经济、现代服务经济成为新时代老百姓经济新路径，鼓励民营企业放心大胆发展，促进中小微企业“专精特新”发展，激发市场活力。第三，扩大开放，做强共同富裕的支撑。浙江以“一带一路”倡议统领新一轮的对外开放，把握机遇，发挥优势，带动新一轮高水平发展。其他沿江省市应把握“一带一路”带来的机遇，加快建设“一带一路”重要枢纽，推进标志性工程和重大工程项目建设，

提升沿边开放水平，完善软硬件条件，推动长江经济带发展和共建"一带一路"的融合；利用我国庞大的内需市场，以优越的营商环境吸引国外的人才和投资，提升我国主动参与经济全球化的能力与水平，掌握发展主动权；秉持构建人类命运共同体的理念，加强与世界各国的经贸关系，通过对外投资，对外贸易，真正打通"双循环"的各环节，相互促进，互利共赢，实现共同富裕的目标。

11.3.2 聚焦"城乡融合"，统筹城乡区域协调发展

实现共同富裕，最大的难点在于城乡发展不平衡、农村发展不充分。浙江省拓宽了先富带动后富、先富帮后富的有效路径，加快形成省域一体化发展格局，开展新型城镇化行动等措施。2022 年浙江省城乡居民可支配收入倍差为 1.90，远低于全国的 2.17，城乡收入比连续 10 年呈缩小态势，在城乡均衡发展方面的成绩有目共睹，长江经济带其他省市可以参考借鉴浙江做法。

第一，大力推动新型城镇化。统筹有关政策和资金支持长三角城市群、长江中游城市群、成渝城市群、黔中滇中城市群发展，推进人口和产业集聚，发挥城市群的带动、引领和支撑作用；拓宽农业转移人口进城落户渠道，提高农业转移人口基本公共服务保障水平，不断增强长江沿线省市地区吸纳农业转移人口，有序推动有能力在城镇稳定就业和生活的农村人口举家进城落户。第二，巩固脱贫攻坚成果同实现乡村振兴有效衔接，擦亮共同富裕的成色。支持沿江欠发达地区衔接推进乡村振兴，加快产业发展，大力发展特色养殖业、种植业、加工业、乡村旅游业，推进一二三产业融合发展；加快石漠化治理等重大生态工程建设，提高农村低收入人口参与度和受益水平；通过革命老区转移支付等渠道，支持赣南等原中央苏区、大别山革命老区等地改善生产生活条件；建立农村低收入人口和欠发达地区帮扶机制，支持做好易地扶贫搬迁后续扶持工作，落实"四个不摘"要求，同时完善监测帮扶机制，防止返贫和新致贫。第三，支持重点水域禁捕和退捕渔民安置保障。落实长江十年禁渔要求，通过农业资源及生态保护补助资金，支持沿江省市对长江水生生物保护区及保护区外的长江干流、重要支流和大型通江湖泊等重点水域禁渔工作。中央财政加大对城乡居民基本医疗保险基金的补助力度，鼓励引导退捕渔民按规定参加基本医疗保险。沿江省市要落实养老保险缴费补贴政策，对"三地分离"退捕渔民，按规定给予养老保险缴费补贴。中央财政通过就业创业有关补助资金，支持以转产就业为核心做好渔民安置保障。

11.3.3 聚焦“分好蛋糕”，逐渐提高收入分配质量

自2021年7月，浙江省就开始研究起草《浙江省“扩中”“提低”行动方案》，以重点领域改革牵引带动共同富裕示范区建设，实施居民收入和中等收入群体双倍增计划，围绕建设收入分配制度改革试验区。长江经济带各省市可以分别从初次分配、再分配和三次分配入手，同时注重三种分配方式的系统性，使三者环环相扣、相互促进，优化收入分配，推进共同富裕。

第一，以初次分配为基础，高度注重收入分配效率。通过强化就业优先等各项政策，完善人才顺畅流动制度体系等系列措施激发市场活力；加快培育数字要素市场，提高市场配置资源效率；完善最低工资标准与经济增长、社会平均工资增长联动机制，提高最低工资标准。第二，以再分配为分配制度的关键，维护社会公平。建立健全可持续的社会保障体系，优化财政支出结构，加大民生投入力度；加大省对市县财政转移支付的调节力度和精准度，建立健全常态化财政资金直达机制，更加精准高效直接惠企利民；扩围试行与生态产品质量和价值相挂钩的财政奖补机制，完善对贫困山区县发展实绩考核奖励机制；第三，以三次分配作为重要补充，充分发挥其独特作用。建立健全回报社会的慈善激励机制，全面落实公益性捐赠税收优惠政策，完善慈善褒奖制度；健全完善有利于慈善组织规范化、可持续发展的体制机制，提升公益慈善基地服务能力；完善慈善组织监管制度，借助区块链技术对慈善捐赠开展全流程智慧监管。

11.3.4 聚焦“民生福祉”，推进公共服务优质共享

不断增进民生福祉是实现共同富裕的主要路径，而高品质的公共服务供给则是衡量共同富裕的重要指标。浙江通过聚焦托育养老、教育文体、医疗卫生、劳动就业、社会保障等领域，以数字化驱动公共服务智能化，推动公共服务的优质共享。长江经济带其他省市可以借鉴浙江做法。

第一，为人民群众提供全周期优质公共服务。将高效、公平、均等的公共服务贯穿每个人的成长周期，瞄准老百姓关心关切的“上学难”“看病贵”“养老托育服务弱”等民生短板，加快增加总量、加速提升质量，在幼有所育、学有所教、劳有所得、病有所医、老有所养、住有所居、弱有所扶上持续取得新进展，让人民群众能公平地共享改革发展的制度成果和实践成果。第二，推进公共服务一体化。注重公共服务向农村、基层、相对欠发达地区倾斜，推进省域内资源的城乡一体化、区域协同化配置，这是浙江基本公共服务均等化水平较高的

制度基础。长江经济带其他省市可以借鉴浙江的相关模式和做法，应用到这个国家重大区域战略中，在更大范围内推进基本公共服务资源一体化规划布局、一体化建设管理、一体化共享共用。第三，数字赋能公共服务。制定消除数字鸿沟的政策机制，深入开展对农村以及老龄人口的数字生活服务；推动各类数字化平台的开发适应落后地区和弱势群体的功能模块和接口，降低公共服务领域新技术使用门槛；引进培育数字生活开放平台，充实在线教育、在线医疗、在线文体等线上消费业态，以实现全民共享数字红利，促进数字化公共服务体系建设。

12

第十二章

湖北打造世界级先进制造业产业集群的实践与经验

制造业关乎国民经济命脉，是立国之本、强国之基。我国自从2015年颁发《中国制造2025》以来，对制造业产业集群提出了一系列政策规划，指引我国通过产业布局优化、推进产业升级、强化工业基础和技术创新、促进制造业和现代服务业融合、吸引外资参与等，实现制造业产业集群的培育建设，提高我国制造业在全球价值链中的地位，促使我国从制造业大国向制造业强国转变。

为深入贯彻习近平总书记关于推动长江经济带高质量发展的重要论述，积极对接国家长江经济带发展规划体系，湖北省以战略性新兴产业为引领、以先进制造业为主导、以创新发展为驱动，不断加强现代制造业产业集群建设，着力打造世界级先进制造业产业集群基地，为助推长江经济带的高质量发展谱写出湖北新答卷。本章将从湖北制造业产业集群的背景以及典型实践等方面入手，对其打造世界级先进制造业集群的实践进行分析，并总结其经验，提出对其他地区发展制造业产业集群的启示，期望能够为长江经济带其他省市及全国各地区的制造业产业集群的发展提供一定的参考。

12.1 湖北打造制造业产业集群的背景

12.1.1 国家对打造世界级先进制造业产业集群的政策支持

我国是一个制造业规模在全球占比较高的国家，为了在国际分工体系中更加顺利地发展，在全球价值链上占据更重要、更高端的位置，需要促进我国产业迈向全球价值链中高端，培育若干世界级先进制造业集群。国家为加快打造世界级先进制造业产业集群提供了系统、全面且深入的政策支持。

2015年国务院颁发《中国制造2025》，明确了要坚持创新驱动、质量为先、绿色发展、结构优化、人才为本，并且对产业集群发展也提出了对应的规划，指出到2025年，制造业整体素质大幅提升，创新能力显著增强，全员劳动生产率明显提高，两化（工业化和信息化）融合迈上新台阶；重点行业单位工业增加值能耗、物耗及污染物排放达到世界先进水平；形成一批具有较强国际竞争力的跨国公司和产业集群，在全球产业分工和价值链中的地位明显提升。在该纲领的指导下，有关部门深入实施好五大工程，并且加快创建“中国制造2025”国家示范区，为培育世界级先进制造业集群提供有利的条件支持。在“中国制造2025”纲领的带领下，中共中央、国务院为促进产业集群高质量发展制定了不同方面的政策。

为了推动制造业高质量发展，2017年，党的十九大报告指出，“促进我国产业迈向全球价值链中高端，培育若干世界级先进制造业集群”。我国是制造大国，但还不是制造强国，因为加快发展先进制造业，培育世界级先进制造业集群有利于促使我国从制造业大国向制造业强国转变，推动缓解要素成本上升压力，加快破解产业结构矛盾以及提升制造业国际竞争力。在新时代、新形势下，我国根据当前国情，制定相应的培育世界级先进制造业集群的有利政策，在财税、金融、产业结构、区域和城镇化协调发展、对外开放方面提供了政策支持，并且加快推动技术研发竞争，完善人才配套支持。

在党的十九大报告的引领下，国家对先进制造业集群高度重视，2019年5月份国务院印发的《关于推进国家级经济技术开发区创新提升打造改革开放新高地的意见》，明确要求要坚持开放引领、改革创新的原则，要坚持质量第一、效益优先的原则，集聚生产要素，促进产业升级，拓展发展新空间。同时，该意见还提出打造现代产业体系，包括加强产业布局统筹协调，实施先进制造业集群培育行动，实施现代服务业优化升级行动，支持国家级经开区创建国家新型工业化产业示范基地，培育先进制造业集群。意见发布后，许多相关部门便积极响应意见传达的精神，密切落实支持政策。商务部表示会和有关部门共同打造先进制造业集群，积极支持国家级经开区集聚、集约、集群发展先进制造业；国家发展改革委则表示将培育世界级先进制造业集群，加大产业技术基础、关键基础材料、核心基础零部件等研发的力度。同年，中央经济工作会议明确了七大重点工作任务，将推动制造业高质量发展放在首要位置。同时，政府也在工作报告提出，围绕推动制造业高质量发展，强化工业基础和技术创新能力，促进先进制造业和现代服务业融合发展，加快建设制造强国。

针对中西部地区，2021年，中共中央、国务院发布的《中共中央 国务院关于新时代推动中部地区高质量发展的意见》中，也对中西部地区产业集群发展提出了要求。意见指出，统筹规划引导中部地区产业集群的发展，做大做强先进制造业。同时，为了给制造业产业集群注入更多新鲜的血液，《鼓励外商投资产业目录（2019年版）》的出台对外资参与先进制造业集群的培育发展具有一定促进作用，有利于推进我国先进制造业集群与国际知名产业集群的合作，进一步加快集群内企业、科研机构的“走出去”和“引进来”，为广大外资企业和机构提供广阔的“本土化”空间，营造良好的投资氛围。同时，高质量就业是推动制造业产业集群高质量发展重要因素之一，为此中华人民共和国国务院新闻办公室（以下简称国新办）于 2021 年推行《“十四五”就业促进规划》促进制造业高质量就业，大力发展服务型制造业新模式，做大做强新兴产业链，推动先进制造业集群发展，打造更多制造业就业新增长点。

在中共中央、国务院先进科学政策的指引下，为了积极响应国家号召，全国各省市也积极出台推动先进产业集群发展的政策。例如，上海市人民政府办公厅印发《上海市先进制造业发展“十四五”规划》，合理利用上海产业基础与发挥资源、人才以及科技优势，以集成电路、生物医药、人工智能三大先导产业为引领，大力发展电子信息、生命健康、汽车、高端装备、先进材料、时尚消费品六大重点产业，构建“3＋6”新型产业体系，打造具有国际竞争力的高端产业集群；福建省政府出台《关于支持厦门建设高质量发展引领示范区的意见》，提出到 2025 年，厦门市地区生产总值突破 1 万亿元，高端制造业和现代服务业“双轮驱动”，培育形成电子信息、航运金融贸易、文化旅游会展三个万亿产业集群；湖北省则出台《湖北省制造业高质量发展“十四五”规划》，推进产业基础高级化和产业链现代化，推动制造强省建设走在全国前列等。

12.1.2 湖北制造业产业发展情况

近年来，湖北省扎实推动制造业强省建设，制造业高质量发展迈出了坚实的步伐，并在制造业规模扩大、结构优化、质量效益提升等方面取得了一定成绩。同时由于缺乏相关经验，湖北省在制造业产业协同、产业集群国际化、产业创新能力等方面仍存在一定不足。为解决这些问题，湖北省有必要打造先进制造业产业集群，把握机遇，勇于探索，促进制造业高质量发展，提升制造业在全球价值链中的生态位。

（1）发展现状

在“十四五”规划之前，湖北省全力以赴稳定制造业增长发展，锲而不舍抓转型强动能，持之以恒提质效促融合；在产业动力、结构、质效变革、规模扩张以及绿色发展等方面加速推进，全省制造业发展取得了长足进展，产业发展质效不断提升。

湖北省制造业规模不断扩大。全省 2016 至 2019 年规模以上工业增加值增速始终高于全国平均水平，分别增长 8.0％、7.4％、7.1％、7.8％；2020 年同比下降 6.1%。全省规模以上工业企业收入保持稳定,2020 年为 4.07 万亿元,位居全国第 9。五年来,湖北省共建成 4 个国家战略性新兴产业集群、17 个国家新型工业化产业示范基地、2 个全国应急产业示范基地、114 个省级重点成长型产业集群,产业规模进一步得到提升。

湖北省制造业结构持续优化。2020 年全省战略性新兴产业产值达到 2.5 万亿元,近五年来年均增长 11%,高于 GDP 增速 5.9 个百分点。2020 年全省高新技术制造业增加值增长 4.1%,增速快于规模以上工业企业 10.2 个百分点,占规模以上工业企业增加值的比重达 10.2%。在 2020 年全省营收过百亿元工业企业达 26 家,国家制造业单项冠军企业(产品)22 家,省级隐形冠军示范企业 196 家。

湖北省制造业质效稳步提升。2016 至 2020 年,全省规模以上工业企业利润总额分别增长 9.6%、10.0%、19.0%、4.0%、-8.3%,2020 年营业收入利润率 6.18%,高于全国 0.1 个百分点,居中部地区第 2 位。"十三五"期间全省研究与试验活动经费投入由 561.7 亿元增至 957.88 亿元,科研机构由 2 245 家增至 3 678 家,区域科技创新能力由全国第 10 位提高到第 8 位,科研规模逐步扩大,科技能力逐步增强。

湖北省制造业数字经济加快发展。湖北省不断加快数字基础设施建设,5G 宏基站达到 3.1 万个;中部地区唯一的国家工业互联网标识解析顶级节点落户武汉,顶级节点标识注册量达到 20.96 亿个。此外,湖北省建成 15 个企业级工业互联网平台,并实施"万企上云"工程,在 2020 年全省上云工业企业达 3.2 万家;2021 年全省的数字经济规模达 2.1 万亿元,占 GDP 的比重达到了 41.9%。

湖北省制造业在绿色发展方面深入推进。湖北省深入推进长江大保护,累计完成沿江化工企业"关改搬转"417 家;持续推进绿色制造,创建全国示范绿色产品 33 个、绿色供应链管理企业 6 家、绿色工厂 53 家、绿色园区 2 家,完成对 699 家高耗能行业企业实施国家重大工业节能专项监察,使得单位工业增加值能耗下降 22.0%。

总的来看,湖北省的制造业以高质量发展为统领,统筹考虑湖北省产业发展基础和前景,注重传统产业改造升级和新兴产业发展壮大。湖北省的新一代信息技术产业在科技创新能力、知名企业数量、行业国际标准制定等世界级产业集群考核指标方面,已经展现出一定的国际竞争力和影响力;在高端装备制造方面也积累了雄厚的技术基础和大量的技术人才,智能装备、新能源汽车及专用汽车、北斗卫星导航、轨道交通装备、海洋工程装备及高技术船舶领域，已形成一批具有国际影响力的龙头企业；在生物医药产业方面，湖北省拥有生物医药研发优势基础条件，华中科技大学、武汉大学、湖北中医药大学等高等院校，以及同济医院、协和医院、湖北省人民医院等医疗机构，已成为全国乃至世界有名的生物医药科研单位，形成了合理的产业布局和产业链，初步培育了一批具有国内外影响力的特色产业和重点企业等。湖北省明确“十四五”时期制造业“一地三区”的发展定位，并着力打造 5 个万亿级支柱产业，巩固提升 10 个五千亿级优势产业，培育壮大 20 个千亿级特色产业集群，前瞻布局一批未来产业，加快构建“51020”现代产业集群。

(2) 湖北打造先进制造业产业集群必要性分析

湖北省坚持发展以制造业为主体的实体经济，坚持实施“工业强省”战略，充分利用并综合整合地域优势、要素禀赋、产业政策等各类资源条件，制造业发展质量和效益持续提高。湖北省先进的制造业产业集群为制造业集群的产业协作、产业集群国际化、产业创新能力、产业的“低端锁定”以及环境氛围的发展奠定了基础，有助于对这些方面进一步改进和完善。

第一，湖北省制造业的产业协同配套体系不够完善，制造业总体上产业层次不高，产业附加值较低，产业链后端应用领域薄弱，产业协同和产品配套体系建设能力不强，制约制造业各类创新要素向价值链中高端集聚。虽然湖北省已基本建成专业化、组织化、社会化的分工协作体系，“重主机、轻配套，重产品、轻零部件”的现象虽有所改善，但在生产、加工、组装等技术环节以及管理、资金、人才等服务和支撑本产业发展的诸多要素供给方面，各方主体利益联结机制不明确，合作沟通交流不通畅，较大程度影响产业链协作配套效率；而且长江沿线省市制造业协同发展还面临着建设资金来源和利益分配等诸多方面的问题，整体协同创新的效益难以显现，关键共性技术研发和转化平台布局滞后，亟需共建关键共性技术研发平台和科技成果转化服务平台。此外，湖北省制造业存在产业发展不平衡而掣肘地区经济总体发展不平衡不充分的现象，应该强化产业协同配套水平，不断提高产业供给体系质量和产品附加值，支撑各区域产业协同发展稳步推进。

第二，湖北省制造业产业集群国际化程度较低，并且在国际上面临着机遇与挑战并存的外部环境。当前湖北省产业集群数量已初具规模，但这些产业集群与世界级产业集群要求相比还存在一些差距。首先是产业集群总体规模偏小，存在产业规模小、产业链不完善和知名企业和品牌少等短板。其中，装备制造产业存在规模偏小，创新资源和产业资源过于分散，由央企、校企、民企多种类型组成体制机制不灵活等问题。其次是湖北省的集群领先企业、品牌产品距离世界级产业集群内在要求差距较大，缺乏龙头企业以及国际品牌，使得产业集群在国际市场的影响力和控制力受到制约。再次是湖北省整体对外开放度低于全国平均水平，在2003年至2020年间，湖北省GDP增速与对外贸易依存度增速大体呈现先增后减的态势，但对外贸易依存度增长速度略低于GDP增长速度，并且与全国相比具有更大的波动性。

第三，湖北省在制造业上的自主研发创新能力有待提高，其制造业拥有核心技术和自主知识产权的强势产业和企业数目不多，世界级产业集群的创新能力不足。核心基础领域技术薄弱主要表现为重点制造业在核心技术领域方面对外依存度太高，产业发展急需的原材料、关键零部件、必需的高端设备等大多依赖进口；湖北省高端制造业的"四基"不牢，严重制约精准制造、智能制造等先进制造业发展，对全省经济增长可持续存在重大不利影响。2022年湖北省研究与试验发展（R&D）经费投入总量为1 254.7亿元，较2021年增长8.15%，全国排名第7位，有效发明专利数117 557件，仅占全国的2.79%。湖北省2022年发明专利的批准量（授权量）为2.9万件，总授权量为16.1万件，批准量的比重约为18.01%。2022年湖北省基础研究经费占全社会研发经费（R&D经费）的比重为4.48%，比全国平均水平低2.09个百分点，2023年湖北省基础研究经费占全社会研发经费（R&D经费）的比重为5.47%，比全国平均水平低1.30个百分点。湖北省制造业企业的原始创新和自主研发能力疲软，与社会生产实际需要不匹配，缺乏具有自主知识产权和核心竞争力的企业和产品，难以实现由技术跟随型向自主研发创新型转型升级。

第四，湖北省制造业集群存在"低端锁定"的问题，制造业产品技术复杂度增长停滞，技术锁定效应明显。湖北省制造业的产品中以中低技术附加值产品为主，结构低端特征显著；制造业出口的商品以显性技术附加值偏低的商品为主，其技术水平低，获利能力弱，其中高技术制造业出口商品的平均技术水平尤其偏低，产业出口结构低端化趋势明显；制造业区域同比竞争力持续下滑，高端制造产品增长乏力。同时，产品的产生由研发、制造和营销三个环节组成，研发和营销环节是利润最高的部分，大致获得整个产品利润的90%～95%，中间产品制造所获利润仅为5%～10%，有的甚至更低。截至2019年，近十年来湖北省的总出口额在逐年增加，一般贸易在出口总额中占比较多，超过57%以上，2019年达到78.64%；其中加工贸易大部分为进料加工贸易，即企业需要在国外购进部分原材料、关键零部件或设备；湖北省制造业的出口中进料加工贸易占比虽然每年在逐渐降低，但在 2019 年仍占总出口额的 14.61％，所获利润位于“微笑曲线”最低端。截至 2022 年，湖北省一般贸易进出口占全省进出口总值的比重为 76％。根据 2022 年湖北省外贸进出口情况新闻发布会数据，湖北省以加工贸易方式进出口总额为 679.9 亿元，占全省进出口总值的 11％。湖北省制造业缺乏信息化对机械化生产的渗透，产品技术含量总体偏低，产品附加值不高，制约了企业的发展。

第五，湖北省的制造业发展环境仍需改善，需要更多的政策予以支持。随着长江大保护战略的深入实施和环保督察整治力度的不断加大，湖北省沿长江、汉江产业集群整治，搬迁进园将带来较长时间的调整和阵痛；同时，沿江跨省市区共建利益共享机制尚待夯实，在土地供给、收益分配、税收分配等方面需要进行不断的探索与磨合。湖北省虽也在积极吸引外资进入，但大多外资处于价值链低端的劳动密集型产业，况且外资的进入，虽然一定程度上为湖北省带来了资金，但也在与本土企业争抢人口红利，因此湖北省制造业企业资金紧张、企业融资环境紧张，融资难、融资贵的问题仍然较为突出。此外，湖北省制造业人才供给不足，特别是高端人才匮乏制约产业转型升级，缺乏具备国际视野、丰富行业经验和优秀管理业绩的一流复合型企业家。同时，湖北省的产业集群扶持政策资源相对分散，量多而不集中，缺乏统筹管理，也在一定程度上减弱了企业发展的积极性。

12.1.3 湖北打造先进制造业产业集群所具备的条件

国家对于培育世界级先进制造业产业集群给予较大力度的政策扶持，湖北省积极响应国家号召，大力发展先进制造业产业集群。目前，产业集群在湖北省占据日益重要的地位，整体发展较好，全省重点成长型产业集群数量不断增多，整体发展速度一直高于湖北省工业平均水平。因此，湖北省在培育先进制造业产业集群、加快嵌入全球价值链的过程中具有一定的优势。

(1) 工业基础好，集群优势凸显

湖北省作为国家重要的老牌工业基地，拥有雄厚的工业基础，并且形成了以汽车、冶金、建材、装备制造、农副食品加工、纺织医药及电子信息产业为支柱的现代工业体系，门类齐全，发展多元。近年来在省委、省政府“竞进提质、效速兼取”的总要求下，大力推行“两计划一工程”，产业规模不断壮大，迈向千亿级别，其中食品产业达到 6 000 亿元，石化产业超过 5 000 亿元，汽车行业突破

4 000 亿元，机械、钢铁产业超过 3 000 亿元，电子信息、纺织、建材产业超过 2 000 亿元，电力、有色产业达到 1 500 亿元左右。

湖北省省级重点成长型产业集群产业规模连年壮大，销售收入已经达到千亿级别群，全省 2016 至 2021 年规模以上工业增加值增速始终高于全国平均水平，分别增长 8.0%、7.4%、7.1%、7.8%、-6.1%、14.8%，规模以上工业收入保持稳定，2021 年为 4.92 万亿元，位居全国第九。2018 至 2021 年，湖北省规模以上工业战略新产业营业收入由 7 553 亿元增加至 10 694.3 亿元，年均增长 15.9%，高于全部规模以上工业 10.3 个百分点，占全部规模以上工业比重由 11.4%升至 21.8%。产业质效稳步提升，2016 至 2021 年，全省规模以上工业企业利润总额分别增长 9.6%、10.0%、19.0%、4.0%、-8.3%、27%，2020 年营业收入利润率 6.18%，高于全国 0.1 个百分点，居中部地区第 2 位。

湖北先进制造业产业集群由点到块，呈现出明显的线状发展趋势。部分产业集群具备自身的品牌知名度与影响力，并且结合区域发展特征以及自身优势，形成了相应的品牌优势；此外湖北省还注重引进国内外知名品牌产品，打造特色品牌集聚区，如拥有“全国食品工业强区”美称的武汉市东西湖区食品加工产业集群，就引进了百事食品等品牌。

(2) 研发经费的投入不断提升

基础研究、应用研究和实验发展是湖北省对研发经费的投入的主要组成部分。在制造业研发经费的内部投入总量上，湖北省逐年加大投资力度，“十三五”期间，全省全社会 R&D 由“十二五”末的 561.7 亿元上升到 2021 年的 1 160.22 亿元。在科研人员培养与引进方面，湖北省加大科研技术人才培养与引进力度，科研人员数量呈现稳定增加的态势，从 2010 年到 2021 年，科研人员总量由 14.27 万人增长到 35.36 万人；“十三五”期间，科研机构由 2 245 家增至 3 959 家。在经费投入具体明细方面，湖北省在实验发展方面的经费支出最多，2021 年投入费用约为 2010 年的 4.40 倍；应用研究的经费支出占比第二，2021 年的经费支出约为 2010 年的 3.83 倍；基础研究经费支出占比最少，由 2010 年的 10.25 万增加到 52.69 万，较上年增长 15.71%。经过一系列科研创新政策扶持，湖北省区域科技创新能力由全国第 10 位提高到第 8 位。

(3) 知识创新能力不断增强，部分技术和产品达到国内领先水平

专利申请、专利授权数、论文发表数量、研究开发机构数量是衡量知识创新能力的重要指标。自 2010 年开始，湖北省的论文发表数量不断提升；出版科

技专著数量也呈现出逐年递增的态势，到了2021年，出版科技专著种类已经达到2 965种。科技项目数不断增加，并在2021年达到100 873项课题；同时科研机构总量变多。在有关制造业技术创新措施的实施下，截至2021年12月初，湖北省共为高技术制造业企业解决技术难题800多个，促进成果转化360多项，开展培训22 000多人次，引进人才570多名，共建创新平台330多个，达成项目合作550多个，协议金额4亿多元。2021年，全省新认定省级制造业创新中心3个、省级技术创新示范企业47家；获批国家技术创新示范企业3家，居全国前列，制造业整体知识创新能力在不断增强。

此外，湖北省重点制造业产业集群在省级以上科技奖励总数、拥有国家级高新技术企业的总量、省级以上技术中心个数、授权专利数量以及产学研项目总数上处于国家的领先水平。比如，武汉市东湖高新区光通信产业综合实力国内领先，拥有激光、通信等国家级专业产业化基地，主导制定的部分标准被国际电信联盟确定为国际标准，实现中国在光通信领域国际标准零的突破。烽火通信国内第一个实现棒纤装备自主化，研制出第一根中空带隙光子晶体光纤，弯曲不敏感光纤技术水平全国第一。

12.2 湖北打造世界级先进制造业产业集群的典型实践

12.2.1 湖北打造产业集群发展思路

为了深入贯彻习近平总书记关于制造业高质量发展的重要讲话，湖北省出台了制造业高质量发展的“十四五”规划。湖北省“十四五”制造业高质量发展规划总体要求是，要切实贯彻落实好党中央、国务院赋予湖北的重大历史使命，聚焦“建成支点、走在前列、谱写新篇”，保持制造业比重基本稳定，巩固壮大实体经济根基，推进产业基础高级化和产业链现代化，推动制造强省建设走在全国前列。

在指导思想上，湖北省以习近平新时代中国特色社会主义思想为指导，深入贯彻习近平总书记考察湖北重要讲话精神和关于制造业高质量发展的重要论述，着力构建战略性新兴产业引领、先进制造业主导、现代服务业驱动的现代产业体系，打造“51020”现代产业集群，着力提升产业基础能力和产业链现代化水平，着力提高制造业质量效益和核心竞争力，推动湖北制造向湖北智造转变、湖北规模向湖北效益转变、湖北产品向湖北品牌转变，建设全国重要的先进制造业基地，为加快"建成支点、走在前列、谱写新篇"提供产业支撑。

在主攻方向与发展重点上，湖北省以制造业高质量发展为统领，统筹考虑湖北产业发展基础和前景，注重传统产业改造升级和新兴产业发展壮大，着力打造5个万亿级支柱产业，巩固提升10个五千亿级优势产业，培育壮大20个千亿级特色产业集群，前瞻布局一批未来产业，加快构建"51020"现代产业集群。

为了更好地打造一批世界级先进制造业产业集群，湖北省发布了"一芯两带三区"布局产业地图。在总体产业格局中，"一芯"是指依托四大国家级产业基地和十大重点产业，大力发展以集成电路为代表的高新技术产业、战略性新兴产业和高端成长型产业；"两带"以长江、汉江为纽带，打造长江绿色经济和创新驱动发展带、汉孝随襄十制造业高质量发展带；"三区"围绕区域协同与产业集聚，推动鄂西绿色发展示范区、江汉平原振兴发展示范区、鄂东转型发展示范区竞相发展，形成全省东中西三大片区高质量发展。

12.2.2 湖北发展先进制造业产业集群的政策支持

为了实现制造业高质量发展"十四五"规划的重要任务，湖北省政府出台了惠及财税、金融、人力资源、要素供给、产业治理等方面的政策，并实施制造业产业链链长制，具体要求如下。

在财税方面，第一，创新发挥财政资金作用，充分发挥省级制造业高质量发展专项作用，加大重大产业关键技术创新攻关，发挥好基金作用，加快省内制造业重大项目投资和建设。实施"技改提能，制造焕新"行动。第二，落实减税降费政策措施。加大对减税降费的督导力度，落实落细前期减税降费措施，推动减税降费措施持续见效。

在金融方面，第一，拓宽企业间接融资渠道，积极应用全省中小企业融资信用平台，开展制造业小微企业首贷、续贷、信用贷款拓展专项行动。第二，发挥资本市场多元功能，提升核心企业金融服务质效，深入实施"上市公司倍增计划"，提高上市公司数量和质量，积极落实上市（挂牌）奖励扶持政策；第三，用好政府性融资担保，推动政府性融资担保机构市州县全覆盖。

在人才方面，第一，加强企业稳岗就业服务，支持企业加大线上和线下招聘力度，聚焦农民工、高校毕业生等重点群体举办专项招聘活动，为企业吸纳就业提供优质服务。第二，积极吸引中高端人才。持续开展“资智回荆楚”湖北人才返乡行动和招商引资活动。第三，打造技能人才支撑体系，大力发展职业技术教育，实施技能人才振兴计划，扶持一批创新创业人才，建设创新人才培养示范基地。第四，完善人才服务体系。湖北省人才事业发展中心发起了关于成立湖北省“51020”现代产业集群人才服务联盟的倡议，并与省人才市场、华中人才、腾飞人才、锦绣人才等十家省内优秀人力资源服务机构举行了联盟成立仪式，联盟将主要根据“51020”相关产业的需求，提供全方位、全产业链、专业化、市场化的人力资源服务，在帮助实体企业提高市场竞争力的同时，不断促进我省人力资源服务行业创新发展。

在要素供给方面，第一，要降低用电成本，完善峰谷分时电价政策等。第二，创新工业用地供给方式，构建“以亩产论英雄”集约节约用地新机制，推进混合产业用地供给试点等。第三，加强数据要素共享与应用，完善数据产权保护机制，建设完善全省物理集中、动态更新的产业信息资源库。

在产业治理方面，第一，营造公平竞争市场环境，严格执行公平竞争审查制度，全面实施市场准入负面清单制度等。第二，推进商事制度改革，加快推进企业登记审批全程电子化，拓展“鄂汇办”基层应用范围，实现从“网上办”到“指尖办”。第三，构建新型市场监管机制，完善数字化监管模式，健全包容审慎的市场监管机制，提高预防风险的能力。

在产业链链长制方面，湖北省发布《湖北省制造业产业链链长制实施方案（2021—2023 年）》，加快推进链长制各项工作，做大做强“51020”现代产业集群，同时发布制定六个“强化”精准施策，鼓励全省不同牵头部门强链、延链、补链、固链，发挥不同部门在推进产业链链长制、制定对应政策、促进政策精准落实的功能。

12.2.3 湖北培育世界级产业集群的重点领域

湖北拥有全国重要的先进制造业基地，其在汽车制造、光通信、高端装备、北斗及应用等重点领域和关键环节取得了一定的成果，拥有了相应的全国及全球影响力，为湖北制造业继续提高在全球价值链分工中的地位、打造全国重要的先进制造业基地打下了坚实的基础。

（1）汽车制造业产业集群

汽车制造是湖北省的第一支柱产业，在全省经济社会发展中具有举足轻重的重要地位。近年来，湖北省汽车产业形成了以东风汽车集团公司为主导，军工企业、地方企业为依托，大中型企业为骨干，以及“重、中、轻、轿、专、特、改”等宽系列、多车型和零部件配套的产业基础。到2018年为止，湖北省汽车制造业规模以上企业1 482家，汽车产业主营业务收入6 663亿元，比2015年增加1 292亿元，增长24.05%，且全省汽车整车产能利用率均高于全国平均水平；截至2020年，湖北省汽车产量居全国第四位，在全国汽车生产方面占据了越来越重要的份额，作为支柱产业的汽车制造业地位越来越突出。

（2）光通信、光电子产业集群

湖北省的光通信、光电子的研发制造处于全国领先地位，光电子信息更是武汉东湖高新区的核心支柱产业，该地区的光谷已聚集光电子信息企业1 000余家，企业总收入近6 000亿元，培育了全球最大光纤光缆研发生产基地，全国最大的光电器件和设备研发生产基地，全国规模最大、技术最先进的中小尺寸显示面板基地，已成为代表我国光电子信息产业参与全球竞争的重要名片。湖北省在光芯屏端网产业集群集聚培育中，光谷取得了400 G硅光模块、10万瓦光纤激光器、128层三维闪存芯片等一大批科技成果。截至目前，“中国光谷”是中国光通信产业发源地，光通信产业整体实力居国内第一，光通信生产企业涵盖了上游光纤光缆、中游光器件及光模块、下游光系统设备，形成了以中国信科、烽火通信、长飞等为龙头的产业链企业群，光通信及激光产业优势显著。

（3）装备制造业产业集群

湖北省的装备制造业研发体系完备，高校、科研院所基础研发支撑强劲，拥有2个国家级制造业创新中心、8个国家重点实验室、5个国家工程技术研究中心、39个国家企业技术中心。湖北省在数控技术与数字化制造、激光、复杂制造系统等领域涌现出一批重大科技成果，“白车身激光焊接成套设备”“高性能数控系统”“复杂零件整体铸造的型(芯)激光烧结材料制备与控形控性技术”等获得国家科技进步奖，打破国外垄断，并且成功研制具有世界先进水平的28米超重型数控单柱移动立式铣车床、三峡工程升船机、“虹云·武汉号”低轨宽带通信技术验证卫星、“深海一号”载人潜水器支持母船、全球首台全数字PET/CT等高端装备，填补了国内多个领域的技术空白。2019年湖北省装备制造业规模以上企业5 250家，实现营业收入16 280亿元，利润总额952亿元；2020年受新冠疫情影响，全省装备制造业仍实现营业收入15 414亿元，占全省制造业的比重由“十二五”末的32.4%上升至“十三五”末的40.7%，占全国装备制造业的比重由3.4%稳步提升至3.9%。

(4) 北斗及应用领域产业集群

湖北省以"特"字为核心,支持北斗"星、芯、网、端"等相关关键技术研发和成果创新,夯实产业发展基础和核心能力。同时,湖北省明确开展了有关北斗及应用的关键核心技术攻关,谋划和布局创新平台,构建企业、高校科研院所等主体协同创新机制等内容,并不断培育发展"双创"企业,扶持领军企业,建设北斗领域融合发展集群;此外,还在发展北斗特色领域、培育北斗应用市场、强化北斗创新能力、提升产业主体规模、优化产业空间布局等方面提出了"一主多辅"的北斗产业空间布局。截至2020年,湖北省北斗产业相关企业共计700余家,北斗卫星导航核心产业及关联产业总规模达500亿元。在该产业规模中与北斗卫星导航技术研发和应用直接相关的芯片、板卡、算法、软件、导航数据、终端设备、基础设施等核心产值约150亿元,由北斗应用和服务所衍生带动的关联产值约350亿元。

(5) 绿色制造、医药医疗以及现代农业等产业集群

除此之外,湖北省制造业在其他方面也取得了显著的成绩。湖北省作为长江经济带绿色制造先行区,紧扣"碳达峰、碳中和"目标,坚持"共抓大保护,不搞大开发",构建以绿色工厂、绿色园区和绿色供应链等为重点的绿色制造体系,率先在长江经济带建成绿色制造的先行区;在传统制造业升级方面,湖北省以智能化、绿色化、服务化、高端化、集群化为导向,推动食品、化工、冶金、纺织、建材等传统产业焕发新活力、新动能、新优势,打造全国传统产业转型升级样板区;同时,湖北省在新兴生物医药和医疗器械、新材料等产业上,实现规模倍增和能级提升,不断加快形成接续有力、相互支撑、融合互动的产业梯队;在农业方面,湖北省不断围绕产业特色鲜明、要素高度集聚、设施装备先进、生产方式绿色、经济效益显著、示范带动有力的目标,致力于建设现代农业产业园,打造现代农业发展平台,培育农业农村发展的新动能,且在2021年湖北省现代农业产业园名单中,包括武汉市蔡甸区水产现代农业产业园、黄石经济技术开发区·铁山区香椿现代农业产业园等在内的46个产业园上榜。

12.2.4 湖北培育世界级产业集群的企业实践

在近几年的发展下,湖北省制造业的发展取得了显著的成绩,打造出了一批具有全国乃至世界影响力的制造业产业集群,并在龙头产业的发展带动下,湖北省制造业体系逐渐完善,结构不断优化升级,竞争力与日俱增。

湖北省是汽车大省，也是引领中国汽车产业的代表省份之一。湖北省武汉市经过30年的发展，已经成为全国六大汽车产业集群发展城市之一。截至2021年，武汉市全年汽车产量接近140万辆，汽车产业产值超过3 300亿元。其中，新能源汽车产量近10万辆，新能源汽车及零部件产业产值200亿元左右。2020年9月，武汉经开区首次提出“中国车谷”概念，将坚持数字产业化、产业数字化两大发展路径，打造“数字车谷”，建设“智能车谷”，培育数字经济和智能制造两大发展新动能，全力推动汽车产业向下一代汽车升级跨越。其中东风汽车集团是湖北省汽车产业集群中具有代表性的企业，在世界500强企业中位居前列。2020年，东风汽车集团实现营业收入137.33亿元，同比增长1.58%，实现净利润5.54亿元，同比增长25.11%；目前，东风汽车集团总资产为201.63亿元，总负债达120.71亿元，资产负债率为59.87%，现金流净额为49.45亿元，现金流净增加额为14.85亿元。从业务结构来看，汽车仍然是东风汽车集团最重要的主营业务，报告期营收占比为99.48%；而从销量情况上看，2020年东风汽车集团累计售出新车286.8万辆，低于汽车行业增速0.3个百分点。不过，对于位于武汉的东风汽车集团而言，由于2020年上半年受疫情影响较大，出现下滑也是可以理解的。东风汽车集团表现最坚挺的业务板块无疑来自商用车领域，累计完成销量73.5万辆，同比增长17.6%，卡车销量继续保持行业第一。其中，东风商用车销售22.1万辆，产值530亿元，创历史新高，而使东风商用车根基坚如磐石的力量则来自其自主动力总成。截至2020年，东风汽车集团现已构建了满足“国六”B排放标准的4款发动机+2款变速箱产品布局。其中，龙擎发动机增长率达30%，销量占据“国六”多缸发动机市场第一阵营；龙擎变速箱增长率达58%，跻身重型箱市场前列。此外，东风公司在新能源领域的积淀由来已久，坚持纯电动汽车(BEV)、插电式混合动力汽车(PHEV)、燃料电池汽车(FCV)多元化技术路线并举，现已围绕“三电”系统逐步建成80万套电控、28万套电机及驱动总成、10万套电池系统、30万套绝缘极晶体管(IGBT)产线的运营规模，而包含燃料电池、新一代电驱动总成等重要项目的二号园区二期工程也正在启动；与此同时，智能网联也为东风汽车集团数字化转型指明了方向。湖北省要抢抓新能源汽车发展风口机遇，充分发挥东风汽车集团头部领军优势、核心技术优势、市场销售优势，锚定智能网联+新能源发展方向，强化自主创新、擦亮岚图品牌、抢占市场份额，培育智能制造新增长点，带动湖北汽车产业转型升级，努力打造万亿级中国车谷，为更好满足人民群众美好生活需要赋能添彩。

在信息传输领域，湖北省武汉市东湖新技术开发区在2001年被原国家计划委员会、科技部批准为国家光电子产业基地，即“武汉·中国光谷”。光谷已聚集光电子信息企业1 000余家，光谷的光纤光缆市场份额占全球的25%，武汉激光产品在国内市场占有率超50%，湖北省光产业链产值在全国占比超40%，推动F5G全光网络打开千亿级别的行业增量市场，极大提升了湖北省光电子信息产业发展能级。湖北省武汉光谷科技创新大走廊正按照“一核一轴三带多组团”进行布局，以东湖科学城为核心，辐射带动武汉、鄂州、黄石、黄冈、咸宁科技创新、产业升级和人才集聚。在这条“黄金走廊”两侧，超过70%的在建项目聚焦在了光电子信息、大健康、智能制造三大创新产业带，占比分别为25.3%、26.7%和22.5%，围绕“基础研究—应用研究—技术开发—成果转化—创业孵化—产业化”创新链全链条，一系列创新载体正握指成拳，全力提升区域创新能级，形成具有行业领先的产业集群。作为全球光纤光缆行业的领先企业，长飞公司连续3年保持“全球第一”的市场地位，烽火通信、锐科激光等也是实力强劲。2019年，长飞公司申报的“超大尺寸VAD光纤芯棒高效制备技术及产业化”项目荣获2019年湖北省科学技术进步奖一等奖。光纤预制棒制备技术是光纤光缆行业的核心关键技术，长飞公司通过潜心自主研发，成功开发了拥有自主知识产权的高效低成本VAD光纤芯棒制备技术和成套装备，该成果已在长飞潜江公司完成了成果转化，实现了产业化，推动了我国和世界光通信产业的技术进步。其次，经过多年发展长飞公司已成为全球唯一同时掌握PCVD、VAD、OVD三种主流预制棒制备技术的企业，拥有中国光纤光缆行业唯一国家重点实验室，也是行业唯一三次荣获国家科技进步二等奖的企业，牢牢把核心技术掌握在自己手里，实现了从“行业追随者”到“行业引领者”的蜕变，引领产业发展。另一家龙头企业烽火通信在主营业务光通信基础上，深入拓展至信息技术与通信技术融合而生的广泛领域，拥有华中、东北、华东、西北、华南、西南、南美、南亚、北非等产业基地，以及全资、控股、参股等数十个子公司。烽火通信在全球50多个国家构建了完备的销售与服务体系，产品与服务覆盖100多个国家和地区；公司光传输产品收入全球第五，宽带接入产品收入全球第四，光纤光缆综合实力全球第四，运营商交换路由设备收入全球第七，并成为我国智慧城市、行业信息化、智能化应用等领域的核心企业，连续多年荣膺全球光通信最具竞争力企业十强。2020年，烽火通信总资产350.42亿元，同比增长11.27%；投入研发费用人民币25.79亿元，同比增长10.55%。此外，烽火通信每年将收入的约10%用于研究和开发企业独有的核心技术，产品和方案研发人员接近40%，科研成果转化率保持在90%以上。

在装备制造业方面，湖北省的装备制造业研发体系完备，装备制造业产业集群已具有一定的规模。其中，武汉市已形成智能制造装备、航空航天装备、高技术船舶与海洋工程装备、新能源及智能网联汽车、光电子装备、轨道交通装备、医疗装备等高端装备制造业产业集群。襄阳形成了以航空航天、轨道交通、智能制造等为特色的产业集群。宜昌市在海洋工程装备、特种船舶制造与船用动力、商业航天动力装备、电力装备、齿轮加工机床等领域拥有一批优质企业并在集聚化发展上初具效应。湖北省的华中数控是我国中高档数控系统研究、生产和推广的“龙头企业”之一，是一家典型的技术密集型、人才密集型和资金密集型高科技企业。数控系统是数控机床的“大脑”，是先进制造业的“芯片”。数控技术涉及机械、电气、计算机、自动控制等多学科领域，实践性极强，因此公司发展需要多专业、高层次、多类型的人才。同时，华中数控研发的华中8型应用在推广及与机床企业合作的过程中，为国家数控中心的技术成果提供了充分的产业化基础和技术需求；在华中8型得到大批量配套应用后，华中数控与国家数控中心进一步合作，将新一代人工智能技术与数控技术相融合，成功研发了华中9型新一代人工智能数控系统，数控系统技术进入“智能+”时代，实现了行业内的“局部领跑”。华中数控公司高端人才创新团队紧紧围绕国家对高端装备的重大战略需求，抓住数控技术前沿领域的技术方向和市场需求，瞄准国际一流水平开展研发创新工作，产学研用紧密结合，在高档数控系统及装备产业化等方面作出了巨大贡献。其次，中国宝武钢铁集团有限公司也在装备制造业领域处于领先地位。中国宝武积极推进绿色精品智慧制造，成为世界一流的碳钢、特钢、不锈钢等为主体的综合材料解决方案供应商；聚焦先进制造业发展和大国重器之需，重点推进新能源、交通运输、海洋工程、航空航天等领域所需的镁、铝、钛等轻金属材料、特种冶金材料、金属包装材料及碳基、硅基和其他非金属材料产业化发展，提升高性能金属材料领域的差异化竞争优势；以大数据、云计算、人工智能技术为基础，打造数字化工程设计与咨询服务业，发展工业装备制造和装备智能运维服务业务，构建基于钢铁和相关大宗商品以及工业品的第三方平台，为钢铁生态圈提供全生命周期智慧制造和智慧服务的整体解决方案。2022年中国宝武钢铁集团的营收为10 877.1亿元，位列全国第14位(中国企业500强)；其粗钢产量为1.318 4亿吨，位列全球第一；在《财富》世界500强中排名第44位。

湖北省在北斗及其相关领域也展现出强劲的发展势头。截至2022年，湖北省获批北斗领域国家和省部级创新平台总数50多个，其中测绘遥感信息工程国家重点实验室是我国地球空间信息领域首个国家级重点实验室。湖北省先后获批全国首家国家级地球空间信息产业化基地、全国首批创新型产业集群、国家专业特色类北斗产业示范园区。湖北省初步形成了以武汉为主导，襄阳、宜昌、鄂州、黄石等地联动发展的"1+N"北斗产业布局。其中，武汉已基本形成武汉国家现代服务业地球空间信息产业化基地、武汉国家航天产业基地和武汉大学科技园区、光谷软件园区、未来科技城园区、武汉经开区（汉南区）通用航空及卫星产业园的"二基地四园区"产业发展格局。襄阳市不断优化资源配置，加大北斗卫星导航应用技术推广力度，助推智慧城市和智慧农业的创新发展。宜昌市积极布局北斗产业项目，发展北斗时空大数据、北斗+5G等新动能，打造发展新引擎。通过北斗重大专项和重点工程建设，湖北省已基本形成北斗产业上、中、下游相对完整的北斗产业链，由北斗基础器件、基础软件、基础数据等技术和产品构成的产业上游，由北斗终端设备和系统集成为主的产业中游，以及北斗运营服务应用为主的产业下游共同构成了湖北省北斗产业链的基本形态，技术成熟度不断提升，产业生态初具雏形。位于湖北省武汉市的首家北斗芯片企业武汉梦芯科技致力于为各类智能终端产品提供核心技术和元器件，为北斗在高精度应用领域的推广提供差异化的完整解决方案，成为具有时空标识的传感器和物联网芯片的主流供应商。梦芯科技以基于北斗的导航定位技术为基础，通过横向与传感器技术、通信技术等整合，研发高集成度和高性能的核心芯片。梦芯科技在武汉光谷研发出中国首颗40纳米高精度消费类北斗导航定位芯片，这颗完全自主研制的芯片，实现近千万的运算和存储单元，并在该芯片的基础上继续形成模块、板卡、接收机产品，填补了国内空白。截至2023年，历经9年时间，梦芯科技已发布新一代低功耗高精度北斗芯片MXT2720（第三代），相较上一代性能提升80%以上，并且芯片装入了5 000辆"青桔"共享单车，在接入武汉导航与位置服务工业技术研究院建设的湖北省北斗地基增强网后，可实现厘米级的定位。截至目前，梦芯科技的主要产品有基于完全自主知识产权的启梦TYLOO MXT2702多模多频基带SoC芯片、启梦TYLOO MXT2706多模多频基带射频SoC芯片，以及采用以上芯片的MXT901、MXT902、MXT903、MXT905、MXT907等型号的模块产品。北斗民用产业龙头企业武汉中原电子集团有限公司是研制生产无线通信设备、电子系统工程设备、电子应用产品及各种电池的国家重点高新技术企业。公司先后研制成功各类电子产品500余项，其中400余项产品投入批量生产，300余项产品分别荣获国家发明奖、质量银质奖、全国科技大会奖以及国家、部、省、市各级科技成果奖，产品覆盖欧、亚、非及拉美等国家；公司在短波、超短波通信、抗干扰通信、数字移动通信等技术领域研发实力雄厚，并向系统网络化、数字化领域快速发展。在数字集群系统、蜂窝移动通信设备、城市用电管理系统、铅酸蓄电池、锂电池等产品领域亦具有雄厚的研发与生产能力，产品畅销国内外。公司拥有代表行业最高水平的电子仪器仪表、SMT（贴片）生产线和数控机械加工设备，拥有先进的工艺流程和完善的用户服务体系，三次获得"全国电子行业用户满意先进单位"称号，在涉及的技术领域处于国际先进、国内领先水平。

除此之外，湖北省在制造业的其他领域也展现出高昂的发展势头。在基础设施领域，作为国家工业互联网五大顶级节点，武汉节点于2018年11月率先开通，成为工业互联网中智能化生产、网络化协同、个性化定制的重要基础设施；在芯片方面，以国家存储器基地为载体，以长江存储为龙头，同时湖北省还有高德红外、中国信科、光迅科技、台基股份等一批有实力的特色企业；在上游材料方面，宜昌南玻硅材料有限公司已着手进军电子级多晶硅，湖北芯片产业链前端材料空白即将被填补；在新型显示领域，武汉正崛起为全国高地，京东方、华星光电、天马汇聚武汉，武汉成为国内规模最大、技术最先进的中小尺寸显示面板基地；大数据、云计算也在不断积累优势，在华为武汉研究所，5 000名研发人员围绕光产业、终端（笔记本和平板）和智能家居展开研究，在未来华为还将在湖北持续加大5G研发投入，联想武汉产业基地被联想集团定位为"全球移动互联战略总部"；而湖北获批国家信息光电子制造业创新中心和数字化设计与制造创新中心，将进一步强化湖北在新一代信息技术上的研发能力。此外，位于湖北武汉的中国信科公司通过自主研发的DTiip工业互联网平台，打造了面向政府（ToG）和面向企业（ToB）工业互联网数字化底座，进一步构筑了边缘物联网能力、超强算力、自主可控的安全数据平台，以及一系列5G＋工业互联网赋能行业方面系列新成果、新应用；并不断大力攻关关键核心技术，努力成为中国集成电路和高端光电子器件领域的主导企业，加快积极探索新技术催生的新型业务模式，努力成为服务新一代信息技术的核心企业，全力打造具有全球竞争力的世界一流信息通信高科技企业。

12.3 经验总结与启示

12.3.1 充分结合自身特点科学规划，因地制宜提升产业集群核心竞争力

为了深入贯彻习近平总书记关于制造业高质量发展的重要讲话精神，湖北省出台针对各种类别制造业高质量发展的“十四五”规划，并且结合自身具备的优势以及产业特征，制定合理的发展目标，从不同方面制定相应的扶持政策。为了打造世界级先进制造产业集群，湖北省因地制宜，精准把握主攻方向与发展重点，不断挖掘当地产业集群的独特优势，提升产业核心竞争力。第一，结合湖北制造业特点，培育特色龙头企业，着力打造 5 个万亿级支柱产业、巩固提升 10 个五千亿级优势产业、培育壮大 20 个千亿级特色产业集群。第二，湖北省不断加强特色产业品牌建设以及知名度的提升，鼓励企业偏向高新技术产业和具备自主品牌的产品出口，打造“湖北制造”的品牌优势；大力建设重点品牌示范区，推动“湖北制造”向“湖北智造”的过渡；合理利用各类互联网平台，开拓多元化的营销渠道，加强对优势产业知名度宣传。最后，湖北省制定了“一芯两带三区”产业地图，细化实化全省十大重点产业和四大产业基地及百家产业集群分布图，为承接东部沿海和国际上相关地区新兴产业布局和转移奠定基础。

基于湖北省打造先进制造业集群的科学经验，长江经济带其他省市可以根据自身情况进行借鉴。沿江省市可以合理制定本省制造业高质量发展的总体规划与战略部署，因地制宜地促进发展与本地产业优势相辅相成的龙头企业，着重把握主攻方向，聚焦产业核心竞争力。长江经济带其他省市还可以通过鼓励龙头企业加大对附加值较高产品的研发经费投入，积极与各类高校以及研究机构合作，建立产学研配套成长机制，提高科技成果转化能力和产品创新能力；加强产业品牌建设与宣传力度，利用互联网等电子平台，加强对优势品牌的宣传推广。此外，沿江其他省市可以通过建设开拓集群出口品牌展示平台、电子商务等公共营销渠道，实行“线上＋线下”的双向发展，推进本省优势品牌走出去。

12.3.2 提升产业链现代化水平，推动产业链和创新链融合发展

湖北省通过聚焦构建“51020”现代产业集群，按照“一区一战略产业”“一园

一特色产业”原则，打造开发区特色优势产业集群，推动关联产业、上下游配套企业和资源要素加快聚集，不断提升产业链的现代化水平。湖北省还重点支持一批具有核心竞争力、产业链生态主导力的“链主”企业，不断优化提升产业链，为产业链的发展提供新的方向。此外，湖北省还支持龙头企业与社会资本瞄准产业链关键环节和核心技术实施兼并重组，并对产业链薄弱、缺失环节进行补足。同时，湖北省不断依托创新链强化产业带动和产业配套，以技术群体性突破支撑引领新兴制造业产业集群发展，在提高创新链升级的同时，不断推动产业链和创新链融合发展。

所以，经济带沿江省市要以优势行业技术改造全覆盖为抓手推动“强链”，不断加快先进适用技术应用，推动全省先进制造业和优势传统产业加快新一轮技术改造，实现省内规模以上工业企业“机器换人”全覆盖；以承接产业转移和重大项目落地为核心做优“补链”，围绕重点产业领域，以产业链高端产品和关键技术研发为重点，引导内外资更多地投向半导体、光器件、新型显示、动力电池、化工新材料等新兴特色产业链，加快补全缺失环节；以维护产业链运行稳定可靠为落脚点夯实“护链”，建立产业链外迁风险预警和应对机制，提升产业链安全保障能力。不断优化企业服务和针对性解决方案，保障产业链安全和省内优势产业供应链完整稳定。

12.3.3　促进“两化融合”，形成产业集群，推动制造业高端化发展

湖北省出台深化“互联网＋先进制造业”政策措施，深入推进工业互联网标识解析国家顶级节点建设，加快布局发展工业互联网；大力发展软件产业，以军运会为契机，开展5G基础设施和预商用试点建设。同时，湖北省已经启动了投资超1 300亿元的省级“点线心站台园”(工业互联网顶级节点、网络干线、大数据中心、5G基站、工业互联网平台、数字产业园)等“新基建”项目建设，进一步加大5G万站工程、“万企上云”工程等工程推进力度，确保按期完成5G基站建设、数据中心建设。此外，湖北在全省推动了新一轮高水平技术改造，聚焦数字化、智能化、网络化、绿色化和安全化，选择省内重点行业特别是有些龙头企业建设成“5G＋工业互联网”样板工程。湖北省还通过云服务、云技术在企业生产经营和管理等主要领域、主要环节的有效应用，带动生态圈企业上云用云，共享云计算的便利，降低企业信息化建设应用成本，实现企业研发、创新、生产和管理水平大幅度提升，促进企业数字化转型升级，推动了湖北省“两化融合”的实施。

长江经济带沿江其他省市要充分发挥省内高新区和高新技术产业园已形成的优势，将信息技术应用于生产领域，加快推进制造业与互联网深度融合，提高制造业生产效率。沿江各省份还要加强5G基站和云上平台建设，为企业的信息化建设提供助力；同时还要打造属于自己的信息化、数字化产业工程，带动企业提升研发创新能力，实施“技改提能、制造焕新”行动，积极推进智能制造关键技术装备、核心支撑软件、工业互联网等系统集成应用，为制造业工业化和信息化融合发展指明方向。

12.3.4 强化品牌力量，打造产业新优势，全面提升产业集群核心竞争实力

湖北省为持续强化品牌力量，不断加快战略性新兴产业的发展，引进、建设、投产了一批引领性强、带动性大的产业龙头项目和关键配套项目。比如：东湖新技术开发区吸引小米科技等60多家互联网＋知名企业建立“第二总部”，正在努力打造超万亿产值的世界级“芯屏端网”产业集群。此外，湖北省持续推进传统产业改造提升，不断打造产业竞争的新优势。2022年，湖北省实施亿元以上技改项目2 469个，累计完成技改投资额3 332亿元。大力推进智能化改造提升计划，引导传统优势产业产品技术、工艺装备、能效环保、安全水平、服务能力等全流程全方位改造提升，为全面提升产业集群核心竞争力提供助力。

因此，长江经济带的其他省市可以汲取湖北省的经验，借国家政策的东风，引进投产一批建设性强、品牌影响力大的产业，不断提升各省市的产业集群的竞争力。沿江省市还要对本土的产业进行改造升级，提高企业的技术水平，提升员工的职业素养和能力，不断保持企业的竞争力，为制造业打造竞争新优势。此外，沿江各省市还要积极为重点产业布局，不断放大龙头产业的影响力，强化已有的品牌力量，不断促进优势特色产业做大做强，以特色产业优势推动制造业集群升级，全面提升产业集群的核心竞争实力。

12.3.5 以企业为创新主体，充分发挥产业政策引领作用，持续优化产业集群规划发展环境

湖北省建设以企业为主的区域创新体系，围绕突破关键共性技术，搭建产学研合作对接平台，在电子信息、生物、新材料等领域布局建设省级及以上工

程研究中心(工程实验室)197 家;以提高自主创新能力为目标,在全省支柱产业和重点领域建立省级及以上企业技术中心 580 家。其次,在围绕“三量提升”工作的基础上,湖北省也在全力以赴推进“一优两落”工作落地落实,通过对照世界银行营商环境评价标准,高标准制定湖北工作方案,“3550+100”关键改革任务已见成效,企业获得感明显增强。与此同时,在产业政策的引领下,湖北省高质量推进全面创新改革试验,投贷联动、外籍高层次人才引进服务、“三办”改革、科技成果转化工研院模式 4 项创新改革经验在全国复制推广,为制造业的发展提供了更加舒适的环境。这些经验措施为湖北制造业高质量发展提供了坚实保障。

长江经济带的其他省市可以学习湖北的发展经验,在制造业领域培育更多行业龙头企业,同时在细分领域积极扶持一些“小巨人”、隐形冠军、制造业单项冠军企业,使其成为创新的载体和源泉;同时积极地加快城市内部的基础设施建设工作,通过此种方式,加大财政的扶持力度,为生产和管理工作提供生产要素的保障,为行业整体发展营造良好的环境;还可以通过设立专项基金、实行投贷优惠等政策,为重点产业的协同发展、产业集群的优化建设以及产业转型升级等方面提供动力支持,并积极打造鼓励创新创业的投融资体系,建立高效的投融资支持机制,吸引金融机构、风险投资等各类社会资本参与,降低制造业企业创新风险和成本;通过财政支持和资金扶植,引导企业整合资源,推动行业整体的合作研发,培育一批高水平创新平台,促进制造业企业的技术创新、产业链整合以及产业结构转型升级,引领带动全省制造业高质量发展。

13

第十三章

重庆以大数据智能化助推经济高质量发展的实践与经验

习近平总书记指出："世界正进入数字经济快速发展的时期，5G、人工智能、智慧城市等新技术、新业态、新平台蓬勃兴起，深刻影响全球科技创新、产业结构调整、经济社会发展。"在此背景下，中国正积极加速数字产业化和产业数字化进程，推动数字技术和经济社会发展的深度融合。

重庆位于我国内陆地区西南部、长江上游、四川盆地，地处中西结合部，是长江上游地区经济与金融，以及物流、科创和商贸中心，也是西部大开发重要的战略支点、"一带一路"和长江经济带重要联结点和内陆开放高地。"十三五"规划实施以来，特别是 2017 年以来，重庆大力实施以大数据智能化为引领的创新驱动发展计划，连续 4 年举办中国国际智能产业博览会，加速产业链和创新链的有机衔接，使得一大批智能化项目得以成果转化，将重庆努力打造成为"智造重镇"和"智慧名城"。截至 2023 年 12 月底，重庆累计实施 6 080 个智能化改造项目，建成 224 个数字化车间和 144 个智能工厂。

伴随着一批大数据智能化企业的蓬勃发展，重庆传统制造业也开始加速智能化转型，逐步成为重庆经济高质量发展的新引擎。基于投入产出的视角来看，互联网是智能化发展的基础设施，云计算是公共服务能力提升的计算基础，智能化是产出及应用的成果。2019 年，重庆产业智能增速达到 14%，数字经济连年保持两位数增长，开始成为重庆经济高质量发展的战略支撑，一个外在的体现为重庆大数据智能化企业已达数千家，其中规模以上企业已超过 1 000 家。具体来看，重庆市智能装备和产品制造起步较早，以大数据智能化融合传统产业可以为重庆经济社会高质量发展赋能，进而挖掘大数据智能化的商用、政用和民用价值。重庆大数据智能化不仅助推了重庆经济高质量发展，其在重塑产业结构格局等层面的作用也为其他地区的发展提供了经验借鉴。

13.1 重庆大数据智能化发展背景

从重庆大数据智能化发展的时间脉络来看，2018 年 8 月，重庆市发布了实施大数据智能化发展战略。根据该战略的要求，重庆市开始聚焦数字产业化和产业数字化，逐步推动大数据智能化及相关技术和实体经济深度融合，继而为经济高质量发展赋能。与此同时，重庆市根据当前社会主要矛盾，结合人民群众的现实需求，将大数据智能化发展有机地融合到群众生活之中。从产业发展的角度来看，重庆通过发展大数据、人工智能、集成电路、智能超算、软件服务、物联网、汽车电子、智能机器人、智能硬件、智能网联汽车、智能制造装备、数字内容12个重点产业(表13-1),逐步提升大数据智能化产业的服务供给能力,助力传统制造业产业智能化转型进程的加速。重庆市通过构建智能产业、智能制造和智能应用“三位一体”的发展格局,深化了大数据智能化在民生服务、公共产品、社会治理、产业融合等领域的应用。

表13-1 重庆市大数据智能化发展战略打造的12个重点产业

重点产业	主要内容
大数据	重点发展面向社交、搜索、决策分析等应用的大数据采集与集成平台型产品,发展新一代商业智能、数据挖掘、数据可视化、语义搜索等软件产品,大数据行业解决方案及服务以及大数据增值应用。加速数据资源集聚开放,加快突破大数据核心技术,构建自主可控的大数据产业链
人工智能	重点发展图形处理单元(GPU)、现场可编程门阵列(FPGA)等人工智能通用芯片,语音识别等人工智能专用芯片,以及人脸识别、语音识别、知识引擎、无人系统等相关软硬件产品。建设人工智能数据资源、模型库、标准体系、信息安全等服务平台,突破计算机视听觉、自然语言理解、新型人机交互、高级机器学习等技术算法,加快推动人工智能技术应用创新
集成电路	重点发展电源管理芯片、存储芯片、汽车电子芯片、驱动芯片等产品。加大集成电路公共服务平台建设力度,集聚一批集成电路设计龙头企业,实施一批大尺寸、窄线宽先进工艺晶圆制造项目及微电机系统(MEMS)、化合物半导体等特殊工艺线项目,发展高密度、高可靠性先进封装工艺,打通原材料、设备等上下游环节
智能超算	重点发展工业互联网等领域智能超算中心,建设一批高水平智能超算研究院和重点实验室,培养一批面向超级计算关键技术的人才队伍,研发一批面向高性能计算环境的部署、监控、调度、认证、安全等服务平台支撑软件和具有自主知识产权的应用软件
软件服务	重点发展面向云计算、移动互联网、物联网的操作系统、新型中间件和办公套件,计算机视听觉、机器学习、自然语言处理等智能化软件,计算机辅助设计与仿真、制造执行系统、企业管理系统、产品全生命周期管理等工业软件及应用解决方案。创新软件定义服务新理念,围绕智能集成服务领域,提升“互联网+”综合集成应用水平,研发综合性应用解决方案
物联网	重点发展智能化温度、压力、流量传感器和MEMS传感器等前端产业,物联网模组、物联网网关、智能仪器仪表、智能车载终端等典型产品和嵌入式安全部件等信息安全产品。抢抓窄带物联网、5G发展机遇,建设物联网公共服务基础平台和应用服务云平台,提升面向各领域的解决方案提供能力
汽车电子	重点发展车载视觉、激光雷达等高性能传感器和电控系统、专用芯片等基础器件,基于高性能传感器、数字仪表及定位模块及无线网络的车载电子产品,高端车身控制模块BCM+、自动空调系统、车灯光控制等车身电子产品。加强汽车电子电控核心技术攻关和支撑平台建设,加速汽车电子产品在相关领域的深度应用
智能机器人	重点发展双臂机器人、抛光打磨机器人等工业机器人产品,养老机器人、家政机器人、教育机器人等服务机器人产品,以及减速器、伺服电机、视觉系统等智能机器人关键器件。加强人机协同、运动控制等关键技术研发和自然交互、自主学习功能等前沿领域技术储备,建立健全检验检测、云服务等支撑平台体系

续表

重点产业	主要内容
智能硬件	重点提升现有手机、可穿戴等终端产品智能化水平，重点发展智能家居、智能医疗产品。加强企业研发机构和公共服务平台建设，加快新产品开发投放，进一步完善摄像头、锂电池、屏组件等配套体系
智能网联汽车	重点发展智能网联汽车、新能源汽车整车以及整车驾驶辅助（DA）、部分自动驾驶（PA）、电池、电机、电控等关键部件，重点提升汽车电子产品装车比例。加强相关领域标准研究和智慧交通设施、充电设施等建设，加快整车推广应用
智能制造装备	重点发展精密齿轮磨床、金属3D打印机、激光加工装备、智能传感与控制装备、智能检测与装配装备、智能物流与仓储装备等产品，加快推进3D快速成型技术、激光加工技术、虚拟制造技术等先进制造工艺技术，提高制造水平
数字内容	重点发展基于虚拟现实（VR）、增强现实（AR）、混合现实（MR）技术的发展外接式头盔、一体式头盔等产品和家庭数字娱乐、数字音乐、动漫游戏等内容，重点推动优质文化资源数字化转化开发、文化场馆数字化智能化改造，增加数字内容供给

来源：《重庆日报》

与此同时，2018年9月，重庆市政府印发了《重庆市推动工业互联网发展若干政策》，将重点工作集中在工业互联网网络基础设施建设、平台建设、企业“上云上平台”实施数字化网络化智能化升级、工业互联网生态发展以及工业互联网发展环境建设5个方面18条政策，辅之以资金支持措施，以助力重庆制造业加速数字化、网络化和智能化发展。具体而言，重庆将支持下一代互联网协议，以新型移动通信等技术改造和升级企业内网；支持行业和产业链平台建设，实现企业内外部供应链、产业链和价值链的协同管理，逐步形成产品、生产和服务的协同平台；支持企业应用工业互联网平台和云服务提供的云基础设施及基础云服务；支持装备制造企业应用智能技术及相关产品，以提升装备制造的智能化水平；鼓励智能制造相关企业落户重庆；支持优势产业集群建设工业互联网产业示范基地，打造智慧园区；对获国家级、市级工业互联网产业示范基地的企业和个人给予相关奖励。除此以外，重庆还支持企业智能化改造，加大智能制造装备、先进信息技术、大数据等在产品研发、生产控制、经验管理以及物流营销等各个环节的应用，加速建成数字化车间和智能工厂，并对数字车间和智能工厂给予奖励，最高分别可达300万元和500万元。值得注意的是，针对重庆智能产业、智能制造和智能应用“三位一体”的发展格局的构建，重庆市在2018年9月印发了《重庆市以大数据智能化为引领的创新驱动发展战略行动计划（2018—2020年）》，以提升产业发展水平、服务民生水平和社会治理水平（表13-2）。

表 13-2 重庆大数据智能化战略布局

大力发展智能产业	以大数据智能化推进传统产业优化升级	全面推进大数据智能化应用发展
重点发展大数据、人工智能、集成电路、智能超算等 12 个产业	加快推进智能制造升级发展	产业融合智能化
推动智能技术转化应用和产品创新	加快培育智能创新型产品	政府管理智能化
培育国内领先的智能产业龙头企业	加快推广服务型制造模式	民生服务智能化
建设两江新区国家级数字经济示范区、西永智能制造示范区等一批智能园区	加快推进制造业与互联网融合发展	公共产品供给智能化
促进技术集成与商业模式创新	加快提升企业智能化管理水平	社会治理智能化
打造具有竞争力的智能产业集群	加快构建智能制造支撑体系	集中力量推进智能政务、智能交通、智能物流等十大优先行动

来源：根据《重庆市以大数据智能化为引领的创新驱动发展战略行动计划（2018—2020 年）》以及相关媒体报道等资料整理

值得注意的是，为建立大数据智能化人才评价机制和助力培养创新型高素质人才，助推“智造重镇”和“智慧名城”建设，2020 年，重庆市大数据应用发展管理局印发了《重庆市大数据智能化人才分类评价实施方案》，思想品德层面具体要求：在政治思想上拥护中国共产党的领导、坚持正确的政治方向以及践行社会主义核心价值观；在报国情怀上自觉投身于中国特色社会主义事业、为国为民担当奉献，以创新推动高质量发展；在职业操守上践行科技行为准则、恪守人工智能相关法律、伦理边界以及维护国家、集体和个人的数据安全，坚决实行思想品德不过关“一票否决制”。关于重庆市大数据智能化人才评价机制的具体要求如表 13-3 所示。

表 13-3 重庆市大数据智能化人才评价机制

人才类别	工作能力	工作业绩
基础研究人才	重点评价其在大数据智能化领域的基础理论和前沿技术突破的创新能力与跨学科复杂程度，以及带领研究团队提出、分析和解决重大科学问题的能力	以其代表性成果的原创性、前瞻性为主要测评点。主要包括：突破性基础理论和前沿技术的学术思想及观点被同行关注与认可程度，在国内外权威学术组织和学术期刊任职，高水平学术论文、专著等成果发表，重大影响力学术会议的主办与承办和受邀演讲，以及在大数据智能化领域中基础创新人才培养、优秀创新团队建设、学科水平提升等方面的理论贡献

续表

人才类别	工作能力	工作业绩
开发应用人才	重点评价在大数据智能化产业和应用领域的前沿技术突破能力、共性技术集成能力，以及相关成果应用的创新能力	以其代表性成果的创新性、技术转化度为主要测评点。主要包括：大数据智能化相关产业和应用领域技术成果的创新性、创造性和成熟完备性，突破性技术指标的先进程度、复杂程度，有效发明专利、软件著作权等自主知识产权获得和转化应用效果，以及智能产业、智慧城市等技术标准制定实施等方面的应用贡献
工程技术人才	重点评价对智能应用场景解决方案的提供能力，数据应用流程设计能力，数据管理与服务平台架构的搭建、调试、监控及优化能力，以及应用成果商品化、产业化和对产业转型升级带动能力	以其代表性成果在智能化改造工程和集成化项目的建设规模、技术难点攻关效果，市场取得的经济、社会和生态效益为主要测评点。主要包括：大数据、智能感知、人机交互、智能物联网等关键共性技术的推广转化应用，智能芯片、智慧解决方案等产品的市场占有率、市场认可度，以及在促进科技进步、推动产业发展、提高市场竞争能力等方面的实践贡献
运营管理人才	重点评价利用大数据进行市场需求分析、生产流程优化的能力，供应链与物流管理、资源配置效率和提供智能应用等服务的能力，以及健全数据管理体制机制的能力	以其代表性成果在提供政府决策参考、提升企业经营效率、履行社会责任等方面的履责绩效和业绩贡献度为主要测评点。主要包括：运用大数据智能化技术在资源配置效率提升、经营模式创新、业务流程优化、平台维护与运作管理、项目执行质量、风险识别及管控等管理绩效，经营服务数量质量、服务对象满意度等方面的业绩贡献

来源：根据《重庆市大数据智能化人才分类评价实施方案》整理

此外，《2020 重庆市大数据智能化应用发展蓝皮书》在 2020 年重庆智慧应用示范案例颁奖典礼上发布。蓝皮书提到，2018—2020 年，重庆以大数据智能化为引领，以创新驱动重庆经济社会高质量发展，具体体现在：重庆全市围绕新型城市建设重点领域，加快智能化应用场景建设，形成了面向民生服务、城市治理、政府管理、产业融合和生态宜居 5 个方面，包括了智慧医疗、智慧交通、智慧制造和智慧环保等在内的 18 个重点智能化应用场景，覆盖了重庆全市的各个方面。

13.2　重庆以大数据智能化助推经济高质量发展的典型实践

13.2.1　重庆大数据智能化发展支撑条件

在互联网时代，国际上看，中国和其他发达国家同在第四次科技革命的新赛道上,国内来看,中国沿海和内陆地区也处于同一赛道,如果能够把握住发展机遇,中国和主要发达国家的差距会进一步缩小,中国内陆地区经济发展将发挥后发优势,实现包容性增长,逐步赶上沿海地区。在重庆逐步崛起成为中国内陆地区智能化发展高地的过程中,其自身的产业基础将作为前提保障,重庆市国家大数据综合试验区等地将成为智能化发展的平台支撑,国家级互联网骨干直联点的建成为大数据智能化发展提供了基础设施保障。

(1) 产业支撑

作为全球重要的手机制造基地,重庆为大数据智能化发展提供了产业基础和支撑条件。通过大数据智能化发展,推动了重庆经济发展质量变革、效率提升和动力升级,实现了经济社会的高质量发展。相关数据显示,2022 年上半年智能产业销售收入为 3 230 亿元,同比增长 16.9%。在此背景下,众多互联网企业捕捉到重庆大数据智能化发展的信号,纷纷来重庆发展,例如 2018 年以来,3 000 多家智能企业齐聚重庆,其中具有代表性的有腾讯来渝开展“智慧交通”合作、阿里巴巴开发“智能重庆”相关项目、京东布局重庆物流集团区域总部及相关电商金融产业基地等。

统计数据显示,2018 年重庆智能产业综合实力跻身全国前 10 位,电子信息产业进入全国前 8 位,年产值超过 5 000 亿元,软件服务行业排名第 13 位,在全国处于中上游,并且众多本地智能企业在多个领域崭露头角,例如重庆中科云从科技有限公司研发的人脸识别技术刷新了 3 项世界纪录;重庆海云数据和市公安局联合开发唇语识别技术,识别准确率达到 70%以上;重庆超硅光电技术有限公司开发的半导体级硅片打破了企业在该领域的垄断。2018 年以来重庆累计推动 6 080 个智能化改造项目,建设 144 个智能工厂、958 个数字化车间,覆盖汽车、装备制造、电子信息等产业。在下一阶段,重庆将进一步深化与华为等智能企业的合作,在大数据、人工智能、集成电路、智能超算、软件服务、物联网、汽车电子、智能机器人、智能硬件、智能网联汽车、智能制造装备和数字内容 12 个智能产业重点发展。自此,重庆大数据智能化发展将围绕这 12 个智能产业,通过规划建成数字经济产业园和智能园区、智能化工厂、数字化车间,推动智能技术转化应用和产品创新,培育出有创造力和竞争力的智能产业集群。

(2) 平台支撑

在平台支撑层面,重庆拥有两江数字经济产业园,国家大数据综合试验区,全国首批工业云创新服务试点省市、互联网与工业融合创新试点省市等重要平台,为重庆实施以大数据智能化驱动创新发展提供了重要载体和先决条件。具体来看,2018 年初,两江新区管委会和阿里巴巴签署战略协议,拟在数字经济重点产业领域展开合作,共同将两江新区打造成为“智能重庆”核心区及先行区,并培育数字经济和大数据运用试点。两江数字经济产业园于 2018 年正式开园,总规划面积超过 40 平方公里,涵盖照母山、水土、龙兴 3 个片区,分两期建设。两江新区依托重庆作为全球最大笔电基地等产业基础,凭借两江新区互联网产业园、服务贸易园等载体,通过发展“互联网+”“大数据+”以及“智慧+”等业态,推动数字技术和现代服务业有机融合。从数字经济发展数据来看,2022 年重庆市数字经济核心产业增加值达 2 240.6 亿元,综合评价位居全国第 12,数字社会综合评价位居全国第 13,数字技术创新综合评价排名全国第 6。

与此同时,作为国家发展改革委、工业和信息化部等批复设立的国家大数据综合试验区,重庆聚焦资源统筹和数据产业集聚,促进区域经济协同发展,实现经济提质增效。最早在 2013 年,重庆就制订了《重庆市大数据行动计划》,提出要加快大数据产业布局,建成具有国际影响力的大数据枢纽和产业基地。围绕大数据相关试点工作的展开,当前重庆进行的实践主要包括:建设仙桃数据谷,培育发展先导性前沿科技产业;发展“云端计划”,建设云计算数据中心项目为大数据资源库的形成创造基础条件。此外,重庆还是工业和信息化部批准的全国首批工业云创新服务试点省市之一,以及首批互联网与工业融合创新试点省市之一,这些平台为重庆大数据智能化发展提供了平台支撑。

(3) 设施支撑

当前,重庆已经建成国家级互联网骨干直联点,其主要性能在全国名列前茅。直联点是两个运营商之间数据的交换“枢纽”,此前只有北京、上海和广州 3 个国家级互联网直联点。重庆国家级互联网骨干直联点的建成,不仅加快了网民的上网速度,更为产业发展提供了大数据、云计算等基础条件,引发产业集聚并同时拉动消费,促进互联网产业持续健康发展。

同时,重庆在西部地区率先实现了行政村光纤和 4G 全覆盖的基础上,增加了 5G 网络覆盖。2018 年 4 月,两台 5G 基站在重庆移动总部开始运行,这标志着重庆首张 5G 试验网正式开通,也意味着重庆 5G 网络商用化的正式起步。随后,重庆 5G 基站逐步拓宽覆盖范围,推向企业及上下游产业链,对象包括单位和个人,试验范围包括车联网、自动驾驶、智慧城市等领域。在重庆移动 5G 试验网开通后,重庆电信和重庆联通也逐步开通 5G 试点,重庆电信在 2018 年内在两江新区数字经济园建成 5G 试验网,2020 年全面实现商用,并在 2020 年前后实现 5G 规模应用示范。随着 5G 技术的发展,重庆吸引众多企业来渝共同搭建平台，并探索商用价值，例如在 2018 年，重庆移动、长安汽车、中移物联、华为公司 4 家行业巨头签署全面开展 4G 车联网和 5G 车联网联合开发的战略合作协议，旨在为汽车提供智能化内涵，进一步深化重庆 5G 产业发展。

13.2.2 重庆大数据智能化发展与国家信息中心合作

2018 年 8 月，在重庆首届智博会期间，国家信息中心和重庆市签署了《关于共同推进重庆大数据与数字经济发展的合作协议》，双方在大数据及数字经济领域展开全面和深度合作，将国家信息中心和重庆渝北区、两江新区、南岸区、经开区等大数据智能化工作纳入全市层面的央地战略合作总体布局之中。

（1）与渝北区的合作

一是推动国家信息中心大数据展示馆落户渝北区。2018 年 4 月，仙桃数据谷开馆并使用，展示了国家信息中心大数据应用等先进成果和优秀行业企业案例。同时，展示馆还承担着政府、高校和企业等专家赴仙桃馆调研时的大数据可视化演示汇报工作。相关数据显示，2021 年作为全国科普教育基地，仙桃国际大数据谷体验中心全年接待参观人数超 10 000 人。

二是推动“两中心一平台”国际级平台快速落地。推动国家发展改革委互联网大数据重庆分中心、国家信息中心“一带一路”大数据中心西部分中心和综合云平台项目的落地，当前已经汇聚了相关数据 14.2 多亿条，为重庆市互联网大数据分析和宏观经济决策提供了平台支撑和数据支持。

三是推动一批部委级试点项目落户渝北。国家发展改革委相关监测点落户渝北，围绕重点地区、重点行业、重点群体的就业，以及收入分配等热点问题展开监测和分析，为发展改革委就业司宏观决策提供了相关依据。2018 年 4 月，国家信息中心受到国家发展改革委委托在重庆仙桃数据谷举办了“十三五”规划实施情况中期专题培训班，国家有关部委、部分省市发展改革委相关负责人共 100 余人参加了此次培训。

四是协助仙桃数据谷开展大数据招商引资服务。工作重点在于推动渝北区开展招商引资大数据服务，重点研究分析渝北区招商营商环境、重点产业发展态势和精准招商引资形式，对全区招商引资给予大数据支持和决策参考，例如华为等大型互联网企业也应邀来渝北调研考察。

五是全力将“数字渝北”建设打造成为国家级示范样板点。为了落实数字中国战略，2018 年 4 月，国家信息中心成立了数字研究院，拟在全国开展数字中国建设国家试点工作。由于渝北区和国家信息中心之间处于紧密合作关系，因此优先选择了渝北作为先行试点地区，力图把渝北区打造成为数字中国建设国家级区县示范样本点。当前,“数字渝北”建设工作已经取得了初步成效,并完成了相关部门和单位的协调工作,渝北区已发布《重庆市渝北区数字经济“十四五”发展规划》(2022 年 11 月 1 日实施),该规划整合了数字基础设施、产业数字化、数字治理等核心内容,并明确以“一核两区两高地”为发展定位。同时,2022 年 8 月发布的《渝北区数字经济“十四五”发展规划(征求意见稿)》已通过多轮意见征集并完成编制。

六是举办高校数据驱动创新研究大赛。2018 年 11 月至 2019 年 4 月,重庆西部大数据前沿应用研究院(以下简称西部研究院)联合国家信息中心、北京大学等单位在仙桃数据谷共同举办第二届全国高校数据驱动创新研究大赛,吸引了全国 29 个省、自治区和直辖市的 199 所高校 600 支队伍和 1 704 名选手参赛。

(2) 与两江新区的合作

一是编制数字经济产业园规划。2018 年 2 月至 6 月,国家信息中心与两江新区管委会合作共同开展两江新区经济产业园区发展规划的编制。该规划以两江新区数字经济产业现状为背景,以大数据智能化为发展主线,聚焦于数字产业化和产业数字化两个主要方向,将从过度依赖资产劳动向注重轻资产拉动转变、从过分依靠招商引资转向招财引智、从过度依赖政策优惠向营造生态转变,同时大力发展集成电路、软件与信息服务等产业,最终推动形成数据资源价值的释放、数字应用业态的培育以及数字流通通道建设“三位一体”产业发展新格局。

二是开展中小微企业融资创新试点。2019 年 3 月,国家信息中心、重庆两江新区管委会、中国工商银行重庆分行以及成都数联铭品科技有限公司在北京签订了《关于联合推进重庆两江新区中小微企业融资服务创新试点的合作协议》,四方以信用建设和普惠金融服务为核心,并在重庆两江新区开展中小微企业融资创新试点,与重庆市级“渝快融”平台有效衔接。此外,协议发挥了各方在数据收集、建模分析和信贷业务等方面的优势和经验,提供全线上和利率优的线上融资服务。

(3) 与经开区的合作

一是推动国家石油天然气大数据交易中心建设。2017 年 12 月,国家信息中心与经开区合作开展国家石油天然气大数据交易中心建设。国家石油天然气大数据交易中心建设具体体现在:建设国家能源大数据资源库、国家能源大数据公共服务平台和国家能源数据应用平台、组建国家能源大数据应用实验室和业务平台等。

二是推动国家信息中心能源大数据中心建设。2018 年 8 月，国家信息中心独家授权重庆石油天然气交易中心建设运营国家信息中心能源大数据中心。通过整合国家能源大数据资源，打造专业化和开放性大数据平台，发挥大数据在能源行业宏观调控、产业发展和公共服务等领域的作用，加强能源领域的预测和分析作用，服务能源体制改革和现代能源市场建设，助力“数字中国”和“中国智谷（重庆）”的建设发展。

（4）与市发展改革委的合作

一是开展政务信息化项目委托评估工作。2018 年 5 月起，国家信息中心作为重庆市发展改革委八家之一的评估咨询机构，围绕重庆市各级政务信息项目开展评估和咨询，而西部研究院则积极协助国家信息中心开展这项工作，并把服务对象拓宽至重庆各级区县政府。

二是数字中国研究院亮相首届智博会。2018 年 8 月智博会期间，国家信息中心和组委会通过主办“智能化应用与高品质生活高端论坛”，发布居民消费大数据指数。此外，国家信息中心还应邀以数字中国研究院的名义作为参展单位，在展区集中展示宏观经济决策沙盘等研究成果。

13.2.3 重庆大数据智能化塑造产业新格局

从 2017 年底起，重庆开始大力实施以大数据智能化为引领的创新驱动发展战略行动计划，明确了打造智能产业集群、推进智能制造、拓展智能化应用“三位一体”的发展路径，推动产业结构升级和重庆经济高质量发展。

（1）以“智能化”赋能传统产业

借助大数据智能化，是重庆产业转型升级的必经选择。汽车作为重庆的核心支柱产业，其在智能化领域的优势逐步凸显。以长安汽车为例，其与腾讯公司合作开发的车载系统已经用于量产车型，相关产品上市后迅速热销，投资 43 亿元的长安汽车在全球研发中心逐步投入使用，其涵盖的 180 余个实验室中，有相当一部分用于智能技术开发。

在此基础上，重庆于 2018 年底出台《重庆市发展智能制造实施方案（2019—2022 年）》，拟在 2020 年完成 2 500 家企业的智能化改造，建设 5 个具备国内较强竞争力的工业互联网平台、20 个智能工厂和 200 个数字化车间，实现 68%以上的规模以上工业企业迈入数字化制造阶段。根据重庆市经济和信息化委员会相关数据，截至 2022 年底，重庆已实施 6 080 项智能化改造项目，认定 144 个智能工厂、958 个数字化车间，建成 40 个市级智能制造示范标杆。

(2) 以“智能化”打造高端产业集群

2017 年底，重庆提出实施以大数据智能化为引领的创新驱动发展战略行动计划，确定了 12 个智能产业重点发展领域，并着力打造高端产业集群。2018 年以来，一大批本土大数据智能化企业迅速崛起，助力重庆高质量发展。2018 年 12 月，全球低轨卫星移动通信和空间互联网系统“鸿雁星座”首批试验卫星“重庆号”成功发射，该项目总部位于重庆两江新区，首期投资 200 亿元，后期将带动上下游上千亿元的产值规模。

具体以电子产业为例，一直以来，“缺芯少屏”制约着产业发展质量的提升。2018 年底，京东方第六代柔性显示屏生产线在重庆开工建设，项目投资高达 465 亿元，主要生产智能手机、笔记本电脑、汽车等所需的柔性显示屏。与此同时，重庆还针对芯片这一核心部件持续发力，目前已集聚集成电路相关企业 20 多家，2022 年数字经济核心产业增加值达 2 240.6 亿元，综合评价位居全国第十二。2019 年在重庆建设的重庆紫光“芯片”产业城，计划投资 600 亿元建设工业 4.0 智能工厂、集成电路总部基地以及高端芯片制造基地等项目，建成投产后不仅能够弥补重庆在高端芯片领域的短板，也将有力带动下游相关智能应用领域的发展。

(3) 以“智能化”塑造产业新格局

在腾讯云工业互联网智能超算中心、阿里飞象工业互联网平台之后，智能云科工业互联网平台也于 2022 年签约落地重庆，助力重庆制造企业实现自动化、小批量、个性化生产。随着一批传统智能化改造项目的实施，以及一大批大数据智能化企业的兴起，重庆智能产业产值在 2018 年达到 4 640 亿元，同比增长 19.2%，2019 年，重庆重点启动集成电路、液晶面板以及智能终端等项目的建设。

同时，根据重庆市统计局相关数据显示，2019 年一季度重庆高技术产业增加值同比增长 8%，战略性新型制造业增加值增长 6.8%，成为拉动工业经济增长的主要动力。2020 年重庆已有规模以上大数据智能化产业企业超过 1 000 家，其中具有代表性的有重庆驰骋轻型汽车部件公司经过智能化改造，生产效率和产品品质得到显著提升，传统焊接工序中的污染问题也一并得以解决。2024 年 1 月，《重庆市智能装备及智能制造产业集群高质量发展行动计划(2023—2027 年)》已正式公布，计划提出到 2027 年，智能装备及智能制造产业营业收入将突破 5 000 亿元，成为制造强市的重要支撑。

13.3　经验总结与启示

13.3.1　政府层面

根据当前重庆大数据智能化发展现状，政府应当进一步扩大重庆大数据智能化发展的广度和深度，同时仍需审慎推进重庆大数据智能化进程，加强与相关产业的有效融合，创造符合现阶段企业发展和产业升级的大数据智能化产品和服务方式，同时针对行业的差异性，出台相关引导性的政策措施，增加大数据智能化的有效供给面，避免"一刀切"式改革，防范市场内生风险。具体措施如下。

（1）出台重庆大数据智能化发展的相关指导意见，为重庆大数据智能化的发展提供良好的外部环境。在全面深化重庆大数据智能化发展的背景下，需要继续完善重庆大数据智能化发展的制度基础和现实基础，系统科学地设计重庆大数据智能化发展模式、管理方式和配套制度，在法律和监督框架下加强重庆大数据智能化的顶层设计。与此同时，选择并开发重庆大数据智能化新的经济增长点、引导并培育相关人才为重庆大数据智能化提供人才支撑和智力保障。重庆大数据智能化的发展既要遵循市场的客观经济规律，也需要在政府的推动下加速内部制度建设和行业规划设计，在市场和政府之间找到一个均衡点，以明晰市场和政府在重庆大数据智能化发展过程中的角色定位，实现政府、产业和企业之间激励相容，推动"有为政府和有效市场"的实现。

（2）借鉴国外已有办法，结合我国现阶段监管经验，对重庆大数据智能化的发展采取包容审慎的监管态度，在传统业务监管的基础上逐步建立起大数据智能化监管体系。构建重庆大数据智能化的新型数字监管体系，规范产业发展模式，防范系统性风险的发生，同时仍需明确市场各主体的职能和适宜边界，以期推动重庆大数据智能化产业健康和可持续发展。

13.3.2　产业层面

为了能够抓住第四次工业革命的发展机遇，作为中观层面的主体，重庆需要进一步加强对于智能化产业的认识，加速强本固基和补链成群建设，推动基础产业现代化、传统产业数字化以及产业链高级化，同时提升智能化产业人力资本，努力将重庆打造成为中国内陆智能化产业发展高地。具体措施如下。

(1) 加速推进智能化技术和相关战略性产业的深度融合。重庆需要结合自身要素禀赋和经济发展阶段,在充分考虑地区比较优势的前提下制定合理的招才引智策略,并给予产业智能化升级相关补贴,对企业创新成果进行奖励,进而促进经济内生增长。

(2) 积极组建产业联盟,努力实现要素流通和资源共享,加速智能基础设施建设,在推广行业内先进智能模式升级的同时,探索不同类型企业异质性智能化升级路径。通过产业联盟的组建,带动行业内公共服务平台的打造,加快行业内相关技术问题和产品推广问题的解决。与此同时,相关企业可以利用公共服务平台进行合作,以弥补自身技术短板,进而提升产业竞争水平。

(3) 进一步优化劳动力结构,加速培养具备高技术的智能人才。从企业着手,延伸到产业层面,需要对管理技术人员增加相关培训,提升其对于智能化的重视程度;在高校层面,需要更多地注重学生动手实践能力,在理论学习的过程中要穿插实践教学;同时地方政府需要为相关人才落户提供便利,在给予补贴的同时能够为低技能劳动力提供更多的培训和帮助,实现劳动力技能包容型提升。

13.3.3 企业层面

企业作为微观层面的主体,能够反映宏观层面重庆智能化发展的波动情况。现阶段重庆所拥有的智能化企业显示了传统制造业和智能应用领域的融合情况,今后,科技成果的市场化应用将成为重庆大数据智能化发展在企业层面的主要体现。重庆需要结合传统企业的禀赋特征,进一步在智能产业端培育有核心竞争力的企业,从企业智能转型计划、客户关系维护以及内部智能化管理等层面以点带面,推进企业部门的智能化发展。具体措施如下。

(1) 企业应当尽快制订智能转型计划,加速相关技术的开发和应用。在企业传统部门,需要根据自身的禀赋优势和技术层级,进一步加速和智能技术的融合发展,促进节约生产成本和提升企业双赢的结果。对于上下游企业,需要保证生产效率和相关产品质量,在生产经营过程中运用较为成熟的智能技术,实现整个产业链智能化转型,进而推动行业数字化发展。同时,需要针对企业的异质性,选取不同的创新手段,例如互联网企业需要加速智能产品和技术的开发,着力解决数据收集和处理相关问题,为智能产业化和产业智能化提供良好的基础条件和外部优势。

(2) 重视客户服务,加快智能化平台建设。企业可以通过客户服务的智能化以及相关供应链管理加速智能化平台建设,进一步延伸企业的价值链。通过以智能化平台上沉淀下来的信息为依据,辅之以必要的技术分析手段,可以调配企业的有效信息。同时,在服务客户层面,利用智能化平台,依靠大数据和云计算,可以将客户对于产品使用的满意程度有效地反馈给相关企业,并且以线上智能化平台为依托,在线上维护客户关系的同时节约相关成本。此外,在供应链管理方面,物联网平台能够实时记录采购、物流和仓储等相关信息,实现互联网平台信息的实时交换。

(3) 加快企业内部管理智能化进度,加强系统标准化和相关团队建设。为了使得企业职能部门和生产部门之间的信息联络更加顺畅,企业应该建立统一的智能化信息管理平台,加速内部交流和沟通,实现有效整合资源的目的。进一步,需要及时调整企业的组织结构,激发企业创新活力。实现智能化设备代替人工技术,并在关键技术上实现突破,充分调动数字化集成手段,将企业各部门之间有效连接在一起,形成新型协调系统。

参考文献

[1] 孙豪,桂河清,杨冬.中国省域经济高质量发展的测度与评价[J].浙江社会科学,2020(8):4-14+155.

[2] 中共中央文献研究室.习近平关于社会主义经济建设论述摘编[M].北京:中央文献出版社,2017.

[3] 马晓河.推进供给侧结构性改革若干问题思考[J].中国特色社会主义研究,2018(1):5-13.

[4] 国家发展改革委经济研究所课题组.推动经济高质量发展研究[J].宏观经济研究,2019(2):5-17+91.

[5] 王东京.中国经济体制改革的理论逻辑与实践逻辑[J].管理世界,2018,34(4):1-7.

[6] 逄锦聚,林岗,杨瑞龙,等.促进经济高质量发展笔谈[J].经济学动态,2019(7):3-19.

[7] 洪银兴.改革开放以来发展理念和相应的经济发展理论的演进——兼论高质量发展的理论渊源[J].经济学动态,2019(8):10-20.

[8] 金碚.高质量发展的经济学新思维[J].中国社会科学,2018(9):37-48.

[9] 程承坪.高质量发展的根本要求如何落实[J].国家治理,2018(5):27-33.

[10] 赵昌文,朱鸿鸣.如何建立一个创新导向型的经济结构?[J].财经问题研究,2017(3):3-10.

[11] 马茹,罗晖,王宏伟,等.中国区域经济高质量发展评价指标体系及测度研究[J].中国软科学,2019(7):60-67.

[12] 张军扩,侯永志,刘培林,等.高质量发展的目标要求和战略路径[J].管理世界,2019,35(7):1-7.

[13] 高培勇,杜创,刘霞辉,等.高质量发展背景下的现代化经济体系建设:一个逻辑框架[J].经济研究,2019,54(4):4-17.

[14] 王一鸣.高质量发展十策[N].北京日报,2018-04-02(13).

[15] 安淑新.促进经济高质量发展的路径研究:一个文献综述[J].当代经济管理,2018,40(9):11-17.

[16] ZHANG C Z, KONG J. Effect of equity in education on the quality of economic growth: Evidence from China[J]. International Journal of Human Sciences, 2010, 7(1): 47-69.

[17] MEI L H, CHEN Z H. The convergence analysis of regional growth differences in China: The perspective of the quality of economic growth [J]. Journal of Service

Science and Management, 2016,9(6): 453-476.
[18] CHUNG Y H,FÄRE R, GROSSKOPF S. Productivity and undesirable outputs: A directional distance function approach[J]. Journal of Environmental Management, 1997, 51(3): 229-240.
[19] YÖRÜK B K, ZAIM O. Productivity growth in OECD countries: A comparison with Malmquist indices[J]. Journal of Comparative Economics, 2005, 33(2): 401-420.
[20] KUMAR S. Environmentally sensitive productivity growth: A global analysis using Malmquist-Luenberger index. [J]. Ecological Economics, 2006, 56(2): 280-293.
[21] FENG G H, SERLETIS A. Undesirable outputs and a primal Divisia productivity index based on the directional output distance function [J]. Journal of Econometrics, 2014, 183(1): 135-146.
[22] 余泳泽,杨晓章,张少辉. 中国经济由高速增长向高质量发展的时空转换特征研究[J]. 数量经济技术经济研究,2019,36(6):3-21.
[23] 师博,任保平. 中国省际经济高质量发展的测度与分析[J]. 经济问题,2018(4):1-6.
[24] 卞泽阳,殷醒民,章奇. 中国经济特区创新功能演变:从试点到协同——以雄安新区为例[J]. 科学管理研究,2018,36(4):5-8.
[25] 魏敏,李书昊. 新时代中国经济高质量发展水平的测度研究[J]. 数量经济技术经济研究,2018,35(11):3-20.
[26] 师博,张冰瑶. 新时代、新动能、新经济——当前中国经济高质量发展解析[J]. 上海经济研究,2018(5):25-33.
[27] 李金昌,史龙梅,徐蔼婷. 高质量发展评价指标体系探讨[J]. 统计研究,2019,36(1):4-14.
[28] 任保平. 创新中国特色社会主义发展经济学阐释新时代中国高质量的发展[J]. 天津社会科学,2018(2):12-18.
[29]《毛泽东思想和中国特色社会主义理论体系概论》编写组. 毛泽东思想和中国特色社会主义体系概论[M]. 北京:高等教育出版社,2018. 4.
[30] 王慧艳,李新运,徐银良. 科技创新驱动我国经济高质量发展绩效评价及影响因素研究[J]. 经济学家,2019(11):64-74.
[31] 杨畅楠. 论科学技术发展对社会变迁的影响[D]. 锦州:渤海大学,2014.
[32] 张大璐. 发挥新型举国体制优势大力提升科技创新能力[J]. 宏观经济管理,2020(8):31-35+41.
[33] 龙小宁. 科技创新与实体经济发展[J]. 中国经济问题,2018(6):21—30.
[34] 孙祁祥,周新发. 科技创新与经济高质量发展[J]. 北京大学学报(哲学社会科学

版),2020,57(3):140-149.
[35] 王海军,邹日崧.国外绿色经济典型城市发展经验比较及启示[J].沈阳工业大学学报(社会科学版),2019,12(3):213-220.
[36] 覃成林,郑云峰,张华.我国区域经济协调发展的趋势及特征分析[J].经济地理,2013,33(1):9-14.
[37] 唐承丽,吴艳,周国华.城市群、产业集群与开发区互动发展研究——以长株潭城市群为例[J].地理研究,2018,37(2):292-306.
[38] 陈明星,隋昱文,陆大道,等."一带一路"与新型城镇化的融合发展[J].科技导报,2018,36(3):82-90.
[39] 卓玛草.新时代乡村振兴与新型城镇化融合发展的理论依据与实现路径[J].经济学家,2019,1(1):104-112.
[40] 傅玮倩,何静.关于传统农业向现代化农业过渡的理论探讨[J].现代化农业,2015(5):43.
[41] 钞小静,薛志欣.新时代中国经济高质量发展的理论逻辑与实践机制[J].西北大学学报(哲学社会科学版),2018,48(6):12-22.
[42] 李子联,王爱民.江苏高质量发展:测度评价与推进路径[J].江苏社会科学,2019(1):247-256+260.
[43] PEARCE D, MARKANDYA A, BARBIER E. Blueprint 1: For a green economy [M]. London:Routledge, 1989.
[44] 周鲁宏.联合国环境规划署(UNEP)行动研究[J].环境科学与管理,2012,37(9):16-19.
[45] 任保平.新常态要素禀赋结构变化背景下中国经济增长潜力开发的动力转换[J].经济学家,2015(5):13-19.
[46] 唐仁敏,吴欣静.为中国经济转向高质量发展奠定坚实基础——供给侧结构性改革助力实现经济高质量发展[J].中国经贸导刊,2018(25):35.
[47] 施建军,夏传信,赵青霞,等.中国开放型经济面临的挑战与创新[J].管理世界,2018,34(12):13-18+193.
[48] 陈霜华.发挥自贸试验区优势率先探索向制度型开放转变[J].科学发展,2020(5):53-63.
[49] 陈希琳.刘平均:加强建设让中国品牌走向世界[J].经济,2016(8):28-29.
[50] 郑晟.中美贸易摩擦对中国出口影响及应对措施[D].长春:吉林大学,2020.
[51] 庞庆明.中国特色共享经济:本质特征与关键路径[J].马克思主义研究,2016(7):65-71.
[52] 刘国华,吴博.共享经济2.0:个人,商业与社会的颠覆性变革[M].北京:企业管理出版社,2015.
[53] 韩军辉,SHAKHZOD S,柳洋.基于熵值法的高质量发展综合评价研究[J].科技和

产业,2019,19(6):79-83.

[54] 杨丽,孙之淳.基于熵值法的西部新型城镇化发展水平测评[J].经济问题,2015(3):115-119.

[55] 龚元明,陈为正,刘万春,等.计算机软件工程基础[M].北京:中国致公出版社,1994.8.

[56] 孙启鹏,高捷,邹海波,等.通道运输方式的耦合机理及耦合协调度模型[J].长安大学学报:自然科学版,2014,34(5):84-89.

[57] SU Y, WANG F, AN X. Coupling mechanism and coupling degree measurement model of shipbuilding industry cluster[J]. Polish Maritime Research. 2016,23(s1).

[58] 吴传清,黄磊.长江经济带工业绿色发展绩效评估及其协同效应研究[J].中国地质大学学报(社会科学版),2018,18(3):46-55.

[59] 张雄君,程林松,李春兰.灰色关联分析法在产量递减率影响因素分析中的应用[J].油气地质与采收率,2004(6):48-50+84.

[60] 罗毅,李昱龙.基于熵权法和灰色关联分析法的输电网规划方案综合决策[J].电网技术,2013,37(1):77-81.

[61] 习近平主持中央政治局集体学习时强调:完整准确全面贯彻新发展理念 确保"十四五"时期我国发展开好局起好步[EB/OL].(2021-01-29)[2022-03-02].http://www.xinhuanet.com/politics/leaders/2021-01/29/C.1127041396.html.

[62] 任保平,文丰安.新时代中国高质量发展的判断标准、决定因素与实现途径[J].改革,2018(4):5-16.

[63] 吴志军,梁晴.中国经济高质量发展的测度、比较与战略路径[J].当代财经,2020(4):17-26.

[64] 秦放鸣,唐娟.经济高质量发展:理论阐释及实现路径[J].西北大学学报(哲学社会科学版),2020,50(3):138-143.

[65] 任佳丽.我国区域绿色发展的金融支持研究[D].山西财经大学,2018.

[66] 陈军飞,顾岩.政企携手推动江苏沿江化工产业转型升级[J].水利发展研究,2021,21(11):85-90.

[67] 吴传清,叶云岭.破解"化工围江"难题的"湖北样本"和"江苏样本"[J].西部论坛,2020,30(6):71-83.

[68] 贾潇潇.破解"化工围江"困局交出长江大保护合格答卷[J].群众,2020(17):30-31.

[69] 胡锐,李娜,廖琪,等.长江经济带沿江化工企业问题与对策分析[J].环境与可持续发展,2019,44(5):43-47.

[70] 枝江市人民政府,多措并举破解"化工围江"[J].政策,2019(5):22-23.

[71] 实施"关改搬转"破解"化工围江"——宜昌长江大保护实践[J].中国经贸导刊,

2019(2):21-24.

[72] 张厚明,秦海林. 长江经济带"重化工围江"问题研究[J]. 中国国情国力,2017(4):38-40.

[73] 江苏省工业和信息化厅. 关于石化和化学工业发展规划(2016—2020)[EB/OL]. (2016-10-19)[2022-03-02]. http://gxt.jiangsu.gov.cn/art/2016/10/19/art_6279_3787083.html.

[74] 江苏省人民政府办公厅. 关于印发全省沿海化工园区(集中区)整治工作方案的通知[EB/OL]. (2018-06-16)[2022-03-02]. http://www.jiangsu.gov.cn/art/2018/6/26/art_46144_7715487.html.

[75] 江苏省人民政府办公厅. 关于江苏省化工园区(集中区)环境治理工程的实施意见[EB/OL]. (2019-02-26)[2022-03-02]. http://www.jiangsu.gov.cn/art/2019/2/26/art_64797_8239807.html.

[76] 江苏省人民政府. 关于加强全省化工园区化工集中区规范化管理的通知[EB/OL]. (2020-10-30)[2022-03-02]. http://www.jiangsu.gov.cn/art/2020/11/11/art_46143_9564987.html.

[77] 江苏省人民政府. 省政府关于推进绿色产业发展的意见[EB/OL]. (2020-03-27)[2022-03-02]. http://www.jiangsu.gov.cn/art/2020/4/1/art_46143_9029775.html.

[78] 江苏省工业和信息化厅. 关于江苏"十四五"工业绿色发展等规划[EB/OL]. (2021-08-25)[2022-03-02]. http://jseic.jiangsu.gov.cn/art/2021/8/25/art_83673_10000511.html.

[79] 江苏省人民政府办公厅. 关于印发江苏省全域"无废城市"建设工作方案的通知[EB/OL]. (2022-01-09)[2022-03-02]. http://www.jiangsu.gov.cn/art/2022/1/18/art_46144_10320648.html.

[80] 国务院. 关于加快建立健全绿色低碳循环发展经济体系的指导意见[EB/OL]. (2021-02-02)[2022-03-02]. http://www.gov.cn/zhengce/content/2021—02/22/content_5588274.htm.

[81] 中华人民共和国国家发展和改革委员会. 浙江高质量发展建设共同富裕示范区实施方案(2021—2025)[EB/OL]. (2021-07-21)[2022-03-02]. https://www.ndrc.gov.cn/fzggw/jgsj/jys/sjdt/202107/t20210721_1291073.html? code=&state=123.

[82] 刘培林,钱滔,黄先海,等. 共同富裕的内涵、实现路径与测度方法[J]. 管理世界,2021,37(8):117-129.

[83] 范从来,秦研,赵锦春. 创建区域共同富裕的江苏范例[J]. 江苏社会科学,2021(3):49-57+242-243.

[84] 葛建纲,王国灿. 关于浙江高质量发展建设共同富裕示范区的几点思考与建议[EB/OL]. (2021-08-16)[2022-03-02]. https://www.sohu.com/a/483717681_120774025.

[85] 浙江省医疗保障局,浙江省民政厅,浙江省财政厅,等. 浙江省巩固拓展医疗保障脱贫攻坚成果促进共同富裕有效衔接乡村振兴战略实施意见[EB/OL]. (2021-12-30)[2022-03-02]. http://www.zj.gov.cn/art/2021/12/30/art_1229530766_2387071.html.

[86] 浙江省人力资源和社会保障厅. 浙江省人社领域推进高质量发展建设共同富裕示范区实施方案(2021—2025年)[EB/OL]. (2021-07-16)[2022-03-02]. http://rlsbt.zj.gov.cn/art/2021/7/16/art_1229101517_2311578.html.

[87] 浙江省住房和城乡建设厅. 浙江省城乡住房工作协调委员会办公室关于推进高质量发展建设共同富裕示范区打造"浙里安居"品牌的实施意见[EB/OL]. (2021-08-26)[2022-03-02]. http://jst.zj.gov.cn/art/2021/8/26/art_1229159340_58927489.html.

[88] 浙江省经济和信息化厅. 浙江省经济和信息化厅关于印发浙江省经济和信息化领域推动高质量发展建设共同富裕示范区实施方案(2021—2025年)[EB/OL]. (2021-09-02)[2022-03-02]. http://jxt.zj.gov.cn/art/2021/9/3/art_1582899_22772.html.

[89] 浙江省交通运输厅. "四沿"美丽富裕干线路总体布局方案[EB/OL]. (2022-01-05)[2022-03-02]. http://jtyst.zj.gov.cn/art/2022/1/5/art_1229114320_2388088.html.

[90] 浙江省民政厅. 推进民政事业高质量发展建设共同富裕示范区行动方案(2021—2025)[EB/OL]. (2021-09-17)[2022-03-02]. http://mzt.zj.gov.cn/art/2021/9/17/art_1633560_58926420.html,.

[91] 中华人民共和国中央人民政府. 中共中央 国务院关于支持浙江高质量发展建设共同富裕示范区的意见[EB/OL]. (2021-06-10)[2022-03-02]. http://www.gov.cn/zhengce/2021—06/10/content_5616833.htm.

[92] 林学军,黄卫华. 浙江作为共同富裕示范区的主要特征、路径与启示[EB/OL]. (2021-07-29)[2022-03-02]. https://m.gmw.cn/baijia/2021—07/29/35038294.html.

[93] 胡献政. 浙江高质量发展建设共同富裕示范区的主要做法及启示[J]. 发展研究,2021,38(S1):14-18.

[94] 成长春,杨凤华,黄寰,等. 推动长江经济带发展和共建"一带一路"融合[EB/OL]. (2021-01-29)[2022-03-02]. https://baijiahao.baidu.com/s?id=1690175473035782287&wfr=spider&for=pc.

[95] 中华人民共和国财政部. 关于全面推动长江经济带发展财税支持政策的方案[EB/OL]. (2021-09-02)[2022-03-02]. http://www.gov.cn/zhengce/zhengceku/2021-

09/03/content. 5635192. html.
[96] 吴海江. 三种分配方式协调联动是实现共同富裕的关键[J]. 人民论坛,2021(28):21-23.
[97] 顾严. 率先实现基本公共服务均等化的使命与路径[EB/OL]. (2021-06-21)[2022-03-02]. http://zjnews. zjol. com. cn/202106/t20210621_22700921. shtml.
[98] 陶建钟. 实现人的全生命周期公共服务优质共享,形成幸福导向型公共服务体系[EB/OL]. (2021-12-08)[2022-03-02]. https://baijiahao. baidu. com/s? id=1718545490276430527&wfr=spider&for=pc.

后记

在当前全球经济增速放缓、不确定性增多，我国经济已由高速增长阶段转向高质量发展阶段的大背景下，党中央、国务院高度重视长江保护与高质量发展，重提长江经济带发展战略并对此作出部署，着力打造中国经济新的支撑带。由此，高质量发展成为当前和未来时期长江经济带的主要目标和根本任务。推动长江经济带高质量发展这一战略布局将对改善东中西部合作互动格局、引领生态文明建设、转变经济增长动能和推动全国经济提质增效具有重要意义。

本书以长江经济带为研究对象，以共抓大保护、不搞大开发为导向，以生态优先、绿色发展为引领，全面梳理长江经济带经济高质量发展的政策环境、发展情况、面临的挑战和应对思路，通过构建经济高质量发展指标体系对长江经济带及各省市经济高质量发展水平进行测度与评价，结合沿江典型省市经济高质量发展的实践进而总结经验，为实现长江经济带经济高质量发展提供理论与实践依据，为其他地区乃至全国经济发展质量的提升路径拓宽新的思路。

本书由长江保护与绿色发展研究院、江苏长江保护与高质量发展研究基地组织编写。感谢在本书的具体编写过程中付出辛勤劳动的各位专家学者，包括张兵、潘海英、李祎雯、吴兆丹、徐章星、符磊、赵敏、翟婷、仉晨、牟慧林、任佳佳、杜思璇、杨宇轩、李闻宇、谢方铭、王莹、侯瑞雪等。本书写作中也引用了来自各级政府网站和统计年鉴的统计数据和资料，并参阅了国内外相关专家学者的研究成果。谨此一并致谢！

我们认为长江经济带经济高质量发展的研究，尤其是经济高质量发展的测度评价将是一个长期且不断发展、完善的过程，尽管我们在本书的研究中付出了大量的时间和精力，但是囿于研究水平和其他因素的影响，书中可能会存在一些局限性以及疏漏之处，恳请读者批评指正！